Emma Bovary is one of the most famous of all literary heroines. A romantic adulteress who seeks diversion from the monotony of married life through ill-starred love affairs and compulsive extravagances, she gives ample testimony to the perception, honesty and grim realism that are the hallmarks of Flaubert's greatness.

Australian-born Iris Wilcock Friederich, now at the University of North Carolina in Chapel Hill, has taught at the University of Melbourne, where she also served as Sub-Dean of the Faculty of Arts with the rank of Senior Lecturer. Her travels have included a year of study at the Sorbonne and a Carnegie-sponsored visit to more than a score of universities in the United States and Canada.

A LIST OF AVAILABLE AND FORTHCOMING TITLES

Chrétien de Troyes, YVAIN OU LE CHEVALIER AU LION.
Introduction and notes by Julian Harris.

THREE PHILOSOPHICAL VOYAGES: *Cyrano de Bergerac,*
LES ÉTATS ET EMPIRES DE LA LUNE *(selections);*
Voltaire, MICROMÉGAS *and* CANDIDE.
Introduction and notes by Julian Eugene White, Jr.

Molière, LE TARTUFFE *and* LE MÉDECIN MALGRÉ LUI.
Introduction and notes by Jacques Guicharnaud.

Jean Racine, BRITANNICUS *and* PHÈDRE.
Introduction and notes by George B. Daniel, Jr.

Pierre Corneille, POLYEUCTE *and* LE MENTEUR.
Introduction and notes by Georges May.

Denis Diderot, JACQUES LE FATALISTE.
Introduction and notes by J. Robert Loy

Honoré de Balzac, LA PEAU DE CHAGRIN.
Introduction and notes by Victor Brombert.

Stendhal, LE ROUGE ET LE NOIR.
Introduction and notes by Alvin A. Eustis, Jr.

FRENCH POETRY FROM BAUDELAIRE TO THE PRESENT.
Edited, with an introduction, by Elaine Marks.

Albert Camus, DE "L'ENVERS ET L'ENDROIT" À "EXIL ET
LE ROYAUME." *Introduction and notes by Germaine Brée.*

Jean Giraudoux, LA FOLLE DE CHAILLOT *and* L'APOLLON DE
BELLAC. *Introduction and notes by Thomas Bishop.*

Gustave Flaubert

Madame Bovary

Introduction and notes by Iris Friederich

Germaine Brée, General Editor, French Series

THE LAUREL LANGUAGE LIBRARY

Published by
Dell Publishing Co., Inc.
750 Third Avenue, New York, N.Y. 10017
Copyright © 1964, Dell Publishing Co., Inc.
Laurel ® TM 674623, Dell Publishing Co., Inc.
All Rights Reserved
Typography by R. Scudellari
First printing—December, 1964
Printed in U.S.A.

Contents

Chronology

1821 December 13. Birth of Gustave Flaubert, second surviving son of a distinguished chief surgeon of l'Hôtel-Dieu, Rouen.

1830 July Revolution; the reactionary king Charles X was replaced by Louis-Philippe, "le roi bourgeois."

1832–40 At the Collège de Rouen. Considerable literary activity.

1836 Meeting with Madame Schlésinger, object of his lifelong admiration.

1841 Enrollment in Law Faculty, Paris, to please his family, rather than from inclination.

1844 First attack of nervous ailment, perhaps a form of epilepsy, which recurred throughout his life, precipitated abandoning of desultory law studies. He settled with parents at Croisset, not far from Rouen. First journey to the East.

1846 Death of Flaubert's father. Birth of his niece Caroline, whose upbringing he undertook on the death of her mother, Flaubert's sister Caroline.

1846–54 Stormy liaison with Louise Colet. Their correspondence is of great importance for the study of his views on literature and his method of work.

1848 Revolution established the Second Republic, with universal suffrage (for men over 21), under Louis-Napoleon as President.

1849–51 Travel in Egypt, Asia Minor, Greece and Italy, with two friends, Du Camp and Bouilhet. On his return, Flaubert began to write *Madame Bovary*.

1851 Coup d'état (December) leading to proclamation, in 1852, of Louis-Napoleon as Emperor Napoleon III.

1856 Publication of *Madame Bovary* in installments in the *Revue de Paris*.

1857 Prosecution and acquittal of Flaubert on a charge of an offense against public morals and religion in the publishing of *Madame Bovary*. Publication of the complete novel in book form.

1862 *Salammbô* published.

1869 Publication of *L'Education sentimentale.*

1870 Franco-Prussian War; overthrow of Napoleon III ended the Second Empire. During the invasion of France, Flaubert's house at Croisset taken over by the Germans, he himself living in Rouen.

1872 Death of his mother for whom he had been caring.

1874 Publication of *La Tentation de Saint Antoine.*

1877 Publication of *Trois Contes.*

1879 Pension accorded to Flaubert eased his financial straits.

1880, May 8 Death of Gustave Flaubert.

1881 Publication of *Bouvard et Pécuchet.*

1909 Publication of *Œuvres complètes de Flaubert,* including his youthful writings and a part of his correspondence.

Some Editions of MADAME BOVARY

1856 *Revue de Paris*—incomplete text.

1857, 1862, 1869 Editions published by Michel Lévy Frères, Paris, each successive one with the author's corrections.

1873 Definitive edition with texts of prosecution, defense and judgment, and author's corrections, Paris, Charpentier et Cie.

1885 Edition of the *Œuvres complètes,* Quantin.

1909 Edition of *Œuvres complètes,* with the addition of *Correspondance* and youthful writings.

1945 Edition of Dumesnil (Paris, Société des Belles Lettres).

1951 *Madame Bovary, avec introduction, notes et variantes,* par Edouard Maynial (Paris, Editions Garnier Frères).

1951 Edition of Thibaudet and Dumesnil (Paris, Bibliothèque de la Pléiade, N.R.F.). Text based by Thibaudet on the final editions corrected by Flaubert. This text is followed in the present edition.

Introduction

How is it that Gustave Flaubert's *Madame Bovary*, the sordid little story of the discontented wife of a country doctor, of her attempts to realize her dream idyll, and of her consequent degradation, comes to be recognized as one of the world's great novels? For the theme is just that, and yet the novel has been acclaimed by critics from the time of its appearance to our own time—though it has not been without adverse criticism, and was bitterly attacked on its publication. Words of Flaubert himself provide the answer: it is by "la chimie du style." For Flaubert, that "chemistry" was accompanied by torments: "je les aurai connues, les affres du style," he wrote to George Sand in November 1866.

The choice of the subject over which Flaubert was to agonize from 1851 to 1856 is related by Maxime Du Camp in his *Souvenirs littéraires*. In 1849, in order to finish his first draft of *La Tentation de Saint Antoine*, Flaubert delayed for some months his journey to the Near East with his friends Du Camp and Louis Bouilhet. He read the completed manuscript of *Saint Antoine* to them, requesting candid criticism. The verdict was devastating: "Nous pensons qu'il faut jeter cela au feu et n'en jamais reparler." They went on to urge him to tackle some down-to-earth subject, in which he would have to curb his inclination toward lyricism. Then Bouilhet is said to have made a specific suggestion: "Why not write the story of Delaunay?"

By "Delaunay" Bouilhet meant Eugène Delamare, a doctor from the small town of Ry, not far from Rouen, the story of whose misfortunes was known to them all. Delamare's wife Delphine, like Charles Bovary's wife Emma in the novel, after love affairs with a local gentleman farmer and then with a lawyer's clerk, had taken poison. Putting aside *Saint Antoine*—but not permanently—Flaubert accepted the challenge and set about writing a novel from these unpromising data. That he transformed the story into a masterpiece is due to his genius, to his unremitting striving to achieve the artistic effects that were his aim.

A one-sentence summary of the plot, including its dénouement, gives no idea at all of the novel. Like the themes of the great Greek tragedies for their audiences, it is a mere starting-point. The theme was known; it was what the dramatist did with it that mattered. The reader is struck, and increasingly so at each rereading, by Flaubert's skill in putting himself "into the skin" of his characters—so that he could say with truth: "Madame Bovary, c'est moi"—in portraying their relations with each other, and in depicting their environment. All this is done with what Henri Peyre characterizes as "apparent objectivity," without intrusion of the personality of the writer; it is a rare sentence that can be identified as a direct statement of the writer's own opinion on anything.

"Le style est l'homme même," said Georges-Louis Buffon in his *Discours sur le style*. The history of Flaubert the man is the history of Flaubert the artist. His experiences, his observations, became the fabric of the tales he wove; his tragic, pessimistic view of life underlies his writings. His childhood was spent at the hospital in Rouen, where his father was chief surgeon. The boy Gustave and his sister used to climb up to peer in the window of the dissecting-room, until their father caught sight of them and ordered them off. To such an extent did he absorb the medical atmosphere around him and draw on it in his writings that he was thought by some to have begun medical studies himself. This background contributed both to his ability to describe illness, surgery, death, in realistic

—even revolting—detail, and to his close observation, almost dissection, of character. Charles-Augustin Sainte-Beuve wrote of him in *Le Moniteur* of May 1857: "Fils et frère de médecins distingués, M. Gustave Flaubert tient la plume comme d'autres le scalpel." In a letter of June 1853, Flaubert wrote that he was going to the funeral of the wife of a doctor in Rouen whose sudden death had stirred real sympathy in him. But he added an admission that he was going to keep his eyes open for things he could use in *Madame Bovary,* recognizing this as an "exploitation" which might be considered odious, but defending it thus: "J'espère faire couler des larmes aux autres avec ces larmes d'un seul, passées ensuite à la chimie du style."

Side by side with his clinical approach to life appears a romantic strain — the source of the lyricism in his *Saint Antoine* for which he had been reproached. In his not very happy schooldays he had read the Romantics eagerly; in his *Préface aux dernières chansons* of Louis Bouilhet, he tells of the effect of this reading on him and his friends: "On n'était pas seulement troubadour, insurrectionnel et oriental, on était avant tout artiste." In *Madame Bovary* he launches, by implication, a powerful attack on Romanticism: Emma's devouring of all the romanesque literature that came her way has much to answer for in her completely unrealistic approach to life, in her dissatisfaction as the wife of Charles Bovary.

From the time he abandoned his law studies, Flaubert devoted himself entirely to literature, mainly at the family home at Croisset, with occasional sojourns in Paris. About 1850, reaction was in the air against the personal, subjective, effusive literature of Romanticism and especially against Romantic idealization (of which Emma Bovary is a personification); the trend was to the portrayal of contemporary life, of the humbler classes, of the bourgeoisie whom Flaubert detested.

The age he lived in was one of unrest: the turn of the century had seen Napoleon's empire and the wars that the

Revolution brought in its train; then came the reestablishment of the monarchy in 1814–15, with the return of the Bourbons. With its varying forms of tyranny, the restored monarchy invited the revolutions of 1830 and 1848, the former bringing merely a change of master, despite Louis-Philippe's pretensions to liberal, "democratic," monarchy. The wealthier bourgeoisie gained increasing power under the reign of this so-called *roi bourgeois*. Growing demand for electoral and social reform led to the revolution of 1848 and the establishment of the short-lived Second Republic, with a predominance of bourgeois who favored political reform—extending the franchise to all men over twenty-one—but who were blind to the need, intensified by the industrial revolution, for real social reform. With Louis-Napoleon as president supported by reactionary ministers, the Second Republic was overthrown by the coup d'état of December 1851, and in 1852 Louis-Napoleon was proclaimed emperor under the title of Napoleon III. This Second Empire was the period par excellence of the ascendancy of the bourgeoisie. Distaste for this ever more flourishing class—which Flaubert pilloried repeatedly, for instance, in *Madame Bovary* in the character of Homais, a personification of the characteristics he despised, and in *Bouvard et Pécuchet*—and concern for his constantly uncertain health combined with his absorption in his writing to lead to the writer's seclusion at Croisset. The charge that has been made against him of indifference to the events of the world around him is difficult to sustain in the face of his novel of the 1848 Revolution, *l'Education sentimentale* (written between 1864 and 1869), of which René Dumesnil writes: "ce n'est pas seulement l'éducation sentimentale, l'histoire d'un jeune homme qu'il nous conte, c'est l'éducation politique d'une génération."

Despite the choice of subjects from commonplace, often sordid, reality—hence the label "Realist" applied to a group of writers of this period—the aesthetic aim, the doctrine of "l'art pour l'art," held sway. The novel was to be documentary, but the novelist did not set out, as did the Naturalists a few years later, to write a work that could be regarded as the equivalent of a scientific experiment—for example, Emile Zola's study of heredity in the Rougon-Macquart series of novels. Though he held definite views on literature, Flaubert did not propose to establish a "school" of writers, and was actually far from pleased when *Madame Bovary* was hailed as a masterpiece of Realism.

To Flaubert, the book was the important thing, the thing for which he lived. After accepting the discipline of writing "l'histoire de Delamare," he started out with his friends, Du Camp and Bouilhet, on a long journey to Egypt, Asia Minor, Greece and Italy (the "grand tour" of that time). But he was preoccupied by the novel to come. Du Camp records that while they were gazing at a cataract of the Nile, Flaubert suddenly exclaimed: "J'ai trouvé! Eurêka! Eurêka! je l'appellerai Emma Bovary!" While the writer was thinking of his novel in its Norman setting, he was nevertheless not as oblivious to his exotic surroundings as he seemed; the observer was at work, and the fruit of his observations on this journey came in the settings of *Salammbô,* of *La Tentation de Saint Antoine,* and of "Hérodias" in *Trois Contes.*

Racine, in his *Préface de Bérénice,* wrote that "toute l'invention consiste à faire quelque chose de rien." We have seen the point of departure of *Madame Bovary;* we know that Flaubert spent the best part of five years transforming that "rien" which might have been a brief news item into "quelque chose," a gripping, timeless narrative. They were years of constant labor, during which Flaubert's chief "distraction" was the care and training of his motherless niece, who was living at Croisset with him and his mother. The fishermen of his neighborhood are said to have considered the light in his window as dependable as a lighthouse. What form did this constant toil take? Here was no swift setting down on paper of words coming in an inspired rush. Flaubert's manuscripts exist to show the detailed, patient planning, with "scénarios" of the action, notes on the characters, and on technicalities (*e.g.*, for Charles' ill-fated operation on the clubfoot of Hippolyte, the stableboy from the inn), and drafts which show the repeated rewriting to which his stern self-criticism and his search for perfection drove him.

To Flaubert, the structure of the novel was of prime importance, and in this he was a notable innovator. The three parts of *Madame Bovary* correspond to three phases in the dramatic unfolding of the story: Part I, which takes place at Tostes, shows the development of Emma Bovary's romantic aspirations, and of her discontent with her humdrum life and with her unimaginative husband, whose happiness makes a sharp contrast. Emma's dreams reach a peak and find a focus in the glimpse of a different life provided by the ball at the château de la Vaubyessard. Her dissatisfaction leads to the departure from Tostes to Yonville-l'Abbaye, the scene of Part II, of Emma's attempts to bring her dreams to reality. The reader sees that abandonment and disillusion are inevitable for Emma, but her unawareness of their approach is complete till the shattering blow falls. Her very vulnerability makes the reader pity her; he cannot just shrug and say "it served her right," and this stirring of the reader's pity is a part of Flaubert's achievement. A climax has been reached, and Part III brings the descent into tragedy for Emma, her husband, and their daughter.

Not only in the structure of the novel is there striking innovation, but also in the mode of narration. At first sight, the story is told objectively by the author who observes all; but the reader does not merely read *about* the characters, their actions and their thoughts: he moves in and out of the characters' minds, almost unaware, so skillful is the author's technique. By using indirect speech, Flaubert draws the reader into seeing the point of view of the character whose speech is reported, as, for example, in Emma's conversation with Charles shortly before they become engaged. Description, too, serves this same purpose: the reader's view of the ball at the château is Emma's view; he almost feels he is making Emma's journey to and from Rouen in the coach.

Numerous investigations have shown that real people may well have been the prototypes of Charles and Emma Bovary, their servant Félicité, and Emma's two lovers Rodolphe and Léon. Larivière, the doctor who attempts to save Emma, is a clearly recognizable portrait of Flaubert's own father; Homais, the know-all pharmacist, and Bournisien, the well-meaning, limited curé, are compounded of characteristics noted by Flaubert in real people. Real places have been identified as the settings of the story, though some place names are changed; for example, the little town of Ry is said to be the model for Yonville-l'Abbaye in Part II of *Madame Bovary*. Dates of events mentioned make it possible to trace the dates of the action in the novel.[1]

The story was to be that of Delamare and, in fact, it begins and ends with his counterpart in the novel, Charles Bovary. The book opens with a demonstration of his gaucherie, but also of his goodwill, on his entry into the lycée in his teens. Throughout the novel his mediocrity is constantly to the fore, so that Emma's irritation, mounting to exasperation and finally to hatred, can be credible. But he has qualities that could have helped a wife without the fanciful ambitions of Emma to make the best of her unexciting situation; in his country community he earns quite a reputation by his conscientious, good-natured devotion to his work as "officier de santé." (Be it noted in passing that, in keeping with Charles' general dullness, he has been unable to achieve more than an inferior qualification giving him only restricted rights to medical practice.) With his wife, he is generous and trusting to a fault. When she seems to need a change of surroundings, he regretfully but ungrudgingly abandons a thriving practice at Tostes to transfer to Yonville-l'Abbaye, where

[1] For this documentation, see the Introduction to Dumesnil's edition of *Madame Bovary*.

Emma's discontent and dreams lead to her first adultery. In his blindness, it is he who urges Emma to go riding with the châtelain Rodolphe—a fateful ride. He repeatedly makes himself ridiculous; the outstanding example is his calamitous venture into surgery at the instigation of Homais abetted by Emma—but the meditations of Emma and Charles after his failure may rouse more sympathy with him than with her. Charles' obtuseness is epitomized shortly after Emma's death in the ironical sentence in his letter to the mother of Léon, Emma's second former lover, when, in his reply to the announcement of Léon's marriage, he writes: "Comme ma pauvre femme aurait été heureuse!" However, Charles is not as absurd as he appears to Rodolphe when, having learned the truth from Emma's letters, he says: "Je ne vous en veux pas."

It is Emma who is the central figure of the novel. Though the medium is so different from that of Racine, Flaubert's probing and uncanny insight into the emotions, particularly the feminine ones, recall the great dramatist. So does the way in which Emma's fate inexorably results from her giving full play to her emotions.

The romantic reading and dreaming of her adolescence, and also the attitude to religion which she develops in the convent—shifting from an exaggerated devoutness to a rebelliousness that dismays the Sisters—influence her throughout the rest of her life. Emotional upheavals are followed by returns to the Church: while resisting her attraction to Léon, she seeks help from the preoccupied, inadequate curé Bournisien, who shows no understanding; during her convalescence from the collapse caused by Rodolphe's brutal desertion, she passes through a veritable crisis of religiosity rather than religion—"et dans l'orgueil de sa dévotion, Emma se comparait à ces grandes dames d'autrefois, dont elle avait rêvé la gloire sur un portrait de La Vallière."

Her marriage quickly fails to live up to her expectations, based as these are on the notions she has imbibed from her reading and daydreaming—"et elle ne pouvait s'imaginer à présent que ce calme où elle vivait fût le bonheur qu'elle avait rêvé," and again: "Emma se répétait: 'Pourquoi, mon Dieu, me suis-je mariée?'" In Léon Dupuis, the lawyer's clerk, she finds a kindred spirit with whom she can talk of music, of books, of sunsets, of the sea. Aware that he has fallen timidly in love with her, she finds herself returning his affection, but succeeds in concealing her feelings from Léon himself and, without any difficulty, from Charles. She enjoys thinking of "what might have been"—"Oh! si le ciel l'avait voulu!"; she plays the devoted wife and mother. At the same time she gains great satisfaction from her smug reflection: "Je suis vertueuse," and feels exasperated with her husband for having no idea that she is unhappy and that she is resisting temptation.

In the early attachment to Léon, Emma's negative feeling of discontent has been replaced for a time by a sentimental preoccupation and a certain satisfaction in renunciation. The loss of this distraction, through Léon's departure, makes her easy prey to the calculated seduction of the cynical Don Juan of the district, Rodolphe Boulanger, whose desertion of Emma is an inevitable consequence of her highly romanesque, though sincere, devotion to him. The period of repentance which follows the shock of Rodolphe's defection is not unaccompanied by frustration. Chance renewal of acquaintance with Léon—an older, more sophisticated Léon—coming just at this point leads to a very different relationship from their earlier one. But their "honeymoon" is soon over; disillusioned again, in determined, desperate efforts to be happy, Emma becomes dominant and demanding, and her want of discretion becomes embarrassing to Léon in his profession. The whole situation takes on a nightmarish quality when she is overwhelmed by the debts into which she has been inveigled by the wily moneylender, Lheureux—what irony for her in his name, "the Happy one"! Failure in her degrading attempts to stave off financial ruin, and reluctance to face Charles' forgiveness, lead to complete despair which, in turn, brings resolution, so that it is "dans un transport d'héroïsme qui la rendait presque joyeuse" that she goes to end her problem. The death scene—to the sinister accompaniment of the ironic song of the Blind Man, who has alarmed Emma often on her trips to Rouen and who now reappears at the moment of death, singing of a scythe at the harvest—and Charles' bewildered grief, are depicted in painful detail. We are spared none of the consequences of her folly for Emma and her family.

The picture of the self-centered character of this pitiful woman becomes even more complete in her dealings with others—with her servants, whom she treats most capriciously, with her mother-in-law, with her own child. Her relationship with her jealous mother-in-law develops from chilly politeness to open hostility; in a strikingly icy sentence Flaubert states that during a three-week visit from Charles' mother, the two women "n'avaient pas échangé quatre paroles, à part les informations et les compliments ..." Disappointed that her child is not a son, she takes little interest in her once she has chosen a name for her—a name overheard at the ball at the château de la Vaubyessard. The child does not fill the void in her heart. When she is not an irritation to her mother, she is at best the object of pretty attentions, when it suits Emma to pay them.

Emma's rejection of reality, her determination to live her dream, and her final flight from it all when she is brought inescapably face to face with the reality of her financial ruin, illustrate in extreme form a human characteristic to which has been given a name formed from hers: "le bovarysme." In a study under that title in 1902, Jules de Gaultier gives a definition that has been widely quoted: "Cette faculté est *le pouvoir départi* [given] *à l'homme de se concevoir autre qu'il n'est.*" Essentially this is the source of changes in his lot brought about by man, but in its exaggerated form, amounting to a total inability to see or accept the self as it is, it becomes what Gaultier calls "la tare [flaw] dont les personnages de Flaubert sont

marqués." It is somewhat akin to the "mal du siècle" of
the Romantics, but in Flaubert's characters it is destruc-
tive, while the Romantic nostalgia for other surroundings
and other periods gave rise to lyrical outpourings, to
colorful pictures of faraway epochs and places, with, at
least at times, an acceptance of their being other and
unattainable. Emma's "bovarysme" drives her to constant
dissatisfaction and to repeated disillusion. For her, the
vision of self does not lead to energetic action as it does,
for instance, Rastignac, Honoré de Balzac's determined
"arriviste," or Stendhal's enterprising Julien Sorel in *Le
Rouge et le Noir*.

The numerous minor characters are drawn with clear
strokes: Charles Bovary's parents, ill-assorted, at odds
with each other, the mother looking to her son for com-
pensation for her disappointment in her husband—and,
on the other hand, le bonhomme Rouault, Emma's father,
lonely, preferring comfort to hard work on his farm, a
Norman peasant who uses expressions of the Norman
dialect. Of all these characters, the most striking is the
pharmacist Homais, "the inimitable, the immortal Homais,"
as Henry James calls him. While he is hardly essential
to the action of the novel, except to underline the tragedy
of the Bovary family by contrast with his own soaring
fortunes, yet it is impossible to think of *Madame Bovary*
without recalling him. In a letter to Flaubert in April 1857,
Sainte-Beuve wrote: "M. Homais s'élève à la hauteur d'un
type." A son of the French Revolution, Homais typifies
the anticlerical, curé-baiting believer in Science and Prog-
ress. Displaying his knowledge, and his lack of understanding, in and out of season, he frequently lays himself
open to ridicule; hence Dr. Larivière's punning comment
on Madame Homais' concern about the state of her husband's blood: "Oh! ce n'est pas le *sens* qui le gêne!" It
is not surprising that, always on hand to proffer advice
and comment in his rôle of friend of the family, Homais
seeks a wider public by turning his hand to journalism—
in very inflated style, naturally—then by writing pamphlets

on a variety of subjects: "Il se préoccupa des grandes questions ..." Ambition is a natural companion to his other traits: he covets a decoration. The success of his maneuvers gives rise to the ironical closing statement of the book, fraught with the implied disgust of the author at the stupidity of society: "Il vient de recevoir la croix d'honneur."

The same meticulous attention accorded to character is devoted to descriptions of settings and scenery. Rouen and the neighboring countryside had been closely observed by Flaubert: with a heedless Emma and Léon we are conducted on a tour of Rouen Cathedral; the names of streets and monuments in Emma's fantastic trip with Léon in the cab are authentic, though Flaubert takes liberties with the topography of Rouen, and so heightens the impression of a wild careering around the city, to the astonishment of the townspeople. The town of Yonville is described in detail, as is also the route of the coach, *l'Hirondelle,* that plies between it and Rouen—that route known "d'un bout à l'autre" to Emma from her Thursday visits to the city (and to Léon). We see each of Emma's homes, and those she visits, and understand how cramped her life feels to her. Trees, plants, animals, colors, sounds are all recorded, effects being enhanced by picturesque comparisons: "les toits de chaume, comme des bonnets de fourrure rabattus sur des yeux"; "le ciel était rouge entre les branches, et les troncs pareils des arbres plantés en ligne droite semblaient une colonnade brune se détachant sur un fond d'or." Crowd scenes are full of life; classic examples are those of the wedding, the ball at the château seen through Emma's dazzled eyes, and the comical scene of the Comices, with the gathering of the farmers of the district and the pomposity of the officials. It is noteworthy that Flaubert himself compared to a symphony this last scene, with the dialogue of Emma and Rodolphe interwoven.

All this is written with every word carefully chosen. Flaubert subjected his writing to the test of being read

aloud—often to his friend and critic Bouilhet—in order
to be sure of his rhythms and harmonies, applying to
them the test of what he called *le gueuloir*. (The word is
his own, coined from *la gueule*, "the jaw" of an animal,
used in slang for the human mouth, or from the slang
verb *gueuler*, "to shout," "to bawl.") He believed that
what is well written can be spoken easily, so that anything
that did not read well was to be rejected. It is fascinating
to picture the author, who has been likened to a Viking
of old—balding, with a drooping mustache, tall and com-
manding, and with a general air of robustness that was
far from actual—declaiming from his manuscript for
hours. (The reading of *La Tentation de Saint Antoine* to
Du Camp and Bouilhet—momentous for Flaubert in that
it led to his writing *Madame Bovary*—took place in several
sessions lasting thirty-two hours all told.)

After five years, Flaubert was ready to publish this first
novel. It appeared first in installments, late in 1856, in
the *Revue de Paris*, with omissions which incensed the
author, who insisted on the publication, with the final
installment, of a note in which he disclaimed responsibility
for the form in which it was appearing. *Madame Bovary*
was a sensation. Flaubert was aghast to find himself, with
one of the directors and the printer of the *Revue de Paris*,
charged in the criminal court with "outrage à la morale
publique et religieuse et aux bonnes mœurs." All efforts
to stop the proceedings failed, and the case came before
a crowded court early in 1857—by which time, thanks to
the scandal, several periodicals were seeking contracts with
Flaubert for new novels!

The text of prosecution and defense is published in
numerous editions of *Madame Bovary*. The prosecutor
quoted a number of short passages in support of his
contention that the "color" of the work was, throughout,
"la couleur lascive." Then he concentrated his attack on
a few passages to confirm his views on the book's glorifi-
cation of adultery—"la poésie de l'adultère"—and offensive
treatment of religion. He acknowledged the author's skill

as a writer—"M. Flaubert sait embellir ses peintures avec toutes les ressources de l'art." He went on to deplore the use to which that skill was put: "l'art sans règle n'est plus l'art." The defense was based on the eminently moral aim of the work (whether or not in fact Flaubert consciously had one) as "l'excitation à la vertu par l'horreur du vice" by a serious writer, a man of good repute. It was further based on the misleading impression created by the isolation of passages from their context, on the close adherence to the ritual of the Church in the passages dealing with religion, notably in the death scene, and on the reticence of Flaubert in contrast with the treatment of love by a number of great French authors.

The verdict was acquittal, though not without some rebuke to the author. Thus was vindicated the forecast of Alphonse de Lamartine, quoted by the defense, that no tribunal could be found in France to condemn this novel which the poet had described to the author as "la meilleure œuvre que j'ai lue depuis vingt ans." *Madame Bovary* appeared, *in toto,* in volume form, a few months later.

Despite the disillusioning aftermath of the publication of his first novel, Flaubert did not abandon writing, without regard for "literary output." He started work at once on *Salammbô,* set in ancient Carthage, the Romantic in Flaubert choosing an exotic background, a civilization and a period remote from his own. Here he displays a vast and precise knowledge of history, and specially of archaeology, which though dazzling tends to pall. The novel was his constant preoccupation till its publication in 1862. Its reception was mixed: Sainte-Beuve, who had been enthusiastic about *Madame Bovary,* wrote three hostile articles—but he *did* devote three articles to it. Heated discussions raged over it, and complaints of the kind raised against *Madame Bovary* were heard again.

Salammbô was followed by *L'Education sentimentale,* regarded by some as rivaling *Madame Bovary*'s claim to recognition as Flaubert's masterpiece. This autobiographical novel, of which Flaubert had written earlier versions, had its source partly in the author's feeling for Madame Maurice Schlésinger, whom he had met in his teens, and worshiped from afar. In it he depicted the France of his youth, of the reign of "le roi bourgeois" Louis-Philippe, and the revolutionary spirit that brought about this king's downfall in 1848.

1874 saw the publication of *La Tentation de Saint Antoine*, the "drame philosophique" of early Christian times, on which Flaubert had been working, in successive drafts, since 1846, and which he himself regarded as his most important work. He was distressed by numerous attacks in which he felt "une haine contre moi," directed at him personally rather than at his work.

Trois Contes (1877)—"Un Cœur simple," "La Légende de Saint Julien l'Hospitalier," and "Hérodias"—received favorable criticism, yet sold far less well than *Saint Antoine*. Perhaps in response to reproaches for his cold objectivity, in "Un Cœur simple"—depicting an old servant whose real-life counterpart had been for many years with Flaubert's own family—Flaubert shows greater sympathy than appears in most of his writings. The story, with its detailed study of a restricted theme, is in marked contrast to the more complex pictures of the other two.

Financial difficulties were becoming acute at this time. In 1875, Flaubert had sacrificed almost everything he possessed to save his niece and her husband from bankruptcy. Four years later he accepted a pension and appointment to a sinecure, so that he was freed from anxiety on this score for the last ten months of his life. He was still working on his bitterly satirical novel *Bouvard et Pécuchet* when he died. His funeral was attended by many of the leading men of letters of the day—Emile Zola, Edmond de Goncourt, Alphonse Daudet, Théodore de Banville, Guy de Maupassant, Joris-Karl Huysmans—who had been his friends.

The incomplete *Bouvard et Pécuchet,* a picture of bourgeois stupidity which the author planned as "a kind of encyclopedia made into farce," was published the following year. Later still came the publication by Conard of the *Œuvres complètes* (1909) including Flaubert's early writings which carried the germ of later ones, and, of quite special importance, the first portions of the *Correspondance*. A new, enlarged edition of the *Correspondance* appeared 1926–33, and a supplement in 1954, these, too, published by Conard. This correspondence, throwing light on the writer and his art, reveals Flaubert as far from the unfeeling observer some had thought the writer of his novels to be, and ranks among the finest collections of letters ever published.

Madame Bovary, a first novel, bore none of the signs of the beginner. Flaubert burst upon the reading public in full mastery of his craft and, had this been his only work, it would have established its author's claim to greatness and earned its recognition as a classic. Victor Hugo sent him a letter in which appears the statement: "Vous avez fait un beau livre, Monsieur, et je suis heureux de vous le dire." The famous historian Jules Michelet praised "la fine et forte observation de son brillant ouvrage." Sainte-Beuve, the leading critic of his day, set the seal of his approval on the work; however, he qualified his praise with this reservation: "Vous savez tout, Monsieur, mais vous êtes cruel," and he would have welcomed the restful inclusion of a pleasant character or two. It is interesting to find that, for all his admiration, Sainte-Beuve advised a woman friend against reading *Madame Bovary;* the letter in which this advice is given twice over includes praise of the writer as "un grand et véridique observateur" and "un grand paysagiste," but reproaches the author again as a little cruel and the book as "trop cru pour la plupart des femmes." Shortly after his *Les Fleurs du mal* fared less well in the courts than Flaubert's novel, Baudelaire described him as "ce prodigieux météore qui couvrira notre pays d'un nuage de gloire." How different from the tone of hostile commentators whose critiques of *Madame Bovary* included such descriptions as "un tas de fumier"!

It is beyond the scope of an introduction to a single

novel to trace in detail the reputation and the influence of *Madame Bovary* and its author in the century since Flaubert "gave final *lettres de noblesse* to the novel by working at each sentence as Racine had worked at each of his couplets." Thus Denis Saurat, in *Modern French Literature, 1870-1940*, sums up the establishment of the novel as the dominant literary genre. Suffice it to give some indications of the extent of that reputation and that influence, and of new directions criticism has been taking in recent years.

Flaubert's contemporary, the poet Théodore de Banville, used these prophetic words: "*Madame Bovary,* d'où est sorti et d'où sortira tout le roman moderne." At about the time of the centenary of Flaubert's birth, Albert Thibaudet described thus his continuing influence, in words which confirm Banville's forecast: "Aujourd'hui, si dans un cercle de romanciers et de critiques on entame une discussion sur l'art du roman, l'exemple de *Madame Bovary* sera bientôt allégué, reviendra invinciblement à l'appui de toutes les théories et nourrira une bonne partie de la discussion."

Long admired as the type of the dedicated novelist, Flaubert has been attacked by some recent writers for that very devotion to the career of the man of letters, and for his detachment. André Malraux, for example, in *Le Temps du mépris* (1935) wrote: "Flaubert (pour qui la valeur de l'art était la plus haute, et qui, en fait, mettait l'artiste au-dessus du saint et du héros) ne créant que des personnages étrangers à sa passion...". In the *Présentation* of the first issue of *Les Temps modernes* (1945), Jean-Paul Sartre criticized bitterly Flaubert's aloofness from the life of his time. "Pour nous, en effet, l'écrivain... est 'dans le coup' [involved]," he wrote, contrasting this ideal of the writer committed, involved in the world, "totalement engagé," with the isolated Flaubert in these words: "Flaubert, qui a tant pesté contre les bourgeois et qui croyait s'être retiré à l'écart de la machine sociale, qu'est-il pour nous sinon un rentier de talent [a talented man of means]?"

Further, he claimed that the writer's failure to take a stand makes him responsible for the course of history: "Je tiens Flaubert et Goncourt pour responsables de la répression qui suivit la Commune [the revolutionary government set up in Paris after the defeat of 1871] parce qu'ils n'ont pas écrit une ligne pour l'empêcher."

True, Flaubert was not committed to intervention by political action or writing, as was, for example, Victor Hugo, with his social protest in *Les Misérables* and his political opposition to Louis-Napoleon which led him to leave France for the whole period of the Second Empire. But the validity of "involvement" as a sole, or even as a main, criterion for judgment of a writer is surely open to question. To apply it so to Flaubert is to ignore the originality of the writer who first worked out a systematic aesthetic of the novel. The pendulum is swinging: some contemporary novelists in France, Alain Robbe-Grillet and others, are turning again to Flaubert.

The influence of *Madame Bovary* and its author is far from being confined to France. While he was engaged in writing his first novel, Flaubert wrote in a letter to Louise Colet: "Ma pauvre Bovary, sans doute, souffre et pleure dans vingt villages de France à la fois, à cette même heure." Emma's literary descendants have suffered and wept in other novels, in other countries—for instance, Effie Briest in the novel of that name by the noted German realist Theodor Fontane (1895) and, in some ways, Carol Kennicott in Sinclair Lewis' *Main Street* (1920).

In the writings of present-day critics, Flaubert's importance for the modern novel is still stressed. Aspects of his art which particularly attract attention are: irony, the structure of the novel,[2] the treatment of reverie (identified as the ancestor of the inner monologue), and pervasive symbolism.

---

[2] In *The Craft of Fiction*, Percy Lubbock studies in detail the structure of *Madame Bovary;* in the depicting of Emma from differing "points of view" or "centres of vision," he notes that "a hint of irony is always perceptible."

Frequently in *Madame Bovary* the reader becomes as it were an eyewitness of the images that make up the reverie of the characters, of Emma in particular. In an article on Flaubert in 1945,[3] Martin Turnell examines the way in which this is achieved, and concludes that "in analysing the content of the Romantic *rêverie*, Flaubert comes closer, perhaps, than any of his predecessors to the intimate workings of consciousness and his method clearly points the way to the inner monologue."

Symbols throughout the novel, in names, themes, structure and character, have become increasingly a subject of scrutiny.[4] In an article on "Techniques of Fiction" in 1944,[5] Allen Tate shows Flaubert's skill in giving the reader "a direct *impression* of Emma's sensation at a particular moment," through the portrayal of sights and sounds that affect her. This leads him to a striking conclusion, in harmony with the views of the critics who interpret the symbolism of *Madame Bovary,* and summing up the modern approaches to this novel: "It has been through Flaubert that the novel has at last caught up with poetry."

IRIS FRIEDERICH

---

[3] "Flaubert (I)," *Scrutiny* XIII (Autumn-Winter 1945–46). Examining the opening passage of Part I, Chapter 7, with Emma's mental images of a romantic honeymoon, Turnell proclaims it "a landmark in the development of the European novel."

[4] Alfred Engstrom in "Flaubert's Correspondence and the Ironic and Symbolic Structure of Madame Bovary," *Studies in Philology* XLVI (July 1949) analyzes symbols ranging from the names of characters to symbols of the main themes—a different Cupid in each of the three parts of the novel symbolizing love, or Emma's search for it; and symbols for boredom, fate and death in the spider, in Binet with his lathe, and in *l'Aveugle.*

[5] Published in the *Sewanee Review,* LII (1944); later in Allen Tate, *Collected Essays* (Denver, Alan Swallow, 1959). As an example, Tate chooses the scene of Emma's contemplation of suicide after Rodolphe's desertion (Part II, Chapter 13).

Madame Bovary

MŒURS DE PROVINCE

A MARIE-ANTOINE-JULES SÉNARD

MEMBRE DU BARREAU DE PARIS
EX-PRÉSIDENT DE L'ASSEMBLÉE NATIONALE
ET ANCIEN MINISTRE DE L'INTÉRIEUR

Cher et illustre ami,

Permettez-moi d'inscrire votre nom en tête de ce livre et au-dessus de sa dédicace; car c'est à vous, surtout, que j'en dois la publication. En passant par votre magnifique plaidoirie, mon œuvre a acquis pour moi-même, comme une autorité imprévue. Acceptez donc ici l'hommage de ma gratitude, qui, si grande qu'elle puisse être, ne sera jamais à la hauteur de votre éloquence et de votre dévouement.

—GUSTAVE FLAUBERT. *Paris, le 12 avril 1857.*

Partie 1

Chapitre 1.

Nous étions à l'étude, quand le Proviseur entra, suivi d'un *nouveau*[1] habillé en bourgeois et d'un garçon de classe[2] qui portait un grand pupitre. Ceux qui dormaient se réveillèrent, et chacun se leva comme surpris dans son travail.

Le Proviseur nous fit signe de nous rasseoir; puis, se tournant vers le maître d'études:

— Monsieur Roger, lui dit-il à demi-voix, voici un élève que je vous recommande, il entre en cinquième. Si son travail et sa conduite sont méritoires, il passera *dans les grands,* où l'appelle son âge.[3]

Resté dans l'angle, derrière la porte, si bien qu'on l'apercevait à peine, le *nouveau* était un gars de la campagne, d'une quinzaine d'années environ, et plus haut de taille qu'aucun de nous tous. Il avait les cheveux coupés droit sur le front, comme un chantre de village, l'air raisonnable et fort embarrassé. Quoiqu'il ne fût pas large des épaules, son habit-veste de drap vert à boutons noirs devait le gêner aux entournures et laissait voir, par la fente des parements, des poignets rouges[4] habitués à être nus. Ses jambes, en bas bleus, sortaient d'un pantalon jaunâtre très tiré par les bretelles. Il était chaussé de souliers forts, mal cirés, garnis de clous.

On commença la récitation des leçons. Il les écouta, de toutes ses oreilles, attentif comme au sermon, n'osant même croiser les cuisses, ni s'appuyer sur le coude, et, à deux heures, quand la cloche sonna, le maître d'études fut obligé de l'avertir, pour qu'il se mît avec nous dans les rangs.

Nous avions l'habitude, en entrant en classe, de jeter nos casquettes par terre, afin d'avoir ensuite nos mains plus libres; il fallait, dès le seuil de la porte, les lancer sous le banc, de façon à frapper contre la muraille, en faisant beaucoup de poussière; c'était là le *genre*.[5]

Mais, soit qu'il n'eût pas remarqué cette manœuvre ou qu'il n'eût osé s'y soumettre, la prière était finie que le *nouveau* tenait encore sa casquette sur ses deux genoux. C'était une de ces coiffures d'ordre composite, où l'on retrouve les éléments du bonnet à poil,[6] du chapska, du chapeau rond, de la casquette de loutre et du bonnet de coton, une de ces pauvres choses, enfin, dont la laideur muette a des profondeurs d'expression comme le visage d'un imbécile. Ovoïde et renflée de baleines, elle commençait par trois boudins circulaires;[7] puis s'alternaient, séparés par une bande rouge, des losanges de velours et de poil de lapin; venait ensuite une façon de sac qui se terminait par un polygone cartonné, couvert d'une broderie en soutache [8] compliquée, et d'où pendait, au bout d'un long cordon trop mince, un petit croisillon de fils d'or, en manière de gland. Elle était neuve; la visière brillait.

— Levez-vous, dit le professeur.

Il se leva: sa casquette tomba. Toute la classe se mit à rire.

Il se baissa pour la reprendre. Un voisin la fit tomber d'un coup de coude; il la ramassa encore une fois.

— Débarrassez-vous donc de votre casque, dit le professeur, qui était un homme d'esprit.

Il y eut un rire éclatant des écoliers qui décontenança le pauvre garçon, si bien qu'il ne savait s'il fallait garder sa casquette à la main, la laisser par terre ou la mettre sur sa tête. Il se rassit et la posa sur ses genoux.

— Levez-vous, reprit le professeur, et dites-moi votre nom.

Le *nouveau* articula, d'une voix bredouillante, un nom inintelligible.

— Répétez!

Le même bredouillement de syllabes se fit entendre, couvert par les huées de la classe.

— Plus haut! cria le maître, plus haut!

Le *nouveau*, prenant alors une résolution extrême, ouvrit une bouche démesurée et lança à pleins poumons, comme pour appeler quelqu'un, ce mot: *Charbovari*.

Ce fut un vacarme qui s'élança d'un bond, monta en *crescendo*, avec des éclats de voix aigus (on hurlait, on aboyait, on trépignait, on répétait: *Charbovari! Charbovari!*), puis qui roula en notes isolées, se calmant à grand'peine, et parfois qui reprenait tout à coup sur la ligne d'un banc où saillissait encore çà et là, comme un pétard mal éteint, quelque rire étouffé.

Cependant, sous la pluie des pensums, l'ordre peu à peu se rétablit dans la classe, et le professeur, parvenu à saisir le nom de Charles Bovary, se l'étant fait dicter, épeler et relire, commanda tout de suite au pauvre diable d'aller s'asseoir sur le banc de paresse, au pied de la chaire. Il se mit en mouvement, mais, avant de partir, hésita.

— Que cherchez-vous? demanda le professeur.

— Ma cas..., fit timidement le *nouveau*, promenant autour de lui des regards inquiets.

— Cinq cents vers à toute la classe! exclamé d'une voix furieuse arrêta, comme le *Quos ego,*[9] une bourrasque nouvelle. — Restez donc tranquilles! continuait le professeur indigné, et, s'essuyant le front avec son mouchoir qu'il venait de prendre dans sa toque: [10] Quant à vous le *nouveau*, vous me copierez vingt fois le verbe *ridiculus sum*.

Puis, d'une voix plus douce:

— Eh! vous la retrouverez, votre casquette; on ne vous l'a pas volée!

Tout reprit son calme. Les têtes courbèrent sur les cartons, et le *nouveau* resta pendant deux heures dans une tenue exemplaire, quoiqu'il y eût bien, de temps à autre, quelque boulette de papier lancée d'un bec de plume qui vînt s'éclabousser sur sa figure. Mais il s'essuyait avec la main, et demeurait immobile, les yeux baissés.

Le soir à l'étude, il tira ses bouts de manches de son pupitre,[11] mit en ordre ses petites affaires, régla soigneusement son papier. Nous le vîmes qui travaillait en conscience, cherchant tous les mots dans le dictionnaire et se donnant beaucoup de mal. Grâce, sans doute, à cette bonne volonté dont il fit preuve, il dut de ne pas descendre dans la classe inférieure; car, s'il savait passablement ses règles, il n'avait guère d'élégance dans les tournures. C'était le curé de son village, qui lui avait commencé le latin, ses parents, par économie, ne l'ayant envoyé au collège que le plus tard possible.

Son père, M. Charles-Denis-Bartholomé Bovary, ancien aide-chirurgien-major,[12] compromis, vers 1812, dans des affaires de conscription,[13] et forcé vers cette époque de quitter le service, avait alors profité de ses avantages personnels pour saisir au passage une dot de soixante mille francs qui s'offrait en la fille d'un marchand bonnetier devenue amoureuse de sa tournure. Bel homme, hâbleur, faisant sonner haut ses éperons, portant des favoris rejoints aux moustaches, les doigts toujours garnis de bagues et habillé de couleurs voyantes, il avait l'aspect d'un brave, avec l'entrain facile d'un commis voyageur. Une fois marié, il vécut deux ou trois ans sur la fortune de sa femme, dînant bien, se levant tard, fumant dans de grandes pipes en porcelaine, ne rentrant le soir qu'après le spectacle et fréquentant les cafés. Le beau-père mourut et laissa peu de chose; il en fut indigné, se lança *dans la fabrique*,[14] y perdit quelque argent, puis se retira dans la campagne, où il voulut *faire valoir*.[15] Mais comme il ne s'entendait guère plus en culture qu'en indienne, qu'il montait ses chevaux au lieu de les envoyer au labour, buvait son cidre en bouteilles au lieu de le vendre, mangeait les plus belles volailles de sa cour et graissait ses souliers de chasse avec le lard de ses cochons, il ne tarda point à s'apercevoir qu'il valait mieux planter là toute spéculation.

Moyennant deux cents francs par an, il trouva donc à louer dans un village, sur les confins du pays de Caux et de la Picardie, une sorte de logis moitié ferme, moitié

maison de maître; et, chagrin, rongé de regrets, accusant
le ciel, jaloux contre tout le monde, il s'enferma, dès l'âge
de quarante-cinq ans, dégoûté des hommes, disait-il, et
décidé à vivre en paix.

Sa femme avait été folle de lui autrefois; elle l'avait aimé
avec mille servilités qui l'avaient détaché d'elle encore
davantage. Enjouée jadis, expansive et toute aimante, elle
était, en vieillissant, devenue (à la façon du vin éventé [16]
qui se tourne en vinaigre) d'humeur difficile, piaillarde,
nerveuse. Elle avait tant souffert, sans se plaindre, d'abord,
quand elle le voyait courir après toutes les gotons de village [17] et que vingt mauvais lieux le lui renvoyaient le soir,
blasé et puant l'ivresse! Puis l'orgueil s'était révolté. Alors
elle s'était tue, avalant sa rage dans un stoïcisme muet,
qu'elle garda jusqu'à sa mort. Elle était sans cesse en
courses, en affaires. Elle allait chez les avoués, chez le
président, se rappelait l'échéance des billets, obtenait des
retards; et, à la maison, repassait, cousait, blanchissait,
surveillait les ouvriers, soldait leurs mémoires,[18] tandis que,
sans s'inquiéter de rien, Monsieur, continuellement engourdi dans une somnolence boudeuse dont il ne se réveillait que pour lui dire des choses désobligeantes, restait à
fumer au coin du feu, en crachant dans les cendres.

Quand elle eut un enfant, il le fallut mettre en nourrice.
Rentré chez eux, le marmot fut gâté comme un prince.
La mère le nourrissait de confitures; son père le laissait
courir sans souliers, et, pour faire le philosophe, disait
même qu'il pouvait bien aller tout nu, comme les enfants
des bêtes. A l'encontre des tendances maternelles, il avait
en tête un certain idéal viril de l'enfance, d'après lequel
il tâchait de former son fils, voulant qu'on l'élevât dure-
ment, à la spartiate, pour lui faire une bonne constitution.
Il l'envoyait se coucher sans feu, lui apprenait à boire de
grands coups de rhum et à insulter les processions.[19] Mais,
naturellement paisible, le petit répondait mal à ses efforts.
Sa mère le traînait toujours après elle; elle lui découpait
des cartons, lui racontait des histoires, s'entretenait avec
lui dans des monologues sans fin, pleins de gaietés mélan-

coliques et de chatteries babillardes.²⁰ Dans l'isolement de
sa vie, elle reporta sur cette tête d'enfant toutes ses vanités
éparses, brisées. Elle rêvait de hautes positions, elle le
voyait déjà grand, beau, spirituel, établi dans les ponts et
chaussées ²¹ ou dans la magistrature. Elle lui apprit à lire,
et même lui enseigna, sur un vieux piano qu'elle avait, à
chanter deux ou trois petites romances. Mais, à tout cela,
M. Bovary, peu soucieux des lettres, disait que ce *n'était
pas la peine!* Auraient-ils jamais de quoi l'entretenir dans
les écoles du gouvernement, lui acheter une charge ou un
fonds de commerce? ²² D'ailleurs, *avec du toupet, un
homme réussit toujours dans le monde.* Madame Bovary se
mordait les lèvres et l'enfant vagabondait dans le village.

Il suivait les laboureurs, et chassait, à coups de mottes
de terre, les corbeaux qui s'envolaient. Il mangeait des
mûres le long des fossés, gardait les dindons avec une
gaule, fanait ²³ à la moisson, courait dans le bois, jouait à
la marelle ²⁴ sous le porche de l'église, les jours de pluie,
et, aux grandes fêtes, suppliait le bedeau de lui laisser
sonner les cloches, pour se pendre de tout son corps à la
grande corde et se sentir emporter par elle dans sa volée.

Aussi poussa-t-il comme un chêne. Il acquit de fortes
mains, de belles couleurs.

A douze ans, sa mère obtint que l'on commençât ses
études. On en chargea le curé. Mais les leçons étaient si
courtes et si mal suivies, qu'elles ne pouvaient servir à
grand'chose. C'était aux moments perdus qu'elles se donnaient, dans la sacristie, debout, à la hâte, entre un baptême
et un enterrement; ou bien le curé envoyait chercher son
élève après l'*Angelus*, quand il n'avait pas à sortir. On
montait dans sa chambre, on s'installait: les moucherons
et les papillons de nuit tournoyaient autour de la chandelle.
Il faisait chaud, l'enfant s'endormait; et le bonhomme,
s'assoupissant les mains sur son ventre, ne tardait pas à
ronfler, la bouche ouverte. D'autres fois, quand M. le
curé, revenant de porter le viatique à quelque malade des
environs, apercevait Charles qui polissonnait dans la campagne, il l'appelait, le sermonnait un quart d'heure et

profitait de l'occasion pour lui faire conjuguer son verbe au pied d'un arbre. La pluie venait les interrompre, ou une connaissance qui passait. Du reste, il était toujours content de lui, disait même que le *jeune homme* avait beaucoup de mémoire.

Charles ne pouvait en rester là. Madame fut énergique. Honteux, ou fatigué plutôt, Monsieur céda sans résistance, et l'on attendit encore un an que le gamin eût fait sa première communion.

Six mois se passèrent encore; et, l'année d'après, Charles fut définitivement envoyé au collège de Rouen, où son père l'amena lui-même, vers la fin d'octobre, à l'époque de la foire Saint-Romain.[25]

Il serait maintenant impossible à aucun de nous de se rien rappeler de lui. C'était un garçon de tempérament modéré, qui jouait aux récréations, travaillait à l'étude, écoutant en classe, dormant bien au dortoir, mangeant bien au réfectoire. Il avait pour correspondant [26] un quincaillier en gros de la rue Ganterie, qui le faisait sortir une fois par mois, le dimanche, après que sa boutique était fermée, l'envoyait se promener sur le port à regarder les bateaux, puis le ramenait au collège dès sept heures, avant le souper. Le soir de chaque jeudi, il écrivait une longue lettre à sa mère, avec de l'encre rouge et trois pains à cacheter; [27] puis il repassait ses cahiers d'histoire, ou bien lisait un vieux volume d'*Anacharsis* [28] qui traînait [29] dans l'étude. En promenade, il causait avec le domestique, qui était de la campagne comme lui.

A force de s'appliquer, il se maintint toujours vers le milieu de la classe; une fois même, il gagna un premier accessit [30] d'histoire naturelle. Mais, à la fin de sa troisième,[31] ses parents le retirèrent du collège pour lui faire étudier la médecine, persuadés qu'il pourrait se pousser seul jusqu'au baccalauréat.[32]

Sa mère lui choisit une chambre, au quatrième, sur l'Eau-de-Robec, chez un teinturier de sa connaissance. Elle conclut les arrangements pour sa pension, se procura des meubles, une table et deux chaises, fit venir de chez

elle un vieux lit en merisier,[33] et acheta de plus un petit
poêle en fonte, avec la provision de bois qui devait chauffer
son pauvre enfant. Puis elle partit au bout de la semaine
après mille recommandations de se bien conduire, maintenant qu'il allait être abandonné à lui-même.

Le programme des cours, qu'il lut sur l'affiche, lui fit
un effet d'étourdissement; cours d'anatomie, cours de
pathologie, cours de physiologie, cours de pharmacie,
cours de chimie, et de botanique, et de clinique, et de
thérapeutique, sans compter l'hygiène ni la matière médicale, tous noms dont il ignorait les étymologies et qui
étaient comme autant de portes de sanctuaires pleins
d'augustes ténèbres.

Il n'y comprit rien; il avait beau écouter, il ne saisissait
pas. Il travaillait pourtant, il avait des cahiers reliés. Il
suivait tous les cours, il ne perdait pas une seule visite.
Il accomplissait sa petite tâche quotidienne à la manière
du cheval de manège,[34] qui tourne en place les yeux
bandés, ignorant de la besogne qu'il broie.

Pour lui épargner de la dépense, sa mère lui envoyait
chaque semaine par le messager, un morceau de veau cuit
au four, avec quoi il déjeunait le matin, quand il était
rentré de l'hôpital, tout en battant la semelle [35] contre le
mur. Ensuite il fallait courir aux leçons, à l'amphithéâtre,
à l'hospice, et revenir chez lui, à travers toutes les rues.
Le soir, après le maigre dîner de son propriétaire, il
remontait à sa chambre et se remettait au travail, dans
ses habits mouillés qui fumaient sur son corps devant le
poêle rougi.

Dans les beaux soirs d'été, à l'heure où les rues tièdes
sont vides, quand les servantes jouent au volant [36] sur le
seuil des portes, il ouvrait sa fenêtre et s'accoudait. La
rivière, qui fait de ce quartier de Rouen comme une
ignoble petite Venise, coulait en bas, sous lui, jaune,
violette ou bleue entre ses ponts et ses grilles. Des ouvriers,
accroupis au bord, lavaient leurs bras dans l'eau. Sur des
perches partant du haut des greniers, des écheveaux de
coton séchaient à l'air. En face, au delà des toits, le grand

ciel pur s'étendait, avec le soleil rouge se couchant. Qu'il devait faire bon là-bas! Quelle fraîcheur sous la hêtrée! [37] Et il ouvrait les narines pour aspirer les bonnes odeurs de la campagne, qui ne venaient pas jusqu'à lui.

Il maigrit, sa taille s'allongea, et sa figure prit une sorte d'expression dolente qu'il la rendit presque intéressante.

Naturellement, par nonchalance, il en vint à se délier de toutes les résolutions qu'il s'était faites. Une fois, il manqua la visite, le lendemain son cours, et, savourant la paresse, peu à peu, n'y retourna plus.

Il prit l'habitude du cabaret, avec la passion des dominos. S'enfermer chaque soir dans un sale appartement public pour y taper sur des tables de marbre de petits os de mouton marqués de points noirs lui semblait un acte précieux de sa liberté, qui le rehaussait d'estime vis-à-vis de lui-même. C'était comme l'initiation au monde, l'accès des plaisirs défendus; et, en entrant, il posait la main sur le bouton de la porte avec une joie presque sensuelle. Alors, beaucoup de choses comprimées en lui se dilatèrent; il apprit par cœur des couplets qu'il chantait aux bienvenues, [38] s'enthousiasma pour Béranger, [39] sut faire du punch et connut enfin l'amour.

Grâce à ces travaux préparatoires, il échoua complètement à son examen d'officier de santé. [40] On l'attendait le soir même à la maison pour fêter son succès!

Il partit à pied et s'arrêta vers l'entrée du village, où il fit demander sa mère, lui conta tout. Elle l'excusa, rejetant l'échec sur l'injustice des examinateurs, et le raffermit un peu, se chargeant d'arranger les choses.

Cinq ans plus tard seulement, M. Bovary connut la vérité; elle était vieille, il l'accepta, ne pouvant d'ailleurs supposer qu'un homme issu de lui fût un sot.

Charles se remit donc au travail et prépara sans discontinuer les matières de son examen, dont il apprit d'avance toutes les questions par cœur. Il fut reçu avec une assez bonne note. Quel beau jour pour sa mère! On donna un grand dîner.

Où irait-il exercer son art? A Tostes. Il n'y avait là

qu'un vieux médecin. Depuis longtemps, Madame Bovary guettait sa mort, et le bonhomme n'avait point encore plié bagage,[41] que Charles était installé en face comme son successeur.

Mais ce n'était pas tout que d'avoir élevé son fils, de lui avoir fait apprendre la médecine et découvert Tostes pour l'exercer: il lui fallait une femme. Elle lui en trouva une: la veuve d'un huissier de Dieppe, qui avait quarante-cinq ans et douze cents livres de rente.[42]

Quoiqu'elle fût laide, sèche comme un cotret,[43] et bourgeonnée comme un printemps, certes Madame Dubuc ne manquait pas de partis à choisir. Pour arriver à ses fins, la mère Bovary fut obligée de les évincer tous, et elle déjoua même fort habilement les intrigues d'un charcutier qui était soutenu par les prêtres.

Charles avait entrevu par le mariage l'avènement d'une condition meilleure, imaginant qu'il serait plus libre et pourrait disposer de sa personne et de son argent. Mais sa femme fut le maître; il devait devant le monde dire ceci, ne pas dire cela, faire maigre[44] tous les vendredis, s'habiller comme elle l'entendait, harceler par son ordre les clients qui ne le payaient pas. Elle décachetait ses lettres, épiait ses démarches, et l'écoutait, à travers la cloison, donner ses consultations dans son cabinet, quand il y avait des femmes.

Il lui fallait son chocolat tous les matins, des égards à n'en plus finir. Elle se plaignait sans cesse de ses nerfs, de sa poitrine, de ses humeurs. Le bruit des pas lui faisait mal; on s'en allait, la solitude lui devenait odieuse; revenait-on près d'elle, c'était pour la voir mourir, sans doute. Le soir, quand Charles rentrait, elle sortait de dessous ses draps ses longs bras maigres, les lui passait autour du cou, et, l'ayant fait asseoir au bord du lit, se mettait à lui parler de ses chagrins: il l'oubliait, il en aimait une autre! On lui avait bien dit qu'elle serait malheureuse; et elle finissait en lui demandant quelque sirop pour sa santé et un peu plus d'amour.

Chapitre 2.

Une nuit, vers onze heures, ils furent réveillés par le bruit d'un cheval qui s'arrêta juste à la porte. La bonne ouvrit la lucarne du grenier et parlementa quelque temps avec un homme resté en bas, dans la rue. Il venait chercher le médecin; il avait une lettre. *Nastasie* descendit les marches en grelottant, et alla ouvrir la serrure et les verrous, l'un après l'autre. L'homme laissa son cheval et, suivant la bonne, entra tout à coup derrière elle. Il tira de dedans son bonnet de laine à houppes grises [45] une lettre enveloppée dans un chiffon, et la présenta délicatement à Charles, qui s'accouda sur l'oreiller pour la lire. Nastasie, près du lit, tenait la lumière. Madame, par pudeur, restait tournée vers la ruelle [46] et montrait le dos.

Cette lettre, cachetée d'un petit cachet de cire bleue, suppliait M. Bovary de se rendre immédiatement à la ferme des Bertaux, pour remettre une jambe cassée. Or, il y a, de Tostes aux Bertaux, six bonnes lieues de traverse, en passant par Longueville et Saint-Victor. La nuit était noire. Madame Bovary redoutait les accidents pour son mari. Donc, il fut décidé que le valet d'écurie prendrait les devants. Charles partirait trois heures plus tard, au lever de la lune. On enverrait un gamin à sa rencontre, afin de lui montrer le chemin de la ferme et d'ouvrir les clôtures devant lui.

Vers quatre heures du matin, Charles, bien enveloppé dans son manteau, se mit en route pour les Bertaux. Encore endormi par la chaleur du sommeil, il se laissait bercer au trot pacifique de sa bête. Quand elle s'arrêtait d'elle-même devant ces trous entourés d'épines que l'on creuse au bord des sillons, Charles, se réveillant en sursaut, se rappelait vite la jambe cassée, et il tâchait de se remettre en mémoire toutes les fractures qu'il savait. La pluie ne tombait plus: le jour commençait à venir, et, sur les branches des pommiers sans feuilles, des oiseaux se tenaient immobiles, hérissant leurs petites plumes au vent froid du matin. La plate campagne s'étalait à perte de vue, et les bouquets d'arbres autour des fermes faisaient, à intervalles éloignés, des taches d'un violet noir sur cette grande surface grise qui se perdait à l'horizon dans le ton morne du ciel. Charles, de temps à autre, ouvrait les yeux; puis, son esprit se fatiguant et le sommeil revenant de soi-même, bientôt il entrait dans une sorte d'assoupissement où, ses sensations récentes se confondant avec des souvenirs, lui-même se percevait double, à la fois étudiant et marié, couché dans son lit comme tout à l'heure, traversant une salle d'opérés comme autrefois. L'odeur chaude des cataplasmes se mêlait dans sa tête à la verte odeur de la rosée; il entendait rouler sur leur tringle les anneaux de fer des lits et sa femme dormir... Comme il passait par Vassonville, il aperçut, au bord d'un fossé, un jeune garçon assis sur l'herbe.

— Etes-vous le médecin? demanda l'enfant.

Et, sur la réponse de Charles, il prit ses sabots à ses mains et se mit à courir devant lui.

L'officier de santé, chemin faisant, comprit aux discours de son guide que M. Rouault devait être un cultivateur des plus aisés. Il s'était cassé la jambe, la veille au soir, en revenant de *faire les Rois*[47] chez un voisin. Sa femme était morte depuis deux ans. Il n'avait avec lui que sa *demoiselle*,[48] qui l'aidait à tenir la maison.

Les ornières devinrent plus profondes. On approchait des Bertaux. Le petit gars, se coulant alors par un trou de haie, disparut, puis il revint au bout d'une cour en ouvrir la barrière. Le cheval glissait sur l'herbe mouillée; Charles se baissait pour passer sous les branches. Les chiens de garde à la niche aboyaient en tirant sur leur chaîne. Quand il entra dans les Bertaux son cheval eut peur et fit un grand écart.

C'était une ferme de bonne apparence. On voyait dans les écuries, par le dessus des portes ouvertes, de gros chevaux de labour qui mangeaient tranquillement dans des râteliers neufs. Le long des bâtiments s'étendait un large fumier, de la buée s'en élevait, et, parmi les poules et les dindons, picoraient dessus cinq ou six paons, luxe des basses-cours cauchoises.[49] La bergerie était longue, la grange était haute, à murs lisses comme la main. Il y avait sous le hangar deux grandes charrettes et quatre charrues, avec leurs fouets, leurs colliers, leurs équipages complets, dont les toisons de laine bleue se salissaient à la poussière fine qui tombait des greniers. La cour allait en montant, plantée d'arbres symétriquement espacés, et le bruit gai d'un troupeau d'oies retentissait près de la mare.

Une jeune femme, en robe de mérinos bleu garnie de trois volants, vint sur le seuil de la maison pour recevoir M. Bovary, qu'elle fit entrer dans la cuisine, où flambait un grand feu. Le déjeuner des gens bouillonnait alentour, dans des petits pots de taille inégale. Des vêtements humides séchaient dans l'intérieur de la cheminée. La pelle, les pincettes et le bec du soufflet, tous de proportion colossale, brillaient comme de l'acier poli, tandis que le long des murs s'étendait une abondante batterie de cuisine, où miroitait inégalement la flamme claire du foyer, jointe aux premières lueurs du soleil arrivant par les carreaux.

Charles monta, au premier, voir le malade. Il le trouva dans son lit, suant sous ses couvertures et ayant rejeté bien loin son bonnet de coton. C'était un gros petit homme de cinquante ans, à la peau blanche, à l'œil bleu, chauve sur le devant de la tête, et qui portait des boucles d'oreilles. Il avait à ses côtés, sur une chaise, une grande carafe d'eau-de-vie, dont il se versait de temps à autre pour se donner du cœur au ventre; mais, dès qu'il vit le médecin, son exaltation tomba, et, au lieu de sacrer [50] comme il faisait depuis douze heures, il se prit à geindre faiblement.

La fracture était simple, sans complication d'aucune espèce. Charles n'eût osé en souhaiter de plus facile. Alors, se rappelant les allures de ses maîtres auprès du lit des blessés, il réconforta le patient avec toutes sortes de bons mots, caresses chirurgicales qui sont comme l'huile dont on graisse les bistouris. Afin d'avoir des attelles,[51] on alla chercher, sous la charretterie, un paquet de lattes. Charles en choisit une, la coupa en morceaux et la polit avec un éclat de vitre, tandis que la servante déchirait des draps pour faire des bandes, et que mademoiselle Emma tâchait à coudre des coussinets. Comme elle fut longtemps avant de trouver son étui,[52] son père s'impatienta; elle ne répondit rien; mais, tout en cousant, elle se piquait les doigts, qu'elle portait ensuite à sa bouche pour les sucer.

Charles fut surpris de la blancheur de ses ongles. Ils étaient brillants, fins du bout, plus nettoyés que les ivoires de Dieppe,[53] et taillés en amande. Sa main pourtant n'était pas belle, point assez pâle, peut-être, et un peu sèche aux phalanges; elle était trop longue aussi et sans molles inflexions de lignes sur les contours. Ce qu'elle avait de beau, c'étaient les yeux: quoiqu'ils fussent bruns, ils semblaient noirs à cause des cils, et son regard arrivait franchement à vous avec une hardiesse candide.

Une fois le pansement fait, le médecin fut invité, par M. Rouault lui-même, à *prendre un morceau,* avant de partir.

Charles descendit dans la salle, au rez-de-chaussée. Deux couverts, avec des timbales d'argent, y étaient mis sur une petite table, au pied d'un grand lit à baldaquin revêtu d'une indienne à personnages représentant des Turcs. On sentait une odeur d'iris et de draps humides qui s'échappait de la haute armoire en bois de chêne faisant face à la fenêtre. Par terre, dans les angles, étaient rangés, debout, des sacs de blé. C'était le trop-plein du grenier proche, où l'on montait par trois marches de pierre. Il y avait, pour décorer l'appartement, accrochée à un clou, au milieu du mur dont la peinture verte s'écaillait sous le salpêtre, une tête de Minerve au crayon noir, encadrée de dorure, et qui portait au bas, écrit en lettres gothiques: «A mon cher papa.»

On parla d'abord du malade, puis du temps qu'il faisait, des grands froids, des loups qui couraient les champs la nuit. Mademoiselle Rouault ne s'amusait guère à la campagne, maintenant surtout qu'elle était chargée presque à elle seule des soins de la ferme. Comme la salle était fraîche, elle grelottait tout en mangeant, ce qui découvrait un peu ses lèvres charnues, qu'elle avait coutume de mordillonner[54] à ses moments de silence.

Son cou sortait d'un col blanc, rabattu. Ses cheveux, dont les deux bandeaux noirs semblaient chacun d'un seul morceau, tant ils étaient lisses, étaient séparés sur le milieu de la tête par une raie fine, qui s'enfonçait légèrement selon la courbe du crâne; et, laissant voir à peine le bout de l'oreille, ils allaient se confondre par derrière en un chignon abondant, avec un mouvement ondé vers les tempes, que le médecin de campagne remarqua là pour la première fois de sa vie. Ses pommettes étaient roses. Elle portait, comme un homme, passé entre deux boutons de son corsage, un lorgnon d'écaille.

Quand Charles, après être monté dire adieu au père Rouault, rentra dans la salle avant de partir, il la trouva debout, le front contre la fenêtre, et qui regardait dans le jardin, où les échalas des haricots avaient été renversés par le vent. Elle se retourna.

— Cherchez-vous quelque chose? demanda-t-elle.

— Ma cravache, s'il vous plaît, répondit-il.

Et il se mit à fureter sur le lit, derrière les portes, sous les chaises; elle était tombée à terre, entre les sacs et la muraille. Mademoiselle Emma l'aperçut; elle se pencha sur les sacs de blé. Charles, par galanterie, se précipita, et, comme il allongeait aussi son bras dans le même mouvement, il sentit sa poitrine effleurer le dos de la jeune fille, courbée sous lui. Elle se redressa toute rouge et le regarda par-dessus l'épaule, en lui tendant son nerf de bœuf.[55]

Au lieu de revenir aux Bertaux trois jours après, comme

il l'avait promis, c'est le lendemain même qu'il y retourna, puis deux fois la semaine régulièrement, sans compter les visites inattendues qu'il faisait de temps à autre, comme par mégarde.

Tout, du reste, alla bien; la guérison s'établit selon les règles, et, quand, au bout de quarante-six jours, on vit le père Rouault qui s'essayait à marcher seul dans sa *ma-sure*,[56] on commença à considérer M. Bovary comme un homme de grande capacité. Le père Rouault disait qu'il n'aurait pas mieux été guéri par les premiers médecins d'Yvetot ou même de Rouen.

Quant à Charles, il ne chercha point à se demander pourquoi il venait aux Bertaux avec plaisir. Y eût-il songé qu'il aurait sans doute attribué son zèle à la gravité du cas, ou peut-être au profit qu'il en espérait. Etait-ce pour cela, cependant, que ses visites à la ferme faisaient, parmi les pauvres occupations de sa vie, une exception charmante? Ces jours-là il se levait de bonne heure, partait au galop, poussait sa bête, puis il descendait pour s'essuyer les pieds sur l'herbe, et passait ses gants noirs avant d'entrer. Il aimait à se voir arriver dans la cour, à sentir contre son épaule la barrière qui tournait, et le coq qui chantait sur le mur, les garçons qui venaient à sa rencontre. Il aimait la grange et les écuries; il aimait le père Rouault, qui lui tapait dans la main en l'appelant son sauveur; il aimait les petits sabots de mademoiselle Emma sur les dalles lavées de la cuisine; ses talons hauts la grandissaient un peu, et, quand elle marchait devant lui, les semelles de bois, se relevant vite, claquaient avec un bruit sec contre le cuir de la bottine.

Elle le reconduisait toujours jusqu'à la première marche du perron. Lorsqu'on n'avait pas encore amené son cheval, elle restait là. On s'était dit adieu, on ne parlait plus; le grand air l'entourait, levant pêle-mêle les petits cheveux follets de sa nuque, ou secouant sur sa hanche les cordons de son tablier, qui se tortillaient comme des banderoles. Une fois, par un temps de dégel, l'écorce des arbres suintait dans la cour, la neige sur les couvertures des bâtiments se fondait. Elle était sur le seuil; elle alla chercher son ombrelle, elle l'ouvrit. L'ombrelle, de soie gorge-de-pigeon,[57] que traversait le soleil, éclairait de reflets mobiles la peau blanche de sa figure. Elle souriait là-dessous à la chaleur tiède; et on entendait les gouttes d'eau, une à une, tomber sur la moire tendue.

Dans les premiers temps que Charles fréquentait les Bertaux, madame Bovary jeune ne manquait pas de s'informer du malade, et même, sur le livre qu'elle tenait en partie double, elle avait choisi pour M. Rouault une belle page blanche. Mais quand elle sut qu'il avait une fille, elle alla aux informations; et elle apprit que mademoiselle Rouault, élevée au couvent, chez les Ursulines, avait reçu, comme on dit, *une belle éducation,* qu'elle savait, en conséquence, la danse, la géographie, le dessin, faire de la tapisserie et toucher du piano. Ce fut le comble!

— C'est donc pour cela, se disait-elle, qu'il a la figure si épanouie quand il va la voir, et qu'il met son gilet neuf, au risque de l'abîmer à la pluie? Ah! cette femme! cette femme!...

Et elle la détesta, d'instinct. D'abord, elle se soulagea par des allusions. Charles ne les comprit pas; ensuite, par des réflexions incidentes qu'il laissait passer de peur de l'orage; enfin, par des apostrophes à brûle-pourpoint [58] auxquelles il ne savait que répondre. — D'où vient qu'il retournait aux Bertaux, puisque M. Rouault était guéri et que ces gens-là n'avaient pas encore payé? Ah! c'est qu'il y avait là-bas *une personne,* quelqu'un qui savait causer, une brodeuse, un bel esprit. C'était là ce qu'il aimait: il lui fallait des demoiselles de ville! Et elle reprenait:

— La fille au père Rouault, une demoiselle de ville! Allons donc! leur grand-père était berger, et ils ont un cousin qui a failli passer par les assises [59] pour un mauvais coup, dans une dispute. Ce n'est pas la peine de faire tant de fla-fla, ni de se montrer le dimanche à l'église avec une robe de soie, comme une comtesse. Pauvre bonhomme d'ailleurs, qui, sans les colzas de l'an passé, eût été bien embarrassé de payer ses arrérages! [60]

Par lassitude, Charles cessa de retourner aux Bertaux.
Héloïse lui avait fait jurer qu'il n'irait plus, la main sur
son livre de messe, après beaucoup de sanglots et de
baisers, dans une grande explosion d'amour. Il obéit donc;
mais la hardiesse de son désir protesta contre la servilité
de sa conduite et, par une sorte d'hypocrisie naïve, il
estima que cette défense de la voir était pour lui comme
un droit de l'aimer. Et puis la veuve était maigre; elle
avait les dents longues; elle portait en toute saison un petit
châle noir dont la pointe lui descendait entre les omo-
plates; sa taille dure était engainée dans des robes en façon
de fourreau, trop courtes, qui découvraient ses chevilles
avec les rubans de ses souliers larges s'entrecroisant sur
des bas gris.

La mère de Charles venait les voir de temps à autre,
mais, au bout de quelques jours, la bru semblait l'aiguiser
à son fil; et alors, comme deux couteaux, elles étaient à
le scarifier par leurs réflexions et leurs observations. Il
avait tort de tant manger! Pourquoi toujours offrir la
goutte au premier venu? Quel entêtement que de ne pas
vouloir porter de flanelle!

Il arriva qu'au commencement du printemps, un notaire
d'Ingouville, détenteur de fonds à la veuve Dubuc, s'embarqua par une belle marée, emportant avec lui tout
l'argent de son étude. Héloïse, il est vrai, possédait encore,
outre une part de bateau évaluée six mille francs, sa
maison de la rue Saint-François; et cependant, de toute
cette fortune que l'on avait fait sonner si haut, rien, si ce
n'est un peu de mobilier et quelques nippes, n'avait paru
dans le ménage. Il fallut tirer la chose au clair. La maison
de Dieppe se trouva vermoulue d'hypothèques jusque dans
ses pilotis; [61] ce qu'elle avait mis chez le notaire, Dieu
seul le savait, et la part de barque n'excéda point mille
écus. Elle avait donc menti, la bonne dame! Dans son
exaspération, M. Bovary père, brisant une chaise contre
les pavés, accusa sa femme d'avoir fait le malheur de leur
fils en l'attelant à une haridelle [62] semblable, dont les
harnais ne valaient pas la peau. Ils vinrent à Tostes. On

s'expliqua. Il y eut des scènes. Héloïse, en pleurs, se jetant dans les bras de son mari, le conjura de la défendre de ses parents. Charles voulut parler pour elle. Ceux-ci se fâchèrent, et ils partirent.

Mais *le coup était porté.*[63] Huit jours après, comme elle étendait du linge dans sa cour, elle fut prise d'un crachement de sang, et le lendemain, tandis que Charles avait le dos tourné pour fermer le rideau de la fenêtre, elle dit: «Ah! mon Dieu» poussa un soupir et s'évanouit. Elle était morte! Quel étonnement!

Quand tout fut fini au cimetière, Charles rentra chez lui. Il ne trouva personne en bas; il monta au premier, dans la chambre, vit sa robe encore accrochée au pied de l'alcôve; alors, s'appuyant contre le secrétaire, il resta jusqu'au soir perdu dans une rêverie douloureuse. Elle l'avait aimé, après tout.

Chapitre 3.

Un matin, le père Rouault vint apporter à Charles le payement de sa jambe remise: soixante et quinze francs en pièces de quarante sous,[64] et une dinde. Il avait appris son malheur, et l'en consola tant qu'il put.

—Je sais ce que c'est! disait-il en lui frappant sur l'épaule; j'ai été comme vous, moi aussi! Quand j'ai eu perdu ma pauvre défunte, j'allais dans les champs pour être tout seul; je tombais au pied d'un arbre, je pleurais, j'appelais le bon Dieu, je lui disais des sottises; j'aurais voulu être comme les taupes que je voyais aux branches, qui avaient des vers leur grouillant dans le ventre,[65] crevé, enfin. Et quand je pensais que d'autres, à ce moment-là, étaient avec leurs bonnes petites femmes à les tenir embrassées contre eux, je tapais de grands coups par terre avec mon bâton; j'étais quasiment fou, que je ne mangeais plus; l'idée d'aller seulement au café me dégoûtait, vous ne croiriez pas. Eh bien, tout doucement, un jour chassant l'autre, un printemps sur un hiver et un automne par-dessus un été, ça a coulé brin à brin, miette à miette; ça s'en est allé, c'est parti, c'est descendu, je veux dire, car il vous reste toujours quelque chose au fond, comme qui dirait... un poids, là, sur la poitrine! Mais puisque c'est notre sort à tous, on ne doit pas non plus se laisser dépérir, et, parce que d'autres sont morts, vouloir mourir... Il faut vous secouer, monsieur Bovary; ça se passera! Venez nous voir; ma fille pense à vous de temps à autre, savez-vous bien, et elle dit comme ça que vous l'oubliez. Voilà le printemps bientôt; nous vous ferons tirer le lapin dans la garenne, pour vous dissiper un peu.[66]

Charles suivit son conseil. Il retourna aux Bertaux. Il retrouva tout comme la veille, comme il y avait cinq mois, c'est-à-dire. Les poiriers déjà étaient en fleur, et le bonhomme Rouault, debout maintenant, allait et venait, ce qui rendait la ferme plus animée.

Croyant qu'il était de son devoir de prodiguer au médecin le plus de politesses possible, à cause de sa position douloureuse, il le pria de ne point se découvrir la tête, lui parla à voix basse, comme s'il eût été malade, et même fit semblant de se mettre en colère de ce que l'on n'avait pas apprêté à son intention quelque chose d'un peu plus léger que tout le reste, tels que des petits pots de crème ou des poires cuites. Il conta des histoires. Charles se surprit à rire; mais le souvenir de sa femme, lui revenant tout à coup, l'assombrit. On apporta le café; il n'y pensa plus.

Il y pensa moins, à mesure qu'il s'habituait à vivre seul. L'agrément nouveau de l'indépendance lui rendit bientôt la solitude plus supportable. Il pouvait changer maintenant les heures de ses repas, rentrer ou sortir sans donner de raisons, et, lorsqu'il était bien fatigué, s'étendre de ses quatre membres, tout en large dans son lit. Donc, il se choya, se dorlota et accepta les consolations qu'on lui donnait. D'autre part, la mort de sa femme ne l'avait pas mal servi dans son métier, car on avait répété durant un mois: « Ce pauvre jeune homme! quel malheur! » Son nom s'était répandu, sa clientèle s'était accrue; et puis il allait aux Bertaux tout à son aise. Il avait un espoir sans but, un bonheur vague; il se trouvait la figure plus agréable en brossant ses favoris devant son miroir.

Il arriva un jour vers trois heures; tout le monde était aux champs; il entra dans la cuisine, mais n'aperçut point d'abord Emma; les auvents étaient fermés. Par les fentes du bois, le soleil allongeait sur les pavés de grandes raies minces, qui se brisaient à l'angle des meubles et tremblaient au plafond. Des mouches, sur la table, montaient le long des verres qui avaient servi, et bourdonnaient en se noyant au fond, dans le cidre resté. Le jour qui descendait par la cheminée, veloutant la suie de la plaque, bleuissait un peu les cendres froides. Entre la fenêtre et le foyer, Emma cousait; elle n'avait point de fichu, on voyait sur ses épaules nues de petites gouttes de sueur.

Selon la mode de la campagne, elle lui proposa de boire quelque chose. Il refusa, elle insista, et enfin lui offrit, en riant, de prendre une verre de liqueur avec elle. Elle alla donc chercher dans l'armoire une bouteille de curaçao, atteignit deux petits verres, emplit l'un jusqu'au bord, versa à peine dans l'autre et, après avoir trinqué, le porta à sa bouche. Comme il était presque vide, elle se renversait pour boire: et, la tête en arrière, les lèvres avancées, le cou tendu, elle riait de ne rien sentir, tandis que le bout de sa langue, passant entre ses dents fines, léchait à petits coups le fond du verre.

Elle se rassit et elle reprit son ouvrage, qui était un bas de coton blanc où elle faisait des reprises: elle travaillait le front baissé; elle ne parlait pas. Charles non plus. L'air, passant par le dessous de la porte, poussait un peu de poussière sur les dalles; il la regardait se traîner, et il entendait seulement le battement intérieur de sa tête, avec le cri d'une poule, au loin, qui pondait dans les cours. Emma, de temps à autre, se rafraîchissait les joues en y appliquant la paume de ses mains, qu'elle refroidissait après cela sur la pomme de fer des grands chenets.

Elle se plaignait d'éprouver, depuis le commencement de la saison, des étourdissements; elle demanda si les bains de mer lui seraient utiles; elle se mit à causer du couvent, Charles de son collège, les phrases leur vinrent. Ils montèrent dans sa chambre. Elle lui fit voir ses anciens cahiers de musique, les petits livres qu'on lui avait donnés en prix et les couronnes en feuilles de chêne, abandonnées dans un bas d'armoire. Elle lui parla encore de sa mère,⁶⁷ du cimetière, et même lui montra dans le jardin la plate-bande dont elle cueillait les fleurs, tous les premiers vendredis de chaque mois, pour les aller mettre sur sa tombe. Mais le jardinier qu'ils avaient n'y entendait rien; on était si mal servi! Elle eût bien voulu, ne fût-ce au moins que pendant l'hiver, habiter la ville, quoique la longueur des beaux jours rendît peut-être la campagne plus ennuyeuse encore durant l'été; — et, selon ce qu'elle disait, sa voix était claire, aiguë, ou, se couvrant de langueur tout à coup, traînait des modulations qui finissaient presque en murmures, quand elle se parlait à elle-même, — tantôt joyeuse, ouvrant des yeux naïfs, puis les paupières à demi closes, le regard noyé d'ennui, la pensée vagabondant.

Le soir, en s'en retournant, Charles reprit une à une les phrases qu'elle avait dites, tâchant de se les rappeler, d'en compléter le sens, afin de se faire la portion d'existence qu'elle avait vécue dans le temps qu'il ne la connaissait pas encore. Mais jamais il ne put la voir en sa pensée différemment qu'il ne l'avait vue la première fois, ou telle qu'il venait de la quitter tout à l'heure. Puis il se demanda ce qu'elle deviendrait, si elle se marierait, et à qui? Hélas! le père Rouault était bien riche, et elle!... si belle! Mais la figure d'Emma revenait toujours se placer devant ses yeux, et quelque chose de monotone comme le ronflement d'une toupie bourdonnait à ses oreilles: «Si tu te mariais, pourtant! si tu te mariais!» La nuit, il ne dormit pas, sa gorge était serrée, il avait soif; il se leva pour aller boire à son pot à l'eau et il ouvrit la fenêtre, le ciel était couvert d'étoiles, un vent chaud passait; au loin des chiens aboyaient. Il tourna la tête du côté des Bertaux.

Pensant qu'après tout l'on ne risquait rien, Charles se promit de faire la demande quand l'occasion s'en offrirait; mais, chaque fois qu'elle s'offrit, la peur de ne point trouver les mots convenables lui collait les lèvres.

Le père Rouault n'eût pas été fâché qu'on le débarrassât de sa fille, qui ne lui servait guère dans sa maison. Il l'excusait intérieurement, trouvant qu'elle avait trop d'esprit pour la culture, métier maudit du ciel, puisqu'on n'y voyait jamais de millionnaire. Loin d'y avoir fait fortune, le bonhomme y perdait tous les ans: car, s'il excellait dans les marchés, où il se plaisait aux ruses du métier, en revanche la culture proprement dite, avec le gouvernement intérieur de la ferme, lui convenait moins qu'à personne. Il ne retirait pas volontiers ses mains de dedans ses poches, et n'épargnait point la dépense pour tout ce qui regardait sa vie, voulant être bien nourri, bien chauffé, bien couché. Il aimait le gros cidre, les gigots saignants, les *glorias*[68] longuement battus. Il prenait ses repas dans la cuisine, seul, en face du feu, sur une petite table qu'on lui apportait toute servie comme au théâtre.

Lorsqu'il s'aperçut donc que Charles avait les pommettes rouges près de sa fille, ce qui signifiait qu'un de ces jours on la lui demanderait en mariage, il rumina d'avance toute l'affaire. Il le trouvait bien un peu gringalet, et ce n'était pas là un gendre comme il l'eût souhaité; mais on le disait de bonne conduite, économe, fort instruit, et sans doute qu'il ne chicanerait pas trop sur la dot. Or, comme le père Rouault allait être forcé de vendre vingt-deux acres de *son bien,* qu'il devait beaucoup au maçon, beaucoup au bourrelier, que l'arbre du pressoir était à remettre:[69]

— S'il me la demande, se dit-il, je la lui donne.

A l'époque de la Saint-Michel,[70] Charles était venu passer trois jours aux Bertaux. La dernière journée s'était écoulée comme les précédentes, à reculer de quart d'heure en quart d'heure. Le père Rouault lui fit la conduite;[71] ils marchaient dans un chemin creux, ils s'allaient quitter;

c'était le moment. Charles se donna jusqu'au coin de la haie, et enfin, quand on l'eut dépassée:

— Maître Rouault, murmura-t-il, je voudrais bien vous dire quelque chose.

Ils s'arrêtèrent. Charles se taisait.

— Mais contez-moi votre histoire! Est-ce que je ne sais pas tout! dit le père Rouault, en riant doucement.

— Père Rouault..., père Rouault, balbutia Charles.

— Moi, je ne demande pas mieux, continua le fermier. Quoique sans doute la petite soit de mon idée, il faut pourtant lui demander son avis. Allez-vous-en donc; je m'en vais retourner chez nous. Si c'est oui, entendez-moi bien, vous n'aurez pas besoin de revenir, à cause du monde,[72] et, d'ailleurs, ça la saisirait trop. Mais pour que vous ne vous mangiez pas le sang,[73] je pousserai tout grand l'auvent de la fenêtre contre le mur: vous pourrez le voir par derrière, en vous penchant sur la haie.

Et il s'éloigna.

Charles attacha son cheval à un arbre. Il courut se mettre dans le sentier; il attendit. Une demi-heure se passa, puis il compta dix-neuf minutes à sa montre. Tout à coup un bruit se fit contre le mur; l'auvent s'était rabattu, la cliquette tremblait encore.

Le lendemain dès neuf heures, il était à la ferme. Emma rougit quand il entra, tout en s'efforçant de rire un peu, par contenance. Le père Rouault embrassa son futur gendre. On se remit à causer des arrangements d'intérêt; on avait, d'ailleurs, du temps devant soi, puisque le mariage ne pouvait décemment avoir lieu avant la fin du deuil de Charles, c'est-à-dire vers le printemps de l'année prochaine.

L'hiver se passa dans cette attente. Mademoiselle Rouault s'occupa de son trousseau. Une partie en fut commandée à Rouen, et elle se confectionna des chemises et des bonnets de nuit, d'après des dessins de modes qu'elle emprunta. Dans les visites que Charles faisait à la ferme, on causait des préparatifs de la noce, on se demandait dans quel appartement se donnerait le dîner;

on rêvait à la quantité de plats qu'il faudrait et quelles seraient les entrées.

Emma eût, au contraire, désiré se marier à minuit, aux flambeaux; mais le père Rouault ne comprit rien à cette idée. Il y eut donc une noce, où vinrent quarante-trois personnes, où l'on resta seize heures à table, qui recommença le lendemain et quelque peu les jours suivants.

Chapitre 4.

Les conviés arrivèrent de bonne heure dans des voitures, carrioles à un cheval, chars à bancs à deux roues, vieux cabriolets sans capote,[74] tapissières à rideaux de cuir, et les jeunes gens des villages les plus voisins dans des charrettes où ils se tenaient debout, en rang, les mains appuyées sur les ridelles[75] pour ne pas tomber, allant au trot et secoués dur. Il en vint de dix lieues loin, de Goderville, de Normanville et de Cany. On avait invité tous les parents des deux familles; on s'était raccommodé avec les amis brouillés; on avait écrit à des connaissances perdues de vue depuis longtemps.

De temps à autre, on entendait des coups de fouet derrière la haie; bientôt la barrière s'ouvrait: c'était une carriole qui entrait. Galopant jusqu'à la première marche du perron, elle s'y arrêtait court, et vidait son monde, qui sortait par tous les côtés en se frottant les genoux et en s'étirant les bras. Les dames, en bonnet, avaient des robes à la façon de la ville, des chaînes de montre en or, des pèlerines à bouts croisés dans la ceinture, ou de petits fichus de couleur attachés dans le dos avec une épingle, et qui leur découvraient le cou par derrière. Les gamins, vêtus pareillement à leurs papas, semblaient incommodés par

leurs habits neufs (beaucoup même étrennèrent ce jour-là
la première paire de bottes de leur existence), et l'on
voyait à côté d'eux, ne soufflant mot dans la robe blanche
de sa première communion rallongée pour la circonstance,
quelque grande fillette de quatorze ou seize ans, leur
cousine ou leur sœur aînée sans doute, rougeaude, ahurie,
les cheveux gras de pommade à la rose, et ayant bien peur
de salir ses gants. Comme il n'y avait point assez de valets
d'écurie pour dételer toutes les voitures, les messieurs re-
troussaient leurs manches et s'y mettaient eux-mêmes.
Suivant leur position sociale différente, ils avaient des habits,
des redingotes, des vestes, des habits-vestes; — bons habits,
entourés de toute la considération d'une famille, et qui ne
sortaient de l'armoire que pour les solennités; redingotes
à grandes basques flottant au vent, à collet cylindrique, à
poches larges comme des sacs; vestes de gros drap, qui
accompagnaient ordinairement quelque casquette cerclée
de cuivre à sa visière; habits-vestes très courts, ayant dans
le dos deux boutons rapprochés comme une paire d'yeux,
et dont les pans semblaient avoir été coupés à même un
seul bloc, par la hache du charpentier. Quelques-uns encore
(mais ceux-là, bien sûr, devaient dîner au bas bout de la
table) portaient des blouses de cérémonie,[76] c'est-à-dire
dont le col était rabattu sur les épaules, le dos froncé à
petits plis et la taille attachée très bas par une ceinture
cousue.

Et les chemises sur les poitrines bombaient comme des
cuirasses! Tout le monde était tondu à neuf, les oreilles
s'écartaient des têtes, on était rasé de près; quelques-uns
même qui s'étaient levés dès avant l'aube, n'ayant pas vu
clair à se faire la barbe, avaient des balafres en diagonale
sous le nez, ou, le long des mâchoires, des pelures d'épiderme larges comme des écus de trois francs, et qu'avait
enflammées le grand air pendant la route, ce qui marbrait
un peu de plaques roses toutes ces grosses faces blanches
épanouies.

La mairie se trouvant à une demi-lieue de la ferme, on
s'y rendit à pied, et l'on revint de même, une fois la céré-

monie faite à l'église. Le cortège, d'abord uni comme une seule écharpe de couleur, qui ondulait dans la campagne, le long de l'étroit sentier serpentant entre les blés verts, s'allongea bientôt et se coupa en groupes différents, qui s'attardaient à causer. Le ménétrier allait en avant avec son violon empanaché de rubans à la coquille; [77] les mariés venaient ensuite, les parents, les amis tout au hasard, et les enfants restaient derrière, s'amusant à arracher les clochettes des brins d'avoine, ou à se jouer entre eux, sans qu'on les vît. La robe d'Emma, trop longue, traînait un peu par le bas; de temps à autre, elle s'arrêtait pour la tirer, et alors délicatement, de ses doigts gantés, elle enlevait les herbes rudes avec les petits dards des chardons, pendant que Charles, les mains vides, attendait qu'elle eût fini. Le père Rouault, un chapeau de soie neuf sur la tête et les parements de son habit noir lui couvrant les mains jusqu'aux ongles, donnait le bras à madame Bovary mère. Quant à M. Bovary père, qui, méprisant au fond tout ce monde-là, était venu simplement avec une redingote à un rang de boutons d'une coupe militaire, il débitait des galanteries d'estaminet [78] à une jeune paysanne blonde. Elle saluait, rougissait, ne savait que répondre. Les autres gens de la noce causaient de leurs affaires ou se faisaient des niches dans le dos,[79] s'excitant d'avance à la gaieté; et, en y prêtant l'oreille, on entendait toujours le crin-crin du ménétrier qui continuait à jouer dans la campagne. Quand il s'apercevait qu'on était loin derrière lui, il s'arrêtait à reprendre haleine, cirait longuement de colophane son archet,[80] afin que les cordes grinçassent mieux, et puis il se remettait à marcher, abaissant et levant tour à tour le manche de son violon, pour se bien marquer la mesure à lui-même. Le bruit de l'instrument faisait partir de loin les petits oiseaux.

C'était sous le hangar de la charretterie que la table était dressée. Il y avait dessus quatre aloyaux, six fricassées de poulets, du veau à la casserole, trois gigots et, au milieu, un joli cochon de lait rôti, flanqué de quatre andouilles à l'oseille. Aux angles, se dressait l'eau-de-vie, dans des

carafes. Le cidre doux en bouteilles poussait sa mousse
épaisse autour des bouchons et tous les verres, d'avance,
avaient été remplis de vin jusqu'au bord. De grands plats
de crème jaune, qui flottaient d'eux-mêmes au moindre
choc de la table, présentaient, dessinés sur leur surface
unie, les chiffres des nouveaux époux en arabesques de
nonpareille.[81] On avait été chercher un pâtissier à Yvetot
pour les tourtes et les nougats. Comme il débutait dans
le pays, il avait soigné les choses; et il apporta, lui-même,
au dessert, une pièce montée [82] qui fit pousser des cris.
A la base, d'abord c'était un carré de carton bleu figurant
un temple avec portiques, colonnades et statuettes de stuc
tout autour dans des niches constellées d'étoiles en papier
doré; puis se tenait au second étage un donjon en gâteau
de Savoie, entouré de menues fortifications en angélique,
amandes, raisins secs, quartiers d'oranges; et enfin, sur la
plate-forme supérieure, qui était une prairie verte où il y
avait des rochers avec des lacs de confiture et des bateaux
en écales de noisettes, on voyait un petit Amour, se
balançant à une escarpolette de chocolat, dont les deux
poteaux étaient terminés par deux boutons de rose naturelle, en guise de boules, au sommet.

Jusqu'au soir, on mangea. Quand on était trop fatigué
d'être assis, on allait se promener dans les cours ou jouer
une partie de bouchon [83] dans la grange, puis on revenait
à table. Quelques-uns, vers la fin, s'y endormirent et ron-
flèrent. Mais, au café, tout se ranima; alors on entama
des chansons, on fit des tours de force, on portait des
poids, on passait sous son pouce,[84] on essayait à soulever
les charrettes sur ses épaules, on disait des gaudrioles, on
embrassait les dames. Le soir, pour partir, les chevaux
gorgés d'avoine jusqu'aux naseaux eurent du mal à entrer
dans les brancards; ils ruaient, se cabraient, les harnais se
cassaient, leurs maîtres juraient ou riaient; et toute la
nuit, au clair de la lune, par les routes du pays, il y eut
des carrioles emportées qui couraient au grand galop,
bondissant dans les saignées,[85] sautant par-dessus les mètres
de cailloux, s'accrochant aux talus, avec des femmes qui se

penchaient en dehors de la portière pour saisir les guides.

Ceux qui restèrent aux Bertaux passèrent la nuit à boire dans la cuisine. Les enfants s'étaient endormis sous les bancs.

La mariée avait supplié son père qu'on lui épargnât les plaisanteries d'usage. Cependant, un mareyeur [86] de leurs cousins (qui même avait apporté, comme présent de noces, une paire de soles) commençait à souffler de l'eau avec sa bouche par le trou de la serrure, quand le père Rouault arriva juste à temps pour l'en empêcher, et lui expliqua qua la position grave de son gendre ne permettait pas de telles inconvenances. Le cousin, toutefois, céda difficilement à ces raisons. En dedans de lui-même, il accusa le père Rouault d'être fier, et il alla se joindre dans un coin à quatre ou cinq autres des invités qui, ayant eu par hasard plusieurs fois de suite à table les bas morceaux des viandes, trouvaient aussi qu'on les avait mal reçus, chuchotaient sur le compte de leur hôte et souhaitaient sa ruine à mots couverts.

Madame Bovary mère n'avait pas desserré les dents de la journée. On ne l'avait consultée ni sur la toilette de la bru, ni sur l'ordonnance du festin; elle se retira de bonne heure. Son époux, au lieu de la suivre, envoya chercher des cigares à Saint-Victor et fuma jusqu'au jour, tout en buvant des grogs au kirsch, mélange inconnu à la compagnie, et qui fut pour lui comme la source d'une considération plus grande encore.

Charles n'était point de complexion facétieuse, il n'avait pas brillé pendant la noce. Il répondit médiocrement aux pointes, calembours, mots à double entente, compliments et gaillardises que l'on se fit un devoir de lui décocher dès le potage.

Le lendemain, en revanche, il semblait un autre homme. C'est lui plutôt que l'on eût pris pour la vierge de la veille, tandis que la mariée ne laissait rien découvrir où l'on pût deviner quelque chose. Les plus malins ne savaient que répondre, et ils la considéraient, quand elle passait près d'eux, avec des tensions d'esprit démesurées. Mais

Charles ne dissimulait rien. Il l'appelait ma femme, la tutoyait, s'informait d'elle à chacun, la cherchait partout, et souvent il l'entraînait dans les cours, où on l'apercevait de loin, entre les arbres, qui lui passait le bras sous la taille et continuait à marcher à demi penché sur elle, en lui chiffonnant avec sa tête la guimpe de son corsage.

Deux jours après la noce, les époux s'en allèrent: Charles, à cause de ses malades, ne pouvait s'absenter plus longtemps. Le père Rouault les fit reconduire dans sa carriole et les accompagna lui-même jusqu'à Vassonville. Là, il embrassa sa fille une dernière fois, mit pied à terre et reprit sa route. Lorsqu'il eut fait cent pas environ, il s'arrêta, et, comme il vit la carriole s'éloignant, dont les roues tournaient dans la poussière, il poussa un gros soupir. Puis il se rappela ses noces, son temps d'autrefois, la première grossesse de sa femme;[87] il était bien joyeux, lui aussi, le jour qu'il l'avait emmenée de chez son père dans sa maison, quand il la portait en croupe en trottant sur la neige; car on était aux environs de Noël et la campagne était toute blanche; elle le tenait par un bras; à l'autre était accroché son panier; le vent agitait les longues dentelles de sa coiffure cauchoise qui lui passaient quelquefois sur la bouche, et, lorsqu'il tournait la tête, il voyait près de lui, sur son épaule, sa petite mine rosée qui souriait silencieusement, sous la plaque d'or de son bonnet. Pour se réchauffer les doigts, elle les lui mettait de temps en temps dans la poitrine. Comme c'était vieux, tout cela! Leur fils, à présent, aurait trente ans! Alors il regarda derrière lui, il n'aperçut rien sur la route. Il se sentit triste comme une maison démeublée; et les souvenirs tendres se mêlant aux pensées noires dans sa cervelle obscurcie par les vapeurs de la bombance, il eut bien envie un moment d'aller faire un tour du côté de l'église. Comme il eut peur, cependant, que cette vue ne le rendît plus triste encore, il s'en revint tout droit chez lui.

M. et Madame Charles arrivèrent à Tostes vers six heures. Les voisins se mirent aux fenêtres pour voir la nouvelle femme de leur médecin.

La vieille bonne se présenta, lui fit ses salutations, s'excusa de ce que le dîner n'était pas prêt, et engagea Madame, en attendant, à prendre connaissance de sa maison.

Chapitre 5.

La façade de briques était juste à l'alignement de la rue, ou de la route plutôt. Derrière la porte se trouvaient accrochés un manteau à petit collet, une bride, une casquette de cuir noir, et, dans un coin, à terre, une paire de houseaux encore couverts de boue sèche. A droite était la salle, c'est-à-dire l'appartement où l'on mangeait et où l'on se tenait. Un papier jaune-serin, relevé dans le haut par une guirlande de fleurs pâles, tremblait tout entier sur sa toile mal tendue; des rideaux de calicot blanc, bordés d'un galon rouge, s'entre-croisaient le long des fenêtres, et sur l'étroit chambranle de la cheminée resplendissait une pendule à tête d'Hippocrate, entre deux flambeaux d'argent plaqué, sous des globes de forme ovale. De l'autre côté du corridor était le cabinet de Charles, petite pièce de six pas de large environ, avec une table, trois chaises et un fauteuil de bureau. Les tomes du *Dictionnaire des sciences médicales,* non coupés, mais dont la brochure avait souffert dans toutes les ventes successives par où ils avaient passé, garnissaient presque à eux seuls les six rayons d'une bibliothèque en bois de sapin. L'odeur des roux [88] pénétrait à travers la muraille, pendant les consultations, de même que l'on entendait de la cuisine les malades tousser dans le cabinet et débiter toute leur histoire. Venait ensuite, s'ouvrant immédiatement sur la cour, où se trouvait l'écurie, une grande pièce délabrée qui avait un four, et qui servait maintenant de bûcher, de cellier, de garde-magasin, pleine de vieilles ferrailles, de tonneaux vides, d'instruments de culture hors de service, avec quantité d'autres choses poussiéreuses dont il était impossible de deviner l'usage.

Le jardin, plus long que large, allait, entre deux murs de bauge [89] couverts d'abricots en espalier, jusqu'à une haie d'épines qui le séparait des champs. Il y avait, au milieu, un cadran solaire en ardoise, sur un piédestal de maçonnerie; quatre plates-bandes garnies d'églantiers maigres entouraient symétriquement le carré plus utile des végétations sérieuses. Tout au fond, sous les sapinettes, un curé de plâtre lisait son bréviaire.

Emma monta dans les chambres. La première n'était point meublée; mais la seconde, qui était la chambre conjugale, avait un lit d'acajou dans une alcôve à draperie rouge. Une boîte en coquillages décorait la commode; et, sur le secrétaire, près de la fenêtre, il y avait, dans une carafe, un bouquet de fleurs d'oranger, noué par des rubans de satin blanc. C'était un bouquet de mariée, le bouquet de l'autre! Elle le regarda. Charles s'en aperçut, il le prit et l'alla porter au grenier, tandis qu'assise dans un fauteuil (on disposait ses affaires autour d'elle), Emma songeait à son bouquet de mariage, qui était emballé dans un carton, et se demandait, en rêvant, ce qu'on en ferait, si par hasard elle venait à mourir.

Elle s'occupa, les premiers jours, à méditer des changements dans sa maison. Elle retira les globes des flambeaux, fit coller des papiers neufs, repeindre l'escalier et faire des bancs dans le jardin, tout autour du cadran solaire; elle demanda même comment s'y prendre pour avoir un bassin à jet d'eau avec des poissons. Enfin son mari, sachant qu'elle aimait à se promener en voiture, trouva un *boc* [90] d'occasion, qui, ayant une fois des lanternes neuves et des garde-crotte en cuir piqué, ressembla presque à un tilbury.

Il était donc heureux et sans souci de rien au monde. Un repas en tête à tête, une promenade le soir sur la grande route, un geste de sa main sur ses bandeaux, la vue de son chapeau de paille accroché à l'espagnolette d'une fenêtre, et bien d'autres choses où Charles n'avait jamais soupçonné de plaisir, composaient maintenant la continuité de son bonheur. Au lit, le matin, et côte à côte sur l'oreiller, il regardait la lumière du soleil passer parmi le duvet de ses joues blondes, que couvraient à demi les pattes escalopées de son bonnet.[91] Vus de si près, ses yeux lui paraissaient agrandis, surtout quand elle ouvrait plusieurs fois de suite ses paupières en s'éveillant; noirs à l'ombre et bleu foncé[92] au grand jour, ils avaient comme des couches de couleurs successives, et qui, plus épaisses dans le fond, allaient en s'éclaircissant vers la surface de l'émail. Son œil, à lui, se perdait dans ces profondeurs, et il s'y voyait en petit jusqu'aux épaules, avec le foulard qui le coiffait et le haut de sa chemise entr'ouvert. Il se levait. Elle se mettait à la fenêtre pour le voir partir; et elle restait accoudée sur le bord, entre deux pots de géraniums, vêtue de son peignoir, qui était lâche autour d'elle. Charles dans la rue, bouclait ses éperons sur la borne; et elle continuait à lui parler d'en haut, tout en arrachant avec sa bouche quelque bribe de fleur ou de verdure qu'elle soufflait vers lui et qui, voltigeant, se soutenant, faisant dans l'air des demi-cercles comme un oiseau, allait, avant de tomber, s'accrocher aux crins mal peignés de la vieille jument blanche, immobile à la porte. Charles, à cheval, lui envoyait un baiser; elle répondait par un signe, elle refermait la fenêtre, il partait. Et alors, sur la grande route qui étendait sans en finir son long ruban de poussière, par les chemins creux où les arbres se courbaient en berceaux, dans les sentiers dont les blés lui montaient jusqu'aux genoux, avec le soleil sur ses épaules et l'air du matin à ses narines, le cœur plein des félicités de la nuit, l'esprit tranquille, la chair contente, il s'en allait ruminant son bonheur, comme ceux qui mâchent encore, après dîner, le goût des truffes qu'ils digèrent.

Jusqu'à présent, qu'avait-il eu de bon dans l'existence? Etait-ce son temps de collège, où il restait enfermé entre ces hauts murs, seul au milieu de ses camarades plus

riches ou plus forts que lui dans leurs classes, qu'il faisait
rire par son accent, qui se moquaient de ses habits, et
dont les mères venaient au parloir avec des pâtisseries
dans leur manchon? Etait-ce plus tard, lorsqu'il étudiait
la médecine et n'avait jamais la bourse assez ronde pour
payer la contredanse à [93] quelque petite ouvrière qui fût
devenue sa maîtresse? Ensuite il avait vécu pendant quatorze mois avec la veuve, dont les pieds, dans le lit,
étaient froids comme des glaçons. Mais, à présent, il
possédait pour la vie cette jolie femme qu'il adorait.
L'univers, pour lui, n'excédait pas le tour soyeux de son
jupon; et il se reprochait de ne pas l'aimer, il avait envie
de la revoir; il s'en revenait vite, montait l'escalier, le
cœur battant. Emma, dans sa chambre, était à faire sa
toilette; il arrivait à pas muets, il la baisait dans le dos,
elle poussait un cri.

Il ne pouvait se retenir de toucher continuellement à
son peigne, à ses bagues, à son fichu; quelquefois, il lui
donnait sur les joues de gros baisers à pleine bouche, ou
c'étaient de petits baisers à la file tout le long de son bras
nu, depuis le bout des doigts jusqu'à l'épaule; et elle le
repoussait, à demi souriante et ennuyée, comme on fait à
un enfant qui se pend après vous.

Avant qu'elle se mariât, elle avait cru avoir de l'amour;
mais le bonheur qui aurait dû résulter de cet amour n'étant
pas venu, il fallait qu'elle se fût trompée, songeait-elle.
Et Emma cherchait à savoir ce que l'on entendait au
juste dans la vie par les mots de *félicité,* de *passion* et
d'*ivresse,* qui lui avaient paru si beaux dans les livres.[94]

Chapitre 6.

Elle avait lu *Paul et Virginie* [95] et elle avait rêvé la maison-
nette de bambous, le nègre Domingo, le chien Fidèle, mais

surtout l'amitié douce de quelque bon petit frère, qui va chercher pour vous des fruits rouges dans des grands arbres plus haut que des clochers, ou qui court pieds nus sur le sable, vous apportant un nid d'oiseau.

Lorsqu'elle eut treize ans, son père l'amena lui-même à la ville, pour la mettre au couvent. Ils descendirent dans une auberge du quartier Saint-Gervais, où ils eurent à leur souper des assiettes peintes qui représentaient l'histoire de Mademoiselle de La Vallière.[96] Les explications légendaires, coupées çà et là par l'égratignure des couteaux, glorifiaient toutes la religion, les délicatesses de cœur et les pompes de la Cour.

Loin de s'ennuyer au couvent les premiers temps, elle se plut dans la société des bonnes sœurs, qui, pour l'amuser, la conduisaient dans la chapelle, où l'on pénétrait du réfectoire par un long corridor. Elle jouait fort peu durant les récréations, comprenait bien le catéchisme, et c'est elle qui répondait toujours à M. le vicaire, dans les questions difficiles. Vivant donc sans jamais sortir de la tiède atmosphère des classes et parmi ces femmes au teint blanc portant des chapelets à croix de cuivre, elle s'assoupit doucement à la langueur mystique qui s'exhale des parfums de l'autel, de la fraîcheur des bénitiers et du rayonnement des cierges. Au lieu de suivre la messe, elle regardait dans son livre les vignettes pieuses bordées d'azur, et elle aimait la brebis malade, le sacré cœur percé de flèches aiguës, ou le pauvre Jésus qui tombe en marchant sur sa croix. Elle essaya, par mortification, de rester tout un jour sans manger. Elle cherchait dans sa tête quelque vœu à accomplir.

Quand elle allait à confesse, elle inventait de petits péchés, afin de rester là plus longtemps, à genoux dans l'ombre, les mains jointes, le visage à la grille sous le chuchotement du prêtre. Les comparaisons de fiancé, d'époux, d'amant céleste et de mariage éternel qui reviennent dans les sermons lui soulevaient au fond de l'âme des douceurs inattendues.

Le soir, avant la prière, on faisait dans l'étude une

lecture religieuse. C'était, pendant la semaine, quelque résumé d'Histoire sainte ou les *Conférences* de l'abbé Frayssinous,[97] et, le dimanche, des passages du *Génie du Christianisme,*[98] par récréation. Comme elle écouta, les premières fois, la lamentation sonore des mélancolies romantiques se répétant à tous les échos de la terre et de l'éternité! Si son enfance se fût écoulée dans l'arrière-boutique d'un quartier marchand, elle se serait peut-être ouverte alors aux envahissements lyriques de la nature, qui, d'ordinaire, ne nous arrivent que par la traduction des écrivains. Mais elle connaissait trop la campagne; elle savait le bêlement des troupeaux, les laitages, les charrues. Habituée aux aspects calmes, elle se tournait au contraire vers les accidentés. Elle n'aimait la mer qu'à cause de ses tempêtes, et la verdure seulement lorsqu'elle était clairsemée parmi les ruines. Il fallait qu'elle pût retirer des choses une sorte de profit personnel; et elle rejetait comme inutile tout ce qui ne contribuait pas à la consommation immédiate de son cœur, — étant de tempérament plus senti-mentale qu'artiste, cherchant des émotions et non des paysages.

Il y avait au couvent une vieille fille qui venait tous les mois, pendant huit jours, travailler à la lingerie. Protégée par l'archevêché comme appartenant à une an-cienne famille de gentilshommes ruinés sous la Révolution, elle mangeait au réfectoire à la table des bonnes sœurs, et faisait avec elles, après le repas, un petit bout de causette avant de remonter à son ouvrage. Souvent les pensionnaires s'échappaient de l'étude pour l'aller voir. Elle savait par cœur des chansons galantes du siècle passé, qu'elle chantait à demi-voix, tout en poussant son aiguille. Elle contait des histoires, vous apprenait des nouvelles, faisait en ville vos commissions, et prêtait aux grandes, en cachette, quelque roman qu'elle avait toujours dans les poches de son tablier, et dont la bonne demoiselle elle-même avalait de longs chapitres, dans les intervalles de sa besogne. Ce n'étaient qu'amours, amants, amantes, dames persécutées s'évanouis-sant dans des pavillons solitaires, postillons qu'on tue à tous les relais, chevaux qu'on crève à toutes les pages, forêts sombres, troubles du cœur, serments, sanglots, larmes et baisers, nacelles au clair de lune, rossignols dans les bosquets, *messieurs* braves comme des lions, doux comme des agneaux, vertueux comme on ne l'est pas, toujours bien mis, et qui pleurent commes des urnes. Pendant six mois, à quinze ans, Emma se graissa donc les mains à cette poussière des vieux cabinets de lecture. Avec Walter Scott, plus tard, elle s'éprit de choses historiques, rêva bahuts, salle des gardes et ménestrels. Elle aurait voulu vivre dans quelque vieux manoir, comme ces châtelaines au long corsage qui, sous le trèfle des ogives, passaient leurs jours, le coude sur la pierre et le menton dans la main, à regarder venir du fond de la campagne un cavalier à plume blanche qui galope sur un cheval noir. Elle eut dans ce temps-là le culte de Marie Stuart et des vénérations enthousiastes à l'endroit des femmes illustres ou infortunées. Jeanne d'Arc, Héloïse,[99] Agnès Sorel,[100] la belle Ferronnière[101] et Clémence Isaure,[102] pour elle, se détachaient comme des comètes sur l'immensité ténébreuse de l'histoire, où saillissaient encore çà et là, mais plus perdus dans l'ombre et sans aucun rapport entre eux, saint Louis[103] avec son chêne, Bayard[104] mourant, quelques férocités de Louis XI,[105] un peu de Saint-Barthélemy,[106] le panache du Béarnais,[107] et toujours le souvenir des assiettes peintes où Louis XIV était vanté.

A la classe de musique, dans les romances qu'elle chantait, il n'était question que de petits anges aux ailes d'or, de madones, de lagunes, de gondoliers, pacifiques compositions qui lui laissaient entrevoir, à travers la niaiserie du style et les imprudences de la note, l'attirante fantasmagorie des réalités sentimentales. Quelques-unes de ses camarades apportaient au couvent les keepsakes[108] qu'elles avaient reçus en étrennes. Il les fallait cacher, c'était une affaire; on les lisait au dortoir. Maniant délicatement leurs belles reliures de satin, Emma fixait ses regards éblouis sur le nom des auteurs inconnus qui avaient signé, le plus souvent, comtes ou vicomtes, au bas de leurs pièces.

Elle frémissait, en soulevant de son haleine le papier de soie des gravures, qui se levait à demi plié et retombait doucement contre la page. C'était, derrière la balustrade d'un balcon, un jeune homme en court manteau qui serrait dans ses bras une jeune fille en robe blanche, portant une aumônière à sa ceinture; ou bien les portraits anonymes des ladies anglaises à boucles blondes qui, sous leur chapeau de paille rond, vous regardent avec leurs grands yeux clairs. On en voyait d'étalées dans des voitures, glissant au milieu des parcs, où un lévrier sautait devant l'attelage que conduisaient au trot deux petits postillons en culotte blanche. D'autres, rêvant sur des sofas près d'un billet décacheté, contemplaient la lune, par la fenêtre entr'ouverte, à demi drapée d'un rideau noir. Les naïves, une larme sur la joue, becquetaient une tourterelle à travers les barreaux d'une cage gothique, ou, souriant, la tête sur l'épaule, effeuillaient une marguerite de leurs doigts pointus, retroussés comme des souliers à la poulaine. Et vous y étiez aussi,[109] sultans à longues pipes, pâmés sous des tonnelles aux bras des bayadères, djiaours,[110] sabres turcs, bonnets grecs, et vous surtout, paysages blafards des contrées dithyrambiques, qui souvent nous montrez à la fois des palmiers, des sapins, des tigres à droite, un lion à gauche, des minarets tartares à l'horizon, au premier plan des ruines romaines, puis des chameaux accroupis; — le tout encadré d'une forêt vierge bien nettoyée, et avec un grand rayon de soleil perpendiculaire tremblotant dans l'eau, où se détachent en écorchures blanches, sur un fond d'acier gris, de loin en loin, des cygnes qui nagent.

Et l'abat-jour du quinquet,[111] accroché dans la muraille au-dessus de la tête d'Emma, éclairait tous ces tableaux du monde, qui passaient devant elle les uns après les autres dans le silence du dortoir et au bruit lointain de quelque fiacre attardé qui roulait encore sur les boulevards.

Quand sa mère mourut, elle pleura beaucoup les premiers jours. Elle se fit faire un tableau funèbre avec les cheveux de la défunte, et, dans une lettre qu'elle envoyait aux

Bertaux, toute pleine de réflexions tristes sur la vie, elle demandait qu'on l'ensevelît plus tard dans le même tombeau. Le bonhomme la crut malade et vint la voir. Emma fut intérieurement satisfaite de se sentir arrivée du premier coup à ce rare idéal des existences pâles, où ne parviennent jamais les cœurs médiocres. Elle se' laissa donc glisser dans les méandres lamartiniens, écouta les harpes sur les lacs, tous les chants de cygnes mourants, toutes les chutes de feuilles, les vierges pures qui montent au ciel, et la voix de l'Eternel discourant dans les vallons. Elle s'en ennuya, n'en voulut point convenir, continua par habitude, ensuite par vanité, et fut enfin surprise de se sentir apaisée, et sans plus de tristesse au cœur que de rides sur son front.

Les bonnes religieuses, qui avaient si bien présumé de sa vocation, s'aperçurent avec de grands étonnements que Mademoiselle Rouault semblait échapper à leur soin. Elles lui avaient, en effet, tant prodigué les offices, les retraites, les neuvaines, les sermons, si bien prêché le respect que l'on doit aux saints et aux martyrs, et donné tant de bons conseils pour la modestie du corps et le salut de son âme, qu'elle fit comme les chevaux que l'on tire par la bride: elle s'arrêta court et le mors lui sortit des dents. Cet esprit, positif au milieu de ses enthousiasmes, qui avait aimé l'église pour ses fleurs, la musique pour les paroles des romances, et la littérature pour ses excitations passionnelles, s'insurgeait devant les mystères de la foi, de même qu'elle s'irritait davantage contre la discipline, qui était quelque chose d'antipathique à sa constitution. Quand son père la retira de pension, on ne fut point fâché de la voir partir. La supérieure trouvait même qu'elle était devenue, dans les derniers temps, peu révérencieuse envers la communauté.

Emma, rentrée chez elle, se plut d'abord au commandement des domestiques, prit ensuite la campagne en dégoût et regretta son couvent. Quand Charles vint aux Bertaux pour la première fois, elle se considérait comme fort désillusionnée, n'ayant plus rien à apprendre, ne devant plus rien sentir.

Mais l'anxiété d'un état nouveau, ou peut-être l'irritation causée par la présence de cet homme, avait suffi à lui faire croire qu'elle possédait enfin cette passion merveilleuse qui jusqu'alors s'était tenue comme un grand oiseau au plumage rose planant dans la splendeur des ciels poétiques; — et elle ne pouvait s'imaginer à présent que ce calme où elle vivait fût le bonheur qu'elle avait rêvé.

Chapitre 7.

Elle songeait quelquefois que c'étaient là pourtant les plus beaux jours de sa vie, la lune de miel, comme on disait. Pour en goûter la douceur, il eût fallu, sans doute, s'en aller vers ces pays à noms sonores où les lendemains de mariage ont de plus suaves paresses! Dans des chaises de poste, sous des stores de soie bleue, on monte au pas des routes escarpées, écoutant la chanson du postillon, qui se répète dans la montagne avec les clochettes des chèvres et le bruit sourd de la cascade. Quand le soleil se couche, on respire au bord des golfes le parfum des citronniers; puis, le soir, sur la terrasse des villas, seuls et les doigts confondus, on regarde les étoiles en faisant des projets. Il lui semblait que certains lieux sur la terre devaient produire du bonheur, comme une plante particulière au sol et qui pousse mal tout autre part. Que ne pouvait-elle s'accouder sur le balcon des chalets suisses ou enfermer sa tristesse dans un cottage écossais, avec un mari vêtu d'un habit de velours noir à longues basques, et qui porte des bottes molles, un chapeau pointu et des manchettes!

Peut-être aurait-elle souhaité faire à quelqu'un la confidence de toutes ces choses. Mais comment dire un insaisissable malaise, qui change d'aspect comme les nuées, qui tourbillonne comme le vent? Les mots lui manquaient donc, l'occasion, la hardiesse.

Si Charles l'avait voulu, cependant, s'il s'en fût douté, si son regard, une seule fois, fût venu à la rencontre de sa pensée, il lui semblait qu'une abondance subite se serait détachée de son cœur, comme tombe la récolte d'un espalier, quand on y porte la main. Mais, à mesure que se serait davantage l'intimité de leur vie, un détachement intérieur se faisait qui la déliait de lui.

La conversation de Charles était plate comme un trottoir de rue, et les idées de tout le monde y défilaient, dans leur costume ordinaire, sans exciter d'émotion, de rire ou de rêverie. Il n'avait jamais été curieux, disait-il, pendant qu'il habitait Rouen, d'aller voir au théâtre les acteurs de Paris. Il ne savait ni nager, ni faire des armes, ni tirer le pistolet, et il ne put, un jour, lui expliquer un terme d'équitation qu'elle avait rencontré dans un roman.

Un homme, au contraire, ne devait-il pas tout connaître, exceller en des activités multiples, vous initier aux énergies de la passion, aux raffinements de la vie, à tous les mystères? Mais il n'enseignait rien, celui-là, ne savait rien, ne souhaitait rien. Il la croyait heureuse; et elle lui en voulait de ce calme si bien assis, de cette pesanteur sereine, du bonheur même qu'elle lui donnait.

Elle dessinait quelquefois; et c'était pour Charles un grand amusement que de rester là, tout debout, à la regarder penchée sur son carton, clignant des yeux, afin de mieux voir son ouvrage, ou arrondissant, sur son pouce, des boulettes de mie de pain. Quant au piano, plus ses doigts y couraient vite, plus il s'émerveillait. Elle frappait sur les touches avec aplomb, et parcourait du haut en bas tout le clavier sans s'interrompre. Ainsi secoué par elle, le vieil instrument, dont les cordes frisaient,[112] s'entendait jusqu'au bout du village si la fenêtre était ouverte, et souvent le clerc de l'huissier qui passait sur la grande route, nu-tête et en chaussons, s'arrêtait à l'écouter, sa feuille de papier à la main.

Emma, d'autre part, savait conduire sa maison. Elle

envoyait aux malades le compte des visites, dans des lettres bien tournées qui ne sentaient pas la facture. Quands ils avaient, le dimanche, quelque voisin à dîner, elle trouvait le moyen d'offrir un plat coquet, s'entendait à poser sur des feuilles de vigne les pyramides de reines-claude,[113] servait renversés les pots de confitures dans une assiette, et même elle parlait d'acheter des rince-bouche[114] pour le dessert. Il rejaillissait de tout cela beaucoup de considération sur Bovary.

Charles finissait par s'estimer davantage de ce qu'il possédait une pareille femme. Il montrait avec orgueil, dans la salle, deux petits croquis d'elle à la mine de plomb, qu'il avait fait encadrer de cadres très larges et suspendus contre le papier de la muraille à de longs cordons verts. Au sortir de la messe, on le voyait sur sa porte avec de belles pantoufles en tapisserie.

Il rentrait tard, à dix heures, minuit quelquefois. Alors il demandait à manger, et, comme la bonne était couchée, c'était Emma qui le servait. Il retirait sa redingote pour dîner plus à son aise. Il disait les uns après les autres tous les gens qu'il avait rencontrés, les villages où il avait été, les ordonnances qu'il avait écrites et, satisfait de lui-même, il mangeait le reste du miroton,[115] épluchait son fromage, croquait une pomme, vidait sa carafe, puis s'allait mettre au lit, se couchait sur le dos et ronflait.

Comme il avait eu longtemps l'habitude du bonnet de coton, son foulard ne lui tenait pas aux oreilles; aussi ses cheveux, le matin, étaient rabattus pêle-mêle sur sa figure et blanchis par le duvet de son oreiller, dont les cordons[116] se dénouaient pendant la nuit. Il portait toujours de fortes bottes, qui avaient au cou-de-pied deux plis épais obliquant vers les chevilles, tandis que le reste de l'empeigne se continuait en ligne droite, tendu comme par un pied de bois. Il disait *que c'était bien assez bon pour la campagne*.

Sa mère l'approuvait en cette économie; car elle le venait voir comme autrefois, lorsqu'il y avait eu chez elle quelque bourrasque un peu violente; et cependant madame Bovary mère semblait prévenue contre sa bru. Elle lui trouvait *un genre trop relevé pour leur position de fortune;* le bois, le sucre et la chandelle *filaient comme dans une grande maison,* et la quantité de braise qui se brûlait à la cuisine aurait suffi pour vingt-cinq plats! Elle rangeait son linge dans ses armoires et lui apprenait à surveiller le boucher quand il apportait la viande. Emma recevait ces leçons; Madame Bovary les prodiguait; et les mots de *ma fille* et de *ma mère* s'échangeaient tout le long du jour, accompagnés d'un petit frémissement des lèvres, chacune lançant des paroles douces d'une voix tremblante de colère.

Du temps de Madame Dubuc, la vieille femme se sentait encore la préférée; mais, à présent, l'amour de Charles pour Emma lui semblait une désertion de sa tendresse, un envahissement sur ce qui lui appartenait; et elle observait le bonheur de son fils avec un silence triste comme quelqu'un de ruiné qui regarde à travers les carreaux, des gens attablés dans son ancienne maison. Elle lui rappelait, en manière de souvenirs, ses peines et ses sacrifices, et, les comparant aux négligences d'Emma, concluait qu'il n'était point raisonnable de l'adorer d'une façon si exclusive.

Charles ne savait que répondre; il respectait sa mère, et il aimait infiniment sa femme; il considérait le jugement de l'une comme infaillible et cependant il trouvait l'autre irréprochable. Quand Madame Bovary était partie il essayait de hasarder timidement, et dans les mêmes termes, une ou deux des plus anodines observations qu'il avait entendu faire à sa maman; Emma, lui prouvant d'un mot qu'il se trompait, le renvoyait à ses malades.

Cependant, d'après les théories qu'elle croyait bonnes, elle voulut se donner de l'amour. Au clair de lune, dans le jardin, elle récitait tout ce qu'elle savait par cœur de rimes passionnées et lui chantait en soupirant des adagios mélancoliques; mais elle se trouvait ensuite aussi calme qu'auparavant, et Charles n'en paraissait ni plus amoureux, ni plus remué.

Quand elle eut ainsi un peu battu le briquet sur son

cœur sans en faire jaillir une étincelle,[117] incapable, du reste, de comprendre ce qu'elle n'éprouvait pas, comme de croire à tout ce qui ne se manifestait point par des formes convenues, elle se persuada sans peine que la passion de Charles n'avait plus rien d'exorbitant. Ses expansions étaient devenues régulières; il l'embrassait à de certaines heures. C'était une habitude parmi les autres, et comme un dessert prévu d'avance, après la monotonie du dîner.

Un garde-chasse, guéri par Monsieur d'une fluxion de poitrine, avait donné à Madame une petite levrette[118] d'Italie; elle la prenait pour se promener, car elle sortait quelquefois, afin d'être seule un instant et de n'avoir plus sous les yeux l'éternel jardin avec la route poudreuse.

Elle allait jusqu'à la hêtrée de Banneville, près du pavillon abandonné qui fait l'angle du mur, du côté des champs. Il y a dans le saut-de-loup,[119] parmi les herbes, de longs roseaux à feuilles coupantes.

Elle commençait par regarder tout alentour, pour voir si rien n'avait changé depuis la dernière fois qu'elle était venue. Elle retrouvait aux mêmes places les digitales et les ravenelles,[120] les bouquets d'orties entourant les gros cailloux, et les plaques de lichen le long des trois fenêtres dont les volets toujours clos s'égrenaient de pourriture sur leurs barres de fer rouillées. Sa pensée, sans but d'abord, vagabondait au hasard, comme sa levrette, qui faisait des cercles dans la campagne, jappait après les papillons jaunes, donnait la chasse aux musaraignes en mordillant les coquelicots sur le bord d'une pièce de blé. Puis ses idées peu à peu se fixaient, et, assise sur le gazon, qu'elle fouillait à petits coups avec le bout de son ombrelle, Emma se répétait:

— Pourquoi, mon Dieu, me suis-je mariée?

Elle se demandait s'il n'y aurait pas eu moyen, par d'autres combinaisons du hasard, de rencontrer un autre homme; et elle cherchait à imaginer quels eussent été ces événements non survenus, cette vie différente, ce mari qu'elle ne connaissait pas. Tous, en effet, ne ressemblaient pas à celui-là. Il aurait pu être beau, spirituel, distingué, attirant, tels qu'ils étaient sans doute, ceux qu'avaient épousés ses anciennes camarades du couvent. Que faisaient-elles maintenant? A la ville, avec le bruit des rues, le bourdonnement des théâtres et les clartés du bal, elles avaient des existences où le cœur se dilate, où les sens s'épanouissent. Mais elle, sa vie était froide comme un grenier dont la lucarne est au nord, et l'ennui, araignée silencieuse, filait sa toile dans l'ombre à tous les coins de son cœur. Elle se rappelait les jours de distribution de prix, où elle montait sur l'estrade pour aller chercher ses petites couronnes. Avec ses cheveux en tresse, sa robe blanche et ses souliers de prunelle découverts, elle avait une façon gentille, et les messieurs, quand elle regagnait sa place, se penchaient pour lui faire des compliments; la cour était pleine de calèches, on lui disait adieu par les portières, le maître de musique passait en saluant, avec sa boîte à violon. Comme c'était loin, tout cela! comme c'était loin!

Elle appelait Djali,[121] la prenait entre ses genoux, passait ses doigts sur sa longue tête fine et lui disait:

— Allons, baisez maîtresse, vous qui n'avez pas de chagrins.

Puis, considérant la mine mélancolique du svelte animal qui bâillait avec lenteur, elle s'attendrissait, et, le comparant à elle-même, lui parlait tout haut, comme à quelqu'un d'affligé que l'on console.

Il arrivait parfois des rafales de vent, brises de la mer qui, roulant d'un bond sur tout le plateau du pays de Caux, apportaient, jusqu'au loin dans les champs, une fraîcheur salée. Les joncs sifflaient à ras de terre et les feuilles des hêtres bruissaient en un frisson rapide, tandis que les cimes, se balançant toujours, continuaient leur grand murmure. Emma serrait son châle contre ses épaules et se levait.

Dans l'avenue, un jour vert rabattu par le feuillage éclairait la mousse rase qui craquait doucement sous ses pieds. Le soleil se couchait; le ciel était rouge entre les branches, et les troncs pareils des arbres plantés en ligne droite semblaient une colonnade brune se détachant sur un fond d'or; une peur la prenait, elle appelait Djali, s'en retournait vite à Tostes par la grande route, s'affaissait dans un fauteuil, et de toute la soirée ne parlait pas.

Mais, vers la fin de septembre, quelque chose d'extra-ordinaire tomba dans sa vie; elle fut invitée à la Vaubyes-sard, chez le marquis d'Andervilliers.

Secrétaire d'Etat sous la Restauration, le Marquis, cher-chant à rentrer dans la vie politique, préparait de longue main sa candidature à la Chambre des députés. Il faisait, l'hiver, de nombreuses distributions de fagots, et, au Conseil général,[122] réclamait avec exaltation toujours des routes pour son arrondissement. Il avait eu, lors des grandes chaleurs, un abcès dans la bouche, dont Charles l'avait soulagé comme par miracle, en y donnant à point un coup de lancette. L'homme d'affaires, envoyé à Tostes pour payer l'opération, conta, le soir, qu'il avait vu dans le jardinet du médecin des cerises superbes. Or, les cerisiers poussaient mal à la Vaubyessard, M. le Marquis demanda quelques boutures à Bovary, se fit un devoir de l'en remer-cier lui-même, aperçut Emma, trouva qu'elle avait une jolie taille et qu'elle ne saluait point en paysanne; si bien qu'on ne crut pas au château outrepasser les bornes de la condescendance ni, d'autre part, commettre une maladresse en invitant le jeune ménage.

Un mercredi, à trois heures, M. et madame Bovary, montés dans leur *boc*, partirent pour la Vaubyessard, avec une grande malle attachée par derrière et une boîte à chapeau qui était posée devant le tablier. Charles avait, de plus, un carton entre les jambes.

Ils arrivèrent à la nuit tombante, comme on commençait à allumer des lampions dans le parc, afin d'éclairer les voitures.

Chapitre 8.

Le château, de construction moderne, à l'italienne, avec
deux ailes avançant et trois perrons, se déployait au bas
d'une immense pelouse où paissaient quelques vaches, entre
des bouquets de grands arbres espacés, tandis que des
bannettes d'arbustes, rhododendrons, seringas, et boules-
de-neige bombaient leurs touffes de verdure inégales sur
la ligne courbe du chemin sablé. Une rivière passait sous
un pont; à travers la brume on distinguait des bâtiments
à toit de chaume, éparpillés dans la prairie, que bordaient
en pente douce deux coteaux couverts de bois, et par
derrière, dans les massifs, se tenaient, sur deux lignes
parallèles, les remises et les écuries, restes conservés de
l'ancien château démoli.

Le *boc* de Charles s'arrêta devant le perron du milieu;
des domestiques parurent; le Marquis s'avança et, offrant
son bras à la femme du médecin, l'introduisit dans le
vestibule.

Il était pavé de dalles en marbre, très haut, et le bruit
des pas avec celui des voix y retentissait comme dans une
église. En face montait un escalier droit, et à gauche une
galerie donnant sur le jardin conduisait à la salle de
billard, dont on entendait, dès la porte, caramboler les
boules d'ivoire. Comme elle la traversait pour aller au
salon, Emma vit autour du jeu des hommes à figure grave,
le menton posé sur de hautes cravates, décorés tous, et
qui souriaient silencieusement en poussant leur queue. Sur
la boiserie sombre du lambris, de grands cadres dorés
portaient, au bas de leur bordure, des noms écrits en lettres
noires. Elle lut: « Jean-Antoine d'Andervilliers d'Yver-

bonville, comte de la Vaubyessard et baron de la Fresnaye, tué à la bataille de Coutras le 20 octobre 1587. » Et sur un autre: « Jean-Antoine-Henry-Guy d'Andervilliers de la Vaubyessard, amiral de France et chevalier de l'ordre de Saint-Michel, blessé au combat de la Hougue-Saint-Vaast le 29 mai 1692, mort à la Vaubyessard le 23 janvier 1693. » Puis on distinguait à peine ceux qui suivaient, car la lumière des lampes, rabattue sur le tapis vert du billard, laissait flotter une ombre dans l'appartement. Brunissant les toiles horizontales, elle se brisait contre elles en arêtes fines, selon les craquelures du vernis; et de tous ces grands carrés noirs bordés d'or sortaient, çà et là, quelque portion plus claire de la peinture, un front pâle, deux yeux qui vous regardaient, des perruques se déroulant sur l'épaule poudrée des habits rouges, ou bien la boucle d'une jarretière en haut d'un mollet rebondi.

Le Marquis ouvrit la porte du salon; une des dames se leva (la Marquise elle-même), vint à la rencontre d'Emma et la fit asseoir près d'elle, sur une causeuse,[123] où elle se mit à lui parler amicalement, comme si elle la connaissait depuis longtemps. C'était une femme de la quarantaine environ, à belles épaules, à nez busqué, à la voix traînante, et portant, ce soir-là, sur ses cheveux châtains, un simple fichu de guipure qui retombait par derrière, en triangle. Une jeune personne blonde se tenait à côté, dans une chaise à dossier long; et des messieurs, qui avaient une petite fleur à la boutonnière de leur habit, causaient avec les dames, tout autour de la cheminée.

A sept heures, on servit le dîner. Les hommes, plus nombreux, s'assirent à la première table dans le vestibule, et les dames à la seconde, dans la salle à manger, avec le Marquis et la Marquise.

Emma se sentit, en entrant, enveloppée par un air chaud, mélange du parfum des fleurs et du beau linge, du fumet des viandes et de l'odeur des truffes. Les bougies des candélabres allongeaient des flammes sur les cloches d'argent; les cristaux à facettes, couverts d'une buée mate, se renvoyaient des rayons pâles; des bouquets étaient en ligne sur toute la longueur de la table, et, dans les assiettes à large bordure, les serviettes, arrangées en manière de bonnet d'évêque, tenaient entre le bâillement de leurs deux plis chacune un petit pain de forme ovale. Les pattes rouges des homards dépassaient les plats; de gros fruits dans des corbeilles à jour s'étageaient sur la mousse; les cailles avaient leurs plumes, des fumées montaient; et, en bas de soie, en culotte courte, en cravate blanche, en jabot, grave comme un juge, le maître d'hôtel, passant entre les épaules des convives les plats tout découpés, faisait d'un coup de sa cuiller sauter pour vous le morceau qu'on choisissait. Sur le grand poêle de porcelaine à baguettes de cuivre, une statue de femme drapée jusqu'au menton regardait immobile la salle pleine de monde.

Madame Bovary remarqua que plusieurs dames n'avaient pas mis leurs gants dans leur verre.[124]

Cependant, au haut bout de la table, seul parmi toutes ces femmes, courbé sur son assiette remplie et la serviette nouée dans le dos comme un enfant, un vieillard mangeait, laissant tomber de sa bouche des gouttes de sauce. Il avait les yeux éraillés et portait une petite queue[125] enroulée d'un ruban noir. C'était le beau-père du marquis, le vieux duc de Laverdière, l'ancien favori du comte d'Artois,[126] dans le temps des parties de chasse au Vaudreuil, chez le marquis de Conflans, et qui avait été, disait-on, l'amant de la reine Marie-Antoinette[127] entre MM. de Coigny et de Lauzun. Il avait mené une vie bruyante de débauches, pleine de duels, de paris, de femmes enlevées, avait dévoré sa fortune et effrayé toute sa famille. Un domestique, derrière sa chaise, lui nommait tout haut, dans l'oreille, les plats qu'il désignait du doigt en bégayant; et sans cesse les yeux d'Emma revenaient d'eux-mêmes sur ce vieil homme à lèvres pendantes, comme sur quelque chose d'extraordinaire et d'auguste. Il avait vécu à la Cour et couché dans le lit des reines!

On versa du vin de Champagne à la glace. Emma frissonna de toute sa peau en sentant ce froid dans sa bouche. Elle n'avait jamais vu de grenades ni mangé d'ananas. Le sucre en poudre même lui parut plus blanc et plus fin qu'ailleurs.

Les dames, ensuite, montèrent dans leurs chambres s'apprêter pour le bal.

Emma fit sa toilette avec la conscience méticuleuse d'une actrice à son début. Elle disposa ses cheveux d'après les recommandations du coiffeur, et elle entra dans sa robe de barège,[128] étalée sur le lit. Le pantalon de Charles le serrait au ventre.

— Les sous-pieds vont me gêner pour danser, dit-il.

— Danser? reprit Emma.

— Oui!

— Mais tu as perdu la tête! on se moquerait de toi, reste à ta place. D'ailleurs, c'est plus convenable pour un médecin, ajouta-t-elle.

Charles se tut. Il marchait de long en large, attendant qu'Emma fût habillée.

Il la voyait par derrière, dans la glace, entre deux flambeaux. Ses yeux noirs semblaient plus noirs. Ses bandeaux, doucement bombés vers les oreilles, luisaient d'un éclat bleu; une rose à son chignon tremblait sur une tige mobile, avec des gouttes d'eau factices au bout de ses feuilles. Elle avait une robe de safran pâle, relevée par trois bouquets de roses pompon mêlées de verdure.

Charles vint l'embrasser sur l'épaule.

— Laisse-moi! dit-elle, tu me chiffonnes.

On entendit une ritournelle de violon et les sons d'un cor. Elle descendit l'escalier, se retenant de courir.

Les quadrilles étaient commencés. Il arrivait du monde. On se poussait. Elle se plaça près de la porte, sur une banquette.

Quand la contredanse fut finie, le parquet resta libre pour les groupes d'hommes causant debout et les domestiques en livrée qui apportaient de grands plateaux. Sur la ligne des femmes assises, les éventails peints s'agitaient, les bouquets cachaient à demi le sourire des visages, et les flacons à bouchon d'or tournaient dans des mains entr'ouvertes dont les gants blancs marquaient la forme des ongles et serraient la chair au poignet. Les garnitures de dentelles, les broches de diamants, les bracelets à médaillon frissonnaient aux corsages, scintillaient aux poitrines, bruissaient sur les bras nus. Les chevelures, bien collées sur les fronts et tordues à la nuque, avaient, en couronnes, en grappes ou en rameaux, des myosotis, du jasmin, des fleurs de grenadier, des épis ou des bleuets. Pacifiques à leurs places, des mères à figure renfrognée portaient des turbans rouges.

Le cœur d'Emma lui battit un peu lorsque, son cavalier la tenant par le bout des doigts, elle vint se mettre en ligne et attendit le coup d'archet pour partir. Mais bientôt l'émotion disparut; et, se balançant au rythme de l'orchestre, elle glissait en avant, avec des mouvements légers du cou. Un sourire lui montait aux lèvres à certaines délicatesses du violon, qui jouait seul, quelquefois, quand les autres instruments se taisaient; on entendait le bruit clair des louis d'or qui se versaient à côté, sur le tapis des tables; puis tout reprenait à la fois, le cornet à pistons lançant un éclat sonore. Les pieds retombaient en mesure, les jupes se bouffaient et frôlaient, les mains se donnaient, se quittaient; les mêmes yeux, s'abaissant devant vous, revenaient se fixer sur les vôtres.

Quelques hommes (une quinzaine) de vingt-cinq à quarante ans, disséminés parmi les danseurs ou causant à l'entrée des portes, se distinguaient de la foule par un air de famille, quelles que fussent leurs différences d'âge, de toilette ou de figure.

Leurs habits, mieux faits, semblaient d'un drap plus souple, et leurs cheveux, ramenés en boucles vers les tempes, lustrés par des pommades plus fines. Ils avaient le teint de la richesse, ce teint blanc que rehaussent la pâleur des porcelaines, les moires du satin, le vernis des beaux meubles, et qu'entretient dans sa santé un régime discret de nourritures exquises. Leur cou tournait à l'aise sur des cravates basses; leurs favoris longs tombaient sur des cols rabattus; ils s'essuyaient les lèvres à des mouchoirs brodés d'un large chiffre, d'où sortait une odeur suave. Ceux qui commençaient à vieillir avaient l'air jeune, tandis que quelque chose de mûr s'étendait sur le visage des jeunes. Dans leurs regards indifférents flottait la quiétude de passions journellement assouvies; et, à travers leurs manières douces, perçait cette brutalité particulière que communique la domination de choses à demi faciles, dans lesquelles la force s'exerce et où la vanité s'amuse, le maniement des chevaux de race et la société des femmes perdues.

A trois pas d'Emma, un cavalier en habit bleu causait Italie avec une jeune femme pâle, portant une parure de perles. Ils vantaient la grosseur des piliers de Saint-Pierre, Tivoli, le Vésuve, Castellamare [129] et les Cassines, [130] les roses de Gênes, le Colisée au clair de lune. Emma écoutait de son autre oreille une conversation pleine de mots qu'elle ne comprenait pas. On entourait un tout jeune homme qui avait battu, la semaine d'avant, *Miss Arabelle* et *Romulus,* et gagné deux mille louis à sauter un fossé, en Angleterre. L'un se plaignait de ses coureurs qui engraissaient; un autre, des fautes d'impression qui avaient dénaturé le nom de son cheval.

L'air du bal était lourd; les lampes pâlissaient. On refluait dans la salle de billard. Un domestique monta sur une chaise et cassa deux vitres; au bruit des éclats de verre, madame Bovary tourna la tête et aperçut dans le jardin, contre les carreaux, des faces de paysans qui regardaient. Alors le souvenir des Bertaux lui arriva. Elle revit la ferme, la mare bourbeuse, son père en blouse sous les pommiers, et elle se revit elle-même, comme autrefois, écrémant avec son doigt les terrines de lait dans la laiterie. Mais, aux fulgurations de l'heure présente, sa vie passée, si nette jusqu'alors, s'évanouissait tout entière, et elle doutait presque de l'avoir vécue. Elle était là; puis, autour du bal, il n'y avait plus que de l'ombre, étalée sur tout le reste. Elle mangeait alors une glace au marasquin, qu'elle tenait de la main gauche dans une coquille de vermeil, et fermait à demi les yeux, la cuiller entre les dents.

Une dame, près d'elle, laissa tomber son éventail. Un danseur passait.

—Que vous seriez bon, monsieur, dit la dame, de vouloir bien ramasser mon éventail, qui est derrière ce canapé.

Le monsieur s'inclina, et, pendant qu'il faisait le mouvement d'étendre son bras, Emma vit la main de la jeune dame qui jetait dans son chapeau quelque chose de blanc, plié en triangle. Le monsieur, ramenant l'éventail, l'offrit à la dame, respectueusement, elle le remercia d'un signe de tête et se mit à respirer son bouquet.

Après le souper, où il y eut beaucoup de vins d'Espagne et de vins du Rhin, des potages à la bisque et au lait d'amandes, des puddings à la Trafalgar et toutes sortes de viandes froides avec des gelées alentour qui tremblaient dans les plats, les voitures, les unes après les autres, commencèrent à s'en aller. En écartant du coin le rideau de mousseline, on voyait glisser dans l'ombre la lumière de leurs lanternes. Les banquettes s'éclaircirent: quelques joueurs restaient encore; les musiciens rafraîchissaient, sur leur langue, le bout de leurs doigts; Charles dormait à demi, le dos appuyé contre une porte.

A trois heures du matin, le cotillon commença. Emma ne savait pas valser. Tout le monde valsait, mademoiselle d'Andervilliers elle-même et la Marquise; il n'y avait plus que les hôtes du château, une douzaine de personnes à peu près.

Cependant un des valseurs, qu'on appelait familièrement *Vicomte*, dont le gilet très ouvert semblait moulé sur la poitrine, vint une seconde fois encore inviter madame Bovary, l'assurant qu'il la guiderait et qu'elle s'en tirerait bien.

Ils commencèrent lentement, puis allèrent plus vite. Ils tournaient: tout tournait autour d'eux, les lampes, les meubles, les lambris, et le parquet, comme un disque sur un pivot. En passant auprès des portes, la robe d'Emma, par le bas, s'ériflait [131] au pantalon; leurs jambes entraient l'une dans l'autre; il baissait ses regards vers elle, elle levait

les siens vers lui; une torpeur la prenait, elle s'arrêta. Ils
repartirent; et, d'un mouvement plus rapide, le Vicomte,
l'entraînant, disparut avec elle jusqu'au bout de la galerie,
où, haletante, elle faillit tomber, et, un instant, s'appuya
la tête sur sa poitrine. Et puis, tournant toujours, mais
plus doucement, il la reconduisit à sa place; elle se renversa
contre la muraille et mit la main devant ses yeux.

Quand elle les rouvrit, au milieu du salon, une dame
assise sur un tabouret avait devant elle trois valseurs agenouillés. Elle choisit le Vicomte, et le violon recommença.

On les regardait. Ils passaient et revenaient, elle immobile du corps et le menton baissé, et lui toujours dans
sa même pose, la taille cambrée, le coude arrondi, la
bouche en avant. Elle savait valser, celle-là! Ils continuèrent longtemps et fatiguèrent tous les autres.

On causa quelques minutes encore, et, après les adieux,
ou plutôt le bonjour, les hôtes du château s'allèrent
coucher.

Charles se traînait à la rampe, les genoux *lui rentraient
dans le corps.*[132] Il avait passé cinq heures de suite, tout
debout devant les tables, à regarder jouer au whist, sans
y rien comprendre. Aussi poussa-t-il un grand soupir de
satisfaction lorsqu'il eut retiré ses bottes.

Emma mit un châle sur ses épaules, ouvrit la fenêtre et
s'accouda.

La nuit était noire. Quelques gouttes de pluie tombaient.
Elle aspira le vent humide qui lui rafraîchissait les paupières. La musique du bal bourdonnait encore à ses oreilles,
et elle faisait des efforts pour se tenir éveillée, afin de
prolonger l'illusion de cette vie luxueuse qu'il lui faudrait
tout à l'heure abandonner.

Le petit jour parut. Elle regarda les fenêtres du château,
longuement, tâchant de deviner quelles étaient les chambres
de tous ceux qu'elle avait remarqués la veille. Elle aurait
voulu savoir leurs existences, y pénétrer, s'y confondre.

Mais elle grelottait de froid. Elle se déshabilla et se
blottit entre les draps, contre Charles qui dormait.

Il y eut beaucoup de monde au déjeuner. Le repas dura dix minutes; on ne servit aucune liqueur, ce qui étonna le médecin. Ensuite mademoiselle d'Andervilliers ramassa des morceaux de brioche dans une bannette,[133] pour les porter aux cygnes sur la pièce d'eau, et on s'alla promener dans la serre chaude, où les plantes bizarres, hérissées de poils, s'étageaient en pyramides sous des vases suspendus, qui, pareils à des nids de serpents trop pleins, laissaient retomber, de leurs bords, de longs cordons verts entrelacés. L'orangerie, que l'on trouvait au bout, menait le couvert jusqu'aux communs[134] du château. Le Marquis, pour amuser la jeune femme, la mena voir les écuries. Au-dessus des râteliers en forme de corbeille, des plaques de porcelaine portaient en noir le nom des chevaux. Chaque bête s'agitait dans sa stalle quand on passait près d'elle, en claquant de la langue. Le plancher de la sellerie luisait à l'œil comme le parquet d'un salon. Des harnais de voitures étaient dressés dans le milieu sur deux colonnes tournantes, et les mors, les fouets, les étriers, les gourmettes rangés en ligne tout le long de la muraille.

Charles, cependant, alla prier un domestique d'atteler son *boc*. On l'amena devant le perron, et, tous les paquets y étant fourrés, les époux Bovary firent leurs politesses au Marquis et à la Marquise, et repartirent pour Tostes.

Emma, silencieuse, regardait tourner les roues. Charles, posé sur le bord extrême de la banquette, conduisait les deux bras écartés, et le petit cheval trottait l'amble dans les brancards, qui étaient trop larges pour lui. Les guides molles battaient sur sa croupe en s'y trempant d'écume, et la boîte ficelée derrière le *boc* donnait contre la caisse de grands coups réguliers.

Ils étaient sur les hauteurs de Thibourville, lorsque devant eux, tout à coup, des cavaliers passèrent en riant, avec des cigares à la bouche. Emma crut reconnaître le Vicomte; elle se détourna, et n'aperçut à l'horizon que le mouvement des têtes s'abaissant et montant, selon la cadence inégale du trot ou du galop.

Un quart de lieue plus loin, il fallut s'arrêter pour raccommoder, avec de la corde, le reculement [135] qui était rompu.

Mais Charles, donnant au harnais un dernier coup d'œil, vit quelque chose par terre, entre les jambes de son cheval; et il ramassa un porte-cigares tout bordé de soie verte et blasonné à son milieu, comme la portière d'un carrosse.

— Il y a même deux cigares dedans, dit-il; ce sera pour ce soir après dîner.

— Tu fumes donc? demanda-t-elle.

— Quelquefois, quand l'occasion se présente.

Il mit sa trouvaille dans sa poche et fouetta le bidet. [136] Quand ils arrivèrent chez eux, le dîner n'était point prêt. Madame s'emporta. Nastasie répondit insolemment.

— Partez! dit Emma. C'est se moquer, je vous chasse.

Il y avait pour dîner de la soupe à l'oignon, avec un morceau de veau à l'oseille. Charles, assis devant Emma, dit en se frottant les mains d'un air heureux:

— Cela fait plaisir de se retrouver chez soi!

On entendait Nastasie qui pleurait. Il aimait un peu cette pauvre fille. Elle lui avait, autrefois, tenu société pendant bien des soirs, dans les désœuvrements de son veuvage. C'était sa première pratique, [137] sa plus ancienne connaissance du pays.

— Est-ce que tu l'as renvoyée pour tout de bon? dit-il enfin.

— Oui. Qui m'en empêche? répondit-elle.

Puis ils se chauffèrent dans la cuisine, pendant qu'on apprêtait leur chambre. Charles se mit à fumer. Il fumait en avançant les lèvres, crachant à toute minute, se reculant à chaque bouffée.

— Tu vas te faire mal, dit-elle dédaigneusement.

Il déposa son cigare, et courut avaler à la pompe un verre d'eau froide. Emma, saisissant le porte-cigares, le jeta vivement au fond de l'armoire.

La journée fut longue, le lendemain. Elle se promena dans son jardinet, passant et revenant par les mêmes allées, s'arrêtant devant les plates-bandes, devant l'espalier, devant

le curé de plâtre, considérant avec ébahissement toutes ces
choses d'autrefois qu'elle connaissait si bien. Comme le
bal déjà lui semblait loin! Qui donc écartait, à tant de
distance, le matin d'avant-hier et le soir d'aujourd'hui?
Son voyage à la Vaubyessard avait fait un trou dans sa
vie, à la manière de ces grandes crevasses qu'un orage,
en une seule nuit, creuse quelquefois dans les montagnes.
Elle se résigna pourtant: elle serra pieusement dans la
commode sa belle toilette et jusqu'à ses souliers de satin,
dont la semelle s'était jaunie à la cire glissante du parquet.
Son cœur était comme eux: au frottement de la richesse,
il s'était placé dessus quelque chose qui ne s'effacerait pas.

Ce fut donc une occupation pour Emma que le souvenir
de ce bal. Toutes les fois que revenait le mercredi, elle se
disait en s'éveillant: « Ah! il y a huit jours... il y a quinze
jours... il y a trois semaines, j'y étais! » Et peu à peu, les
physionomies se confondirent dans sa mémoire; elle oublia
l'air des contredanses; elle ne vit plus nettement les livrées
et les appartements; quelques détails s'en allèrent, mais le
regret lui resta.

Chapitre 9.

Souvent, lorsque Charles était sorti, elle allait prendre dans
l'armoire, entre les plis du linge où elle l'avait laissé, le
porte-cigares en soie verte.

Elle le regardait, l'ouvrait, et même elle flairait l'odeur
de sa doublure, mêlée de verveine et de tabac. A qui
appartenait-il?... Au Vicomte. C'était peut-être un cadeau
de sa maîtresse. On avait brodé cela sur quelque métier
de palissandre, meuble mignon que l'on cachait à tous les
yeux, qui avait occupé bien des heures et où s'étaient

penchées les boucles molles de la travailleuse pensive. Un souffle d'amour avait passé parmi les mailles du canevas; chaque coup d'aiguille avait fixé là une espérance ou un souvenir, et tous ces fils de soie entrelacés n'étaient que la continuité de la même passion silencieuse. Et puis le Vicomte, un matin, l'avait emporté avec lui. De quoi avait-on parlé, lorsqu'il restait sur les cheminées à large chambranle, entre les vases de fleurs et les pendules Pompadour? Elle était à Tostes. Lui, il était à Paris, maintenant; là-bas! Comment était ce Paris? Quel nom démesuré! Elle se le répétait à demi-voix, pour se faire plaisir; il sonnait à ses oreilles comme un bourdon de cathédrale! il flamboyait à ses yeux jusque sur l'étiquette de ses pots de pommade.

La nuit, quand les mareyeurs, dans leurs charrettes, passaient sous ses fenêtres en chantant la *Marjolaine*, elle s'éveillait; et, écoutant le bruit des roues ferrées qui, à la sortie du pays, s'amortissait vite sur la terre:

— Ils y seront demain! se disait-elle.

Et elle les suivait dans sa pensée, montant et descendant les côtes, traversant les villages, filant sur la grande route à la clarté des étoiles. Au bout d'une distance indéterminée, il se trouvait toujours une place confuse où expirait son rêve.

Elle s'acheta un plan de Paris, et, du bout de son doigt, sur la carte, elle faisait des courses dans la capitale. Elle remontait les boulevards, s'arrêtant à chaque angle, entre les lignes des rues, devant les carrés blancs qui figurent les maisons. Les yeux fatigués, à la fin, elle fermait ses paupières, et elle voyait dans les ténèbres se tordre au vent des becs de gaz, avec des marchepieds de calèches, qui se déployaient à grand fracas devant le péristyle des théâtres.

Elle s'abonna à la *Corbeille*, journal des femmes, et au *Sylphe des Salons*. Elle dévorait, sans rien en passer, tous les comptes rendus de premières représentations, de courses et de soirées, s'intéressait au début d'une chanteuse, à l'ouverture d'un magasin. Elle savait les modes nouvelles,

l'adresse des bons tailleurs, les jours de Bois [138] ou d'Opéra.
Elle étudia, dans Eugène Sue,[139] des descriptions d'ameu-
blements; elle lut Balzac [140] et George Sand,[141] y cherchant des assouvissements imaginaires pour ses convoitises
personnelles. A table même, elle apportait son livre, et
elle tournait les feuillets, pendant que Charles mangeait
en lui parlant. Le souvenir du Vicomte revenait toujours
dans ses lectures. Entre lui et les personnages inventés, elle
établissait des rapprochements. Mais le cercle dont il était
le centre peu à peu s'élargit autour de lui, et cette auréole
qu'il avait, s'écartant de sa figure, s'étala plus au loin,
pour illuminer d'autres rêves.

Paris, plus vaste que l'Océan, miroitait donc aux yeux
d'Emma dans une atmosphère vermeille. La vie nombreuse
qui s'agitait en ce tumulte y était cependant divisée par
parties, classée en tableaux distincts. Emma n'en apercevait
que deux ou trois qui lui cachaient tous les autres et
représentaient à eux seuls l'humanité complète. Le monde
des ambassadeurs marchait sur des parquets luisants, dans
des salons lambrissés de miroirs, autour de tables ovales
couvertes d'un tapis de velours à crépines d'or. Il y avait
là des robes à queue, de grands mystères, des angoisses
dissimulées sous des sourires. Venait ensuite la société des
duchesses: on y était pâle; on se levait à quatre heures;
les femmes, pauvres anges! portaient du point d'Angleterre
au bas de leur jupon, et les hommes, capacités méconnues
sous des dehors futiles, crevaient leurs chevaux par partie
de plaisir, allaient passer à Bade [142] la saison d'été, et, vers
la quarantaine enfin, épousaient des héritières. Dans les
cabinets de restaurants où l'on soupe après minuit riait,
à la clarté des bougies, la foule bigarrée des gens de lettres
et des actrices. Ils étaient, ceux-là, prodigues comme des
rois, pleins d'ambitions idéales et de délires fantastiques.
C'était une existence au-dessus des autres, entre ciel et
terre, dans les orages, quelque chose de sublime. Quant
au reste du monde, il était perdu, sans place précise et
comme n'existant pas. Plus les choses, d'ailleurs, étaient
voisines, plus sa pensée s'en détournait. Tout ce qui l'en-

tourait immédiatement, campagne ennuyeuse, petits bourgeois imbéciles, médiocrité de l'existence, lui semblait une
exception dans le monde, un hasard particulier où elle se
trouvait prise, tandis qu'au delà s'étendait à perte de vue
l'immense pays des félicités et des passions. Elle confon-
dait, dans son désir, les sensualités du luxe avec les joies
du cœur, l'élégance des habitudes et les délicatesses du
sentiment. Ne fallait-il pas à l'amour, comme aux plantes
indiennes, des terrains préparés, une température particulière? Les soupirs au clair de lune, les longues étreintes,
les larmes qui coulent sur les mains qu'on abandonne,
toutes les fièvres de la chair et les langueurs de la tendresse
ne se séparaient donc pas du balcon des grands châteaux
qui sont pleins de loisirs, d'un boudoir à stores de soie
avec un tapis bien épais, des jardinières remplies, un lit
monté sur une estrade, ni du scintillement des pierres
précieuses et des aiguillettes de la livrée.

Le garçon de la poste, qui, chaque matin, venait panser
la jument, traversait le corridor avec ses gros sabots; sa
blouse avait des trous, ses pieds étaient nus dans des
chaussons. C'était là le groom en culotte courte dont il
fallait se contenter! Quand son ouvrage était fini, il ne
revenait plus de la journée; car Charles, en rentrant,
mettait lui-même son cheval à l'écurie, retirait la selle et
passait le licou, pendant que la bonne apportait une botte
de paille et la jetait, comme elle le pouvait, dans la
mangeoire.

Pour remplacer Nastasie (qui, enfin, partit de Tostes
en versant des ruisseaux de larmes), Emma prit à son
service une jeune fille de quatorze ans, orpheline et de
physionomie douce. Elle lui interdit les bonnets de coton,
lui apprit qu'il fallait vous parler à la troisième personne,
apporter un verre d'eau dans une assiette, frapper aux
portes avant d'entrer, et à repasser, à empeser, à l'habiller,
voulut en faire sa femme de chambre. La nouvelle bonne
obéissait sans murmure pour n'être point renvoyée; et,
comme Madame, d'habitude, laissait la clef au buffet,
Félicité, chaque soir, prenait une petite provision de sucre

qu'elle mangeait toute seule, dans son lit, après avoir fait sa prière.

L'après-midi, quelquefois, elle allait causer en face avec les postillons. Madame se tenait en haut, dans son appartement.

Elle portait une robe de chambre tout ouverte, qui laissait voir, entre les revers à châle du corsage, une chemisette plissée avec trois boutons d'or. Sa ceinture était une cordelière à gros glands, et ses petites pantoufles de couleur grenat avaient une touffe de rubans larges, qui s'étalait sur le cou-de-pied. Elle s'était acheté un buvard, une papeterie, un porte-plume et des enveloppes, quoiqu'elle n'eût personne à qui écrire; elle époussetait son étagère, se regardait dans la glace, prenait un livre, puis, rêvant entre les lignes, le laissait tomber sur ses genoux. Elle avait envie de faire des voyages ou de retourner vivre à son couvent. Elle souhaitait à la fois mourir et habiter Paris.

Charles, à la neige, à la pluie, chevauchait par les chemins de traverse. Il mangeait des omelettes sur la table des fermes, entrait son bras dans des lits humides, recevait au visage le jet tiède des saignées, écoutait des râles, examinait des cuvettes, retroussait bien du linge sale; mais il trouvait, tous les soirs, un feu flambant, la table servie, des meubles souples, et une femme en toilette fine, charmante et sentant frais, à ne savoir même d'où venait cette odeur, ou si ce n'était pas sa peau qui parfumait sa chemise.

Elle le charmait par quantité de délicatesses; c'était tantôt une manière nouvelle de façonner pour les bougies des bobèches de papier, un volant qu'elle changeait à sa robe, ou le nom extraordinaire d'un mets bien simple et que la bonne avait manqué, mais que Charles, jusqu'au bout, avalait avec plaisir. Elle vit à Rouen des dames qui portaient à leur montre un paquet de breloques; elle acheta des breloques. Elle voulut sur sa cheminée deux grands vases de verre bleu, et, quelque temps après, un nécessaire d'ivoire, avec un dé de vermeil. Moins Charles comprenait ces élégances, plus il en subissait la séduction. Elles ajoutaient quelque chose au plaisir de ses sens et à la douceur de son foyer. C'était comme une poussière d'or qui sablait tout du long le petit sentier de sa vie.

Il se portait bien, il avait bonne mine; sa réputation était établie tout à fait. Les campagnards le chérissaient parce qu'il n'était pas fier. Il caressait les enfants, n'entrait jamais au cabaret, et, d'ailleurs, inspirait de la confiance par sa moralité. Il réussissait particulièrement dans les catarrhes et maladies de poitrine. Craignant beaucoup de tuer son monde, Charles, en effet, n'ordonnait guère que des potions calmantes, de temps à autre de l'émétique, un bain de pieds ou des sangsues. Ce n'est pas que la chirurgie lui fît peur; il vous saignait les gens largement, comme des chevaux, et il avait pour l'extraction des dents une *poigne d'enfer.*

Enfin, *pour se tenir au courant,* il prit un abonnement à la *Ruche médicale,* journal nouveau dont il avait reçu le prospectus. Il en lisait un peu après son dîner, mais la chaleur de l'appartement, jointe à la digestion, faisait qu'au bout de cinq minutes, il s'endormait; et il restait là, le menton sur ses deux mains, et les cheveux étalés comme une crinière jusqu'au pied de la lampe. Emma le regardait en haussant les épaules. Que n'avait-elle, au moins, pour mari un de ces hommes d'ardeurs taciturnes qui travaillent la nuit dans des livres, et portent enfin, à soixante ans, quand vient l'âge des rhumatismes, une brochette en croix,[143] sur leur habit noir, mal fait. Elle aurait voulu que ce nom de Bovary, qui était le sien, fût illustre, le voir étalé chez des libraires, répété dans les journaux, connu par toute la France. Mais Charles n'avait point d'ambition! Un médecin d'Yvetot, avec qui dernièrement il s'était trouvé en consulation, l'avait humilié quelque peu, au lit même du malade, devant les parents assemblés. Quand Charles lui raconta, le soir, cette anecdote, Emma s'emporta bien haut contre le confrère. Charles en fut attendri. Il la baisa au front avec une larme. Mais elle était exaspérée de honte, elle avait envie de le battre, elle

alla dans le corridor ouvrir la fenêtre et huma l'air frais
pour se calmer.

— Quel pauvre homme! quel pauvre homme! disait-elle
tout bas, en se mordant les lèvres.

Elle se sentait, d'ailleurs, plus irritée de lui. Il prenait,
avec l'âge, des allures épaisses; il coupait, au dessert, le
bouchon des bouteilles vides; il se passait, après manger,
la langue sur les dents; il faisait, en avalant sa soupe, un
gloussement à chaque gorgée, et, comme il commençait
d'engraisser, ses yeux, déjà petits, semblaient remonter
vers les tempes par la bouffissure de ses pommettes.

Emma, quelquefois, lui rentrait dans son gilet la bordure
rouge de ses tricots, rajustait sa cravate, ou jetait à l'écart
les gants déteints qu'il se disposait à passer; et ce n'était
pas, comme il croyait, pour lui; c'était pour elle-même,
par expansion d'égoïsme, agacement nerveux. Quelquefois
aussi, elle lui parlait des choses qu'elle avait lues, comme
d'un passage de roman, d'une pièce nouvelle ou de l'anecdote du *grand monde* que l'on racontait dans le feuilleton;
car, enfin, Charles était quelqu'un, une oreille toujours
ouverte, une approbation toujours prête. Elle faisait bien
des confidences à sa levrette! Elle en eût fait aux bûches
de la cheminée et au balancier de la pendule.

Au fond de son âme, cependant, elle attendait un
événement. Comme les matelots en détresse, elle promenait
sur la solitude de sa vie des yeux désespérés, cherchant
au loin quelque voile blanche dans les brumes de l'horizon.
Elle ne savait pas quel serait ce hasard, le vent qui le
pousserait jusqu'à elle, vers quel rivage il la mènerait, s'il
était chaloupe ou vaisseau à trois ponts, chargé d'angoisses
ou plein de félicités jusqu'aux sabords. Mais, chaque
matin, à son réveil, elle l'espérait pour la journée, et elle
écoutait tous les bruits se levait en sursaut, s'étonnait
qu'il ne vînt pas; puis, au coucher du soleil, toujours plus
triste, désirait être au lendemain.

Le printemps reparut. Elle eut des étouffements aux
premières chaleurs, quand les poiriers fleurirent.

Dès le commencement de juillet, elle compta sur ses doigts combien de semaines lui restaient pour arriver au mois d'octobre, pensant que le marquis d'Andervilliers, peut-être, donnerait encore un bal à la Vaubyessard. Mais tout septembre s'écoula sans lettres ni visites.

Après l'ennui de cette déception, son cœur, de nouveau, resta vide, et alors la série des mêmes journées recommença.

Elles allaient donc maintenant se suivre ainsi à la file, toujours pareilles, innombrables, et n'apportant rien! Les autres existences, si plates qu'elles fussent, avaient du moins la chance d'un événement. Une aventure amenait parfois des péripéties à l'infini, et le décor changeait. Mais, pour elle, rien n'arrivait, Dieu l'avait voulu! L'avenir était un corridor noir, et qui avait au fond sa porte bien fermée.

Elle abandonna la musique. Pourquoi jouer? Qui l'entendrait? Puisqu'elle ne pourrait jamais, en robe de velours à manches courtes, sur un piano d'Erard,[144] dans un concert, battant de ses doigts légers les touches d'ivoire, sentir comme une brise, circuler autour d'elle un murmure d'extase, ce n'était pas la peine de s'ennuyer à étudier. Elle laissa dans l'armoire ses cartons à dessin et la tapisserie. A quoi bon? A quoi bon? La couture l'irritait.

—J'ai tout lu, se disait-elle.

Et elle restait à faire rougir les pincettes, ou regardant la pluie tomber.

Comme elle était triste, le dimanche, quand on sonnait les vêpres! Elle écoutait, dans un hébétement attentif, tinter un à un les coups fêlés de la cloche. Quelque chat sur les toits, marchant lentement, bombait son dos aux rayons pâles du soleil. Le vent, sur la grande route, soufflait des traînées de poussière. Au loin, parfois, un chien hurlait: et la cloche, à temps égaux, continuait sa sonnerie monotone qui se perdait dans la campagne.

Cependant on sortait de l'église. Les femmes en sabots cirés, les paysans en blouse neuve, les petits enfants qui sautillaient nu-tête devant eux, tout rentrait chez soi. Et jusqu'à la nuit, cinq ou six hommes, toujours les mêmes, restaient à jouer au bouchon, devant la grande porte de l'auberge.

L'hiver fut froid. Les carreaux, chaque matin, étaient chargés de givre, et la lumière, blanchâtre à travers eux, comme par des verres dépolis, quelquefois ne variait pas de la journée. Dès quatre heures du soir, il fallait allumer la lampe.

Les jours qu'il faisait beau, elle descendait dans le jardin. La rosée avait laissé sur les choux des guipures d'argent avec de longs fils clairs qui s'étendaient de l'un à l'autre. On n'entendait pas d'oiseaux, tout semblait dormir, l'espalier couvert de paille et la vigne comme un grand serpent malade sous le chaperon du mur, où l'on voyait, en s'approchant, se traîner des cloportes à pattes nombreuses. Dans les sapinettes, près de la haie, le curé en tricorne qui lisait son bréviaire avait perdu le pied droit, et même le plâtre, s'écaillant à la gelée, avait fait des gales blanches sur sa figure.

Puis elle remontait, fermait la porte, étalait les charbons, et, défaillant à la chaleur du foyer, sentait l'ennui plus lourd qui retombait sur elle. Elle serait bien descendue causer avec la bonne, mais une pudeur la retenait.

Tous les jours, à la même heure, le maître d'école en bonnet de soie noire, ouvrait les auvents de sa maison et le garde champêtre passait, portant son sabre sur sa blouse. Soir et matin, les chevaux de la poste, trois par trois, traversaient la rue pour aller boire à la mare. De temps à autre, la porte d'un cabaret faisait tinter sa sonnette, et, quand il y avait du vent, l'on entendait grincer sur les deux tringles les petites cuvettes en cuivre du perruquier, qui servaient d'enseigne à sa boutique. Elle avait pour décoration une vieille gravure de modes collée contre un carreau et un buste de femme en cire, dont les cheveux étaient jaunes. Lui aussi, le perruquier, il se lamentait de sa vocation arrêtée, de son avenir perdu, et, rêvant quelque boutique dans une grande ville, comme à Rouen, par exemple, sur le port, près du théâtre, il restait toute la journée à se promener en long, depuis la mairie jusqu'à

l'église, sombre, et attendant la clientèle. Lorsque madame
Bovary levait les yeux, elle le voyait toujours là, comme
une sentinelle en faction, avec son bonnet grec sur l'oreille
et sa veste de lasting.

Dans l'après-midi, quelquefois, une tête d'homme apparaissait derrière les vitres de la salle, tête hâlée, à favoris
noirs, et qui souriait lentement d'un large sourire doux
à dents blanches. Une valse aussitôt commençait, et, sur
l'orgue, dans un petit salon, des danseurs hauts comme
le doigt, femmes en turban rose, Tyroliens en jaquette,
singes en habit noir, messieurs en culotte courte, tournaient,
tournaient entre les fauteuils, les canapés, les consoles, se
répétant dans les morceaux de miroir que raccordait à
leurs angles un filet de papier doré. L'homme faisait aller
sa manivelle, regardant à droite, à gauche et vers les
fenêtres. De temps à autre, tout en lançant contre la
borne un long jet de salive brune, il soulevait du genou
son instrument, dont la bretelle dure lui fatiguait l'épaule;
et, tantôt dolente et traînarde, ou joyeuse et précipitée,
la musique de la boîte rose s'échappait en bourdonnant à
travers un rideau de taffetas rose, sous une griffe de cuivre
en arabesque. C'étaient des airs que l'on jouait ailleurs,
sur les théâtres, que l'on chantait dans les salons, que l'on
dansait le soir sous des lustres éclairés, échos du monde
qui arrivaient jusqu'à Emma. Des sarabandes à n'en plus
finir se déroulaient dans sa tête, et, comme une bayadère
sur les fleurs d'un tapis, sa pensée bondissait avec les
notes, se balançait de rêve en rêve, de tristesse en tristesse.
Quand l'homme avait reçu l'aumône dans sa casquette, il
rabattait une vieille couverture de laine bleue, passait son
orgue sur son dos et s'éloignait d'un pas lourd. Elle le
regardait partir.

Mais c'était surtout aux heures des repas qu'elle n'en
pouvait plus, dans cette petite salle au rez-de-chaussée,
avec le poêle qui fumait, la porte qui criait, les murs
qui suintaient, les pavés humides; toute l'amertume de
l'existence lui semblait servie sur son assiette, et, à la
fumée du bouilli, il montait du fond de son âme comme

d'autres bouffées d'affadissement. Charles était long à manger; elle grignotait quelques noisettes, ou bien, appuyée du coude, s'amusait, avec la pointe de son couteau, à faire des raies sur la toile cirée.

Elle laissait maintenant tout aller dans son ménage, et madame Bovary mère, lorsqu'elle vint passer à Tostes une partie du carême, s'étonna fort de ce changement. Elle, en effet, si soigneuse autrefois et délicate, elle restait à présent des journées entières sans s'habiller, portait des bas de coton gris, s'éclairait à la chandelle. Elle répétait qu'il fallait économiser, puisqu'ils n'étaient pas riches, ajoutant qu'elle était très contente, très heureuse, que Tostes lui plaisait beaucoup, et autres discours nouveaux qui fermaient la bouche à la belle-mère. Du reste, Emma ne semblait plus disposée à suivre ses conseils; une fois même, madame Bovary s'étant avisée de prétendre que les maîtres devaient surveiller la religion de leurs domestiques, elle lui avait répondu d'un œil si colère et avec un sourire tellement froid, que la bonne femme ne s'y frotta plus.

Emma devenait difficile, capricieuse. Elle se commandait des plats pour elle, n'y touchait point, un jour ne buvait que du lait pur, et, le lendemain, des tasses de thé à la douzaine. Souvent, elle s'obstinait à ne pas sortir, puis elle suffoquait, ouvrait les fenêtres, s'habillait en robe légère. Lorsqu'elle avait bien rudoyé sa servante, elle lui faisait des cadeaux ou l'envoyait se promener chez les voisines, de même qu'elle jetait parfois aux pauvres toutes les pièces blanches de sa bourse, quoiqu'elle ne fût guère tendre cependant, ni facilement accessible à l'émotion d'autrui, comme la plupart des gens issus de campagnards, qui gardent toujours à l'âme quelque chose de la callosité des mains paternelles.

Vers la fin de février, le père Rouault, en souvenir de sa guérison, apporta lui-même à son gendre une dinde superbe, et il resta trois jours à Tostes. Charles étant à ses malades, Emma lui tint compagnie. Il fuma dans la chambre, cracha sur les chenets, causa culture, veaux,

vaches, volailles et conseil municipal; si bien qu'elle referma la porte, quand il fut parti, avec un sentiment de
satisfaction qui la surprit elle-même. D'ailleurs, elle ne
cachait plus son mépris pour rien, ni pour personne; et
elle se mettait quelquefois à exprimer des opinions singulières, blâmant ce que l'on approuvait, et approuvant des
choses perverses ou immorales: ce qui faisait ouvrir de
grands yeux à son mari.

Est-ce que cette misère durerait toujours? Est-ce qu'elle
n'en sortirait pas? Elle valait bien, cependant, toutes celles
qui vivaient heureuses! Elle avait vu des duchesses à la
Vaubyessard qui avaient la taille plus lourde et les façons
plus communes, et elle exécrait l'injustice de Dieu; elle
s'appuyait la tête aux murs pour pleurer; elle enviait les
existences tumultueuses, les nuits masquées, les insolents
plaisirs avec tous les éperduments qu'elle ne connaissait
pas et qu'ils devaient donner.

Elle pâlissait et avait des battements de cœur. Charles
lui administra de la valériane et des bains de camphre.
Tout ce que l'on essayait semblait l'irriter davantage.

En de certains jours, elle bavardait avec une abondance
fébrile; à ces exaltations succédaient tout à coup des
torpeurs où elle restait sans parler, sans bouger. Ce qui
la ranimait alors, c'était de se répandre sur les bras un
flacon d'eau de Cologne.

Comme elle se plaignait de Tostes continuellement,
Charles imagina que la cause de sa maladie était sans
doute dans quelque influence locale, et, s'arrêtant à cette
idée, il songea sérieusement à aller s'établir ailleurs.

Dès lors, elle but du vinaigre pour se faire maigrir,
contracta une petite toux sèche et perdit complètement
l'appétit.

Il en coûtait à Charles d'abandonner Tostes, après
quatre ans de séjour et au moment *où il commençait à
s'y poser*. S'il le fallait, cependant! Il la conduisit à Rouen,
voir son ancien maître. C'était une maladie nerveuse:
on devait la changer d'air.

Après s'être tourné de côté et d'autre, Charles apprit

qu'il y avait, dans l'arrondissement de Neufchâtel, un fort bourg, nommé Yonville-l'Abbaye, dont le médecin, qui était un réfugié polonais, venait de décamper la semaine précédente. Alors il écrivit au pharmacien de l'endroit pour savoir quel était le chiffre de la population, la distance où se trouvait le confrère le plus voisin, combien par année gagnait son prédécesseur, etc.; et, les réponses ayant été satisfaisantes, il se résolut à déménager vers le printemps, si la santé d'Emma ne s'améliorait pas.

Un jour qu'en prévision de son départ elle faisait des rangements dans un tiroir, elle se piqua les doigts à quelque chose. C'était un fil de fer de son bouquet de mariage. Les boutons d'oranger étaient jaunes de poussière, et les rubans de satin, à liséré d'argent, s'effiloquaient par le bord. Elle le jeta dans le feu. Il s'enflamma plus vite qu'une paille sèche. Puis ce fut comme un buisson rouge sur les cendres, et qui se rongeait lentement. Elle le regarda brûler. Les petites baies de carton éclataient, les fils d'archal se tordaient, le galon se fondait; et les corolles de papier, racornies, se balançant le long de la plaque comme des papillons noirs, enfin s'envolèrent par la cheminée.

Quand on partit de Tostes, au mois de mars, madame Bovary était enceinte.

Partie 2

Chapitre 1.

Yonville-l'Abbaye [145] (ainsi nommé à cause d'une ancienne abbaye de Capucins dont les ruines n'existent même plus) est un bourg à huit lieues de Rouen, entre la route d'Abbeville et celle de Beauvais, au fond d'une vallée qu'arrose la Rieule, petite rivière qui se jette dans l'Andelle, après avoir fait tourner trois moulins vers son embouchure, et où il y a quelques truites, que les garçons, le dimanche, s'amusent à pêcher à la ligne.

On quitte la grande route à la Boissière et l'on continue à plat jusqu'au haut de la côte des Leux, d'où l'on découvre la vallée. La rivière qui la traverse en fait comme deux régions de physionomie distincte: tout ce qui est à gauche est en herbage, tout ce qui est à droite est en labour. La prairie s'allonge sous un bourrelet de collines basses pour se rattacher par derrière aux pâturages du pays de Bray, tandis que, du côté de l'est, la plaine, montant doucement, va s'élargissant et étale à perte de vue ses blondes pièces de blé. L'eau qui court au bord de l'herbe sépare d'une raie blanche la couleur des prés et celle des sillons, et la campagne ainsi ressemble à un grand manteau déplié qui a un collet de velours bordé d'un galon d'argent.

Au bout de l'horizon, lorsqu'on arrive, on a devant soi les chênes de la forêt d'Argueil, avec les escarpements de la côte Saint-Jean, rayés du haut en bas par de longues traînées rouges, inégales; ce sont les traces des pluies, et ces tons de brique, tranchant en filets minces sur la couleur grise de la montagne, viennent de la quantité de sources ferrugineuses qui coulent au delà dans le pays d'alentour.

On est ici sur les confins de la Normandie, de la Picardie et de l'Ile-de-France, contrée bâtarde où le langage est sans accentuation, comme le paysage sans caractère. C'est là que l'on fait les pires fromages de Neufchâtel de tout l'arrondissement, et, d'autre part, la culture y est coûteuse, parce qu'il faut beaucoup de fumier pour engraisser ces terres friables pleines de sable et de cailloux.

Jusqu'en 1835, il n'y avait point de route praticable pour arriver à Yonville; mais on a établi vers cette époque un chemin de *grande vicinalité* [146] qui relie la route d'Abbeville à celle d'Amiens, et sert quelquefois aux rouliers allant de Rouen dans les Flandres. Cependant, Yonville-l'Abbaye est demeuré stationnaire, malgré ses *débouchés nouveaux*. Au lieu d'améliorer les cultures, on s'y obstine encore aux herbages, quelque dépréciés qu'ils soient, et le bourg paresseux, s'écartant de la plaine, a continué naturellement à s'agrandir vers la rivière. On l'aperçoit de loin, tout couché en long sur la rive, comme un gardeur de vaches qui fait la sieste au bord de l'eau.

Au bas de la côte, après le pont, commence une chaussée plantée de jeunes trembles, qui vous mène en droite ligne jusqu'aux premières maisons du pays. Elles sont encloses de haies, au milieu de cours pleines de bâtiments épars, pressoirs, charretteries et bouilleries disséminés sous les arbres touffus portant des échelles, des gaules ou des faux accrochées dans leur branchage. Les toits de chaume, comme des bonnets de fourrure rabattus sur des yeux, descendent jusqu'au tiers à peu près des fenêtres basses, dont les gros verres bombés sont garnis d'un nœud dans le milieu, à la façon des culs de bouteilles. Sur le mur de plâtre que traversent en diagonale des lambourdes noires s'accroche parfois quelque maigre poirier, et les rez-de-chaussée ont à leur porte une petite barrière tournante pour les défendre des poussins, qui viennent picorer, sur le seuil, des miettes de pain bis trempé de cidre. Cependant les cours se font plus étroites, les habitations se rapprochent, les haies disparaissent; un fagot de fougères se balance sous une fenêtre au bout d'un manche à balai; il y a la forge d'un maréchal et ensuite un charron avec deux ou trois charrettes neuves, en dehors, qui empiètent sur la route. Puis, à travers une claire-voie, apparaît une maison blanche au delà d'un rond de gazon que décore un Amour, le doigt posé sur la bouche; deux vases en fonte sont à chaque bout du perron; des panonceaux brillent à la porte; c'est la maison du notaire, et la plus belle du pays.

L'église est de l'autre côté de la rue, vingt pas plus loin, à l'entrée de la place. Le petit cimetière qui l'entoure, clos d'un mur à hauteur d'appui, est si bien rempli de tombeaux, que les vieilles pierres à ras du sol font un dallage continu, où l'herbe a dessiné de soi-même des carrés verts réguliers. L'église a été rebâtie à neuf dans les dernières années du règne de Charles X. La voûte en bois commence à pourrir par le haut, et de place en place, a des enfonçures noires dans sa couleur bleue. Au-dessus de la porte, où seraient les orgues, se tient un jubé pour les hommes, avec un escalier tournant qui retentit sous les sabots.

Le grand jour, arrivant par les vitraux tout unis, éclaire obliquement les bancs rangés en travers de la muraille, que tapisse çà et là quelque paillasson cloué, ayant au-dessous de lui ces mots en grosses lettres: « Banc de M. un tel. » Plus loin, à l'endroit où le vaisseau se rétrécit, le confessionnal fait pendant à une statuette de la Vierge vêtue d'une robe de satin, coiffée d'un voile de tulle semé d'étoiles d'argent, et tout empourprée aux pommettes comme une idole des îles Sandwich; enfin une copie de la *Sainte Famille, envoi du ministre de l'Intérieur*, dominant le maître-autel entre quatre chandeliers, termine au fond la perspective. Les stalles du chœur, en bois de sapin, sont restées sans être peintes.

Les halles, c'est-à-dire un toit de tuiles supporté par une vingtaine de poteaux, occupent à elles seules la moitié environ de la grande place d'Yonville. La mairie, construite *sur les dessins d'un architecte de Paris,* est une manière de temple grec qui fait l'angle, à côté de la maison du pharmacien. Elle a, au rez-de-chaussée, trois colonnes ioniques et, au premier étage, une galerie à plein cintre, tandis que le tympan qui la termine est rempli par un coq gaulois, appuyé d'une patte sur la Charte [147] et tenant de l'autre les balances de la justice.

Mais ce qui attire le plus les yeux, c'est, en face de l'auberge du *Lion d'or*, la pharmacie de M. Homais! Le soir, principalement, quand son quinquet est allumé et que les bocaux rouges et verts qui embellissent sa devanture allongent au loin, sur le sol, leurs deux clartés de couleur, alors, à travers elles, comme dans des feux de Bengale, s'entrevoit l'ombre du pharmacien accoudé sur son pupitre. Sa maison, du haut en bas, est placardée d'inscriptions écrites en anglaise, en ronde, en moulée: « Eaux de Vichy, de Seltz et de Barèges, [148] robs dépuratifs, [149] médecine Raspail, racahout des Arabes, [150] pastilles Darcet, pâte Regnault, [151] bandages, bains, chocolats de santé, etc. » Et l'enseigne, qui tient toute la largeur de la boutique, porte en lettres d'or: *Homais, pharmacien*. Puis, au fond de la boutique, derrière les grandes balances scellées sur le comptoir, le mot *laboratoire* se déroule au-dessus d'une porte vitrée qui, à moitié de sa hauteur, répète encore une fois *Homais*, en lettres d'or, sur un fond noir.

Il n'y a plus ensuite rien à voir dans Yonville. La rue (la seule), longue d'une portée de fusil et bordée de quelques boutiques, s'arrête court au tournant de la route. Si on la laisse sur la droite et que l'on suive le bas de la côte Saint-Jean, bientôt on arrive au cimetière.

Lors du choléra, pour l'agrandir, on a abattu un pan de mur et acheté trois acres de terre à côté; mais toute cette portion nouvelle est presque inhabitée, les tombes, comme autrefois, continuant à s'entasser vers la porte. Le gardien, qui est en même temps fossoyeur et bedeau à l'église (tirant ainsi des cadavres de la paroisse un double bénéfice), a profité du terrain vide pour y semer des pommes de terre. D'année en année, cependant, son petit champ se rétrécit, et, lorsqu'il survient une épidémie, il ne sait pas s'il doit se réjouir des décès ou s'affliger des sépultures.

— Vous vous nourrissez des morts, Lestiboudois! lui dit enfin, un jour, M. le curé.

Cette parole sombre le fit réfléchir; elle l'arrêta pour quelque temps; mais, aujourd'hui encore, il continue la culture de ses tubercules, et même soutient avec aplomb qu'ils poussent naturellement.

Depuis les événements que l'on va raconter, rien, en effet, n'a changé à Yonville. Le drapeau tricolore de fer-blanc tourne toujours au haut du clocher de l'église; la boutique du marchand de nouveautés agite encore au vent ses deux banderoles d'indienne; les fœtus du pharmacien, comme des paquets d'amadou blanc, se pourrissent de plus en plus dans leur alcool bourbeux, et, au-dessus de la grande porte de l'auberge, le vieux lion d'or, déteint par les pluies, montre toujours aux passants sa frisure de caniche.

Le soir que les époux Bovary devaient arriver à Yonville, madame veuve Lefrançois, la maîtresse de cette auberge, était si fort affairée, qu'elle suait à grosses gouttes en remuant ses casseroles. C'était, le lendemain, jour de marché dans le bourg. Il fallait d'avance tailler les viandes, vider les poulets, faire de la soupe et du café. Elle avait, de plus, le repas de ses pensionnaires, celui du médecin, de sa femme et de leur bonne; le billard retentissait d'éclats de rire; trois meuniers, dans la petite salle, appelaient pour qu'on leur apportât de l'eau-de-vie; le bois flambait, la braise craquait, et, sur la longue table de la cuisine, parmi les quartiers de mouton cru, s'élevaient des piles d'assiettes qui tremblaient aux secousses du billot où l'on hachait des épinards. On entendait, dans la basse-cour, crier les volailles que la servante poursuivait pour leur couper le cou.

Un homme en pantoufles de peau verte, quelque peu marqué de petite vérole et coiffé d'un bonnet de velours à gland d'or, se chauffait le dos contre la cheminée. Sa figure n'exprimait rien que la satisfaction de soi-même, et il avait l'air aussi calme dans la vie que le chardonneret suspendu au-dessus de sa tête, dans une cage d'osier: c'était le pharmacien.

—Artémise! criait la maîtresse d'auberge, casse de la bourrée, emplis les carafes, apporte de l'eau-de-vie, dé-pêche-toi! Au moins, si je savais quel dessert offrir à la société que vous attendez! Bonté divine! les commis du déménagement recommencent leur tintamarre dans le bil-lard! Et leur charrette qui est restée sous la grande porte! L'*Hirondelle* est capable de la défoncer en arrivant! Ap-pelle Polyte pour qu'il la remise!... Dire que, depuis le matin, monsieur Homais, ils ont peut-être fait quinze parties et bu huit pots de cidre!... Mais ils vont me déchirer le tapis, continuait-elle en les regardant de loin, son écumoire à la main.

—Le mal ne serait pas grand, répondit M. Homais, vous en achèteriez un autre.

—Un autre billard! exclama la veuve.

—Puisque celui-là ne tient plus, madame Lefrançois, je vous le répète, vous vous faites tort! vous vous faites grand tort! Et puis les amateurs, à présent, veulent des blouses étroites et des queues lourdes. On ne joue plus la bille; tout est changé! Il faut marcher avec son siècle! Regardez Tellier, plutôt...

L'hôtesse devint rouge de dépit. Le pharmacien ajouta:

—Son billard, vous avez beau dire, est plus mignon que le vôtre; et qu'on ait l'idée, par exemple, de monter une poule [152] patriotique pour la Pologne [153] ou les inondés de Lyon...[154]

—Ce ne sont pas des gueux comme lui qui nous font peur! interrompit l'hôtesse, en haussant ses grosses épaules. Allez! allez! monsieur Homais, tant que le *Lion d'or* vivra, on y viendra. Nous avons du foin dans nos bottes, nous autres! [155] Au lieu qu'un de ces matins vous verrez le *Café français* fermé, et avec une belle affiche sur les auvents!... Changer mon billard, continuait-elle en se par-lant à elle-même, lui qui m'est si commode pour ranger ma lessive, et sur lequel, dans le temps de la chasse, j'ai mis coucher jusqu'à six voyageurs!... Mais ce lambin d'Hivert qui n'arrive pas!

— L'attendez-vous pour le dîner de vos messieurs? demanda le pharmacien.

— L'attendre? Et M. Binet donc! A six heures battant vous allez le voir entrer, car son pareil n'existe pas sur la terre pour l'exactitude. Il lui faut toujours sa place dans la petite salle! On le tuerait plutôt que de le faire dîner ailleurs! et dégoûté qu'il est![156] et si difficile pour le cidre! Ce n'est pas comme M. Léon; lui, il arrive quelquefois à sept heures, sept heures et demie même; il ne regarde seulement pas à ce qu'il mange. Quel bon jeune homme! Jamais un mot plus haut que l'autre.

— C'est qu' il y a bien de la différence, voyez-vous, entre quelqu'un qui a reçu de l'éducation et un ancien carabinier qui est percepteur.

Six heures sonnèrent. Binet entra.

Il était vêtu d'une redingote bleue, tombant droit d'elle-même tout autour de son corps maigre, et sa casquette de cuir, à pattes nouées par des cordons sur le sommet de sa tête, laissait voir, sous la visière relevée, un front chauve, qu'avait déprimé l'habitude du casque. Il portait un gilet de drap noir, un col de crin, un pantalon gris, et, en toute saison, des bottes bien cirées qui avaient deux renflements parallèles, à cause de la saillie de ses orteils. Pas un poil ne dépassait la ligne de son collier blond, qui, contournant la mâchoire, encadrait comme la bordure d'une plate-bande sa longue figure terne, dont les yeux étaient petits et le nez busqué. Fort à tous les jeux de cartes, bon chasseur et possédant une belle écriture, il avait chez lui un tour,[157] où il s'amusait à tourner des ronds de serviette dont il encombrait sa maison, avec la jalousie d'un artiste et l'égoïsme d'un bourgeois.

Il se dirigea vers la petite salle: mais il fallut d'abord en faire sortir les trois meuniers; et, pendant tout le temps que l'on fut à mettre son couvert, Binet resta silencieux à sa place, auprès du poêle; puis il ferma la porte et retira sa casquette, comme d'usage.

—Ce ne sont pas les civilités qui lui useront la langue! dit le pharmacien, dès qu'il fut seul avec l'hôtesse.

—Jamais il ne cause davantage, répondit-elle; il est venu ici, la semaine dernière, deux voyageurs en draps, des garçons pleins d'esprit qui contaient, le soir, un tas de farces que j'en pleurais de rire: eh bien! il restait là, comme une alose, sans dire un mot.

—Oui, fit le pharmacien, pas d'imagination, pas de saillies, rien de ce qui constitue l'homme de société!

—On dit pourtant qu'il a des moyens, objecta l'hôtesse.

—Des moyens! répliqua M. Homais; lui! des moyens? Dans sa partie, c'est possible, ajouta-t-il d'un ton plus calme.

Et il reprit:

—Ah! qu'un négociant qui a des relations considérables, qu'un jurisconsulte, un médecin, un pharmacien soient tellement absorbés qu'ils en deviennent fantasques et bourrus même, je le comprends; on en cite des traits dans l'histoire! Mais, au moins, c'est qu'ils pensent à quelque chose. Moi, par exemple, combien de fois m'est-il arrivé de chercher ma plume sur mon bureau pour écrire une étiquette, et de trouver, en définitive, que je l'avais placée à mon oreille!

Cependant, madame Lefrançois alla sur le seuil regarder si l'*Hirondelle* n'arrivait pas. Elle tressaillit. Un homme vêtu de noir entra tout à coup dans la cuisine. On distinguait, aux dernières lueurs du crépuscule, qu'il avait une figure rubiconde et le corps athlétique.

—Qu'y a-t-il pour votre service, monsieur le curé? demanda la maîtresse d'auberge, tout en atteignant sur la cheminée un des flambeaux de cuivre qui s'y trouvaient rangés en colonnade avec leurs chandelles; voulez-vous prendre quelque chose? un doigt de cassis, un verre de vin?

L'ecclésiastique refusa fort civilement. Il venait chercher son parapluie, qu'il avait oublié l'autre jour au couvent d'Ernemont, et, après avoir prié madame Lefrançois de le lui faire remettre au presbytère dans la soirée, il sortit pour se rendre à l'église, où sonnait l'*Angelus*.

Quand le pharmacien n'entendit plus sur la place le bruit de ses souliers, il trouva fort inconvenante sa conduite de tout à l'heure. Ce refus d'accepter un rafraîchissement lui semblait une hypocrisie des plus odieuses; les prêtres godaillaient tous sans qu'on les vît, et cherchaient à ramener le temps de la dîme.[158]

L'hôtesse prit la défense de son curé:

— D'ailleurs, il en plierait quatre comme vous sur son genou. Il a, l'année dernière, aidé nos gens à rentrer la paille; il en portait jusqu'à six bottes à la fois, tant il est fort!

— Bravo! dit le pharmacien. Envoyez donc vos filles à confesse à des gaillards d'un tempérament pareil! Moi, si j'étais le gouvernement, je voudrais qu'on saignât les prêtres une fois par mois. Oui, madame Lefrançois, tous les mois, une large phlébotomie, dans l'intérêt de la police et des mœurs!

— Taisez-vous donc, monsieur Homais! vous êtes un impie! vous n'avez pas de religion!

Le pharmacien répondit:

— J'ai une religion, ma religion, et même j'en ai plus qu'eux tous, avec leurs mômeries et leurs jongleries! J'adore Dieu, au contraire! Je crois en l'Etre suprême, à un Créateur, quel qu'il soit, peu m'importe, qui nous a placés ici-bas pour y remplir nos devoirs de citoyen et de père de famille; mais je n'ai pas besoin d'aller, dans une église, baiser des plats d'argent et engraisser de ma poche un tas de farceurs qui se nourrissent mieux que nous! Car on peut l'honorer aussi bien dans un bois, dans un champ, ou même en contemplant la voûte éthérée, comme les anciens. Mon Dieu, à moi, c'est le Dieu de Socrate, de Franklin, de Voltaire et de Béranger![159] Je suis pour la *Profession de foi du vicaire savoyard*[160] et les immortels principes de 89![161] Aussi je n'admets pas un bonhomme de bon Dieu qui se promène dans son parterre la canne à la main, loge ses amis dans le ventre des baleines, meurt en poussant un cri et ressuscite au bout de trois jours: choses absurdes en elles-mêmes et complètement opposées, d'ailleurs, à toutes les lois de la physique; ce qui nous démontre, en passant, que les prêtres ont toujours croupi dans une ignorance turpide, où ils s'efforcent d'engloutir avec eux les populations.

Il se tut, cherchant des yeux un public autour de lui, car, dans son effervescence, le pharmacien, un moment, s'était cru en plein conseil municipal. Mais la maîtresse d'auberge ne l'écoutait plus: elle tendait son oreille à un roulement éloigné. On distingua le bruit d'une voiture mêlé à un claquement de fers lâches qui battaient la terre, et l'*Hirondelle,* enfin, s'arrêta devant la porte.

C'était un coffre jaune porté par deux grandes roues qui, montant jusqu'à la hauteur de la bâche, empêchaient les voyageurs de voir la route et leur salissaient les épaules. Les petits carreaux de ses vasistas étroits tremblaient dans leurs châssis quand la voiture était fermée, et gardaient des taches de boue, çà et là, parmi leur vieille couche de poussière, que les pluies d'orage même ne lavaient pas tout à fait. Elle était attelée de trois chevaux, dont le premier en arbalète, et, lorsqu'on descendait les côtes, elle touchait du fond en cahotant.

Quelques bourgeois d'Yonville arrivèrent sur la place; ils parlaient tous à la fois, demandant des nouvelles, des explications et des bourriches: Hivert ne savait auquel répondre. C'était lui qui faisait à la ville les commissions du pays. Il allait dans les boutiques, rapportait des rouleaux de cuir au cordonnier, de la ferraille au maréchal, un baril de harengs pour sa maîtresse, des bonnets de chez la modiste, des toupets de chez le coiffeur; et, le long de la route, en s'en revenant, il distribuait ses paquets, qu'il jetait par-dessus les clôtures des cours, debout sur son siège, et criant à pleine poitrine, pendant que ses chevaux allaient tout seuls.

Un accident l'avait retardé; la levrette de madame Bovary s'était enfuie à travers champs. On l'avait sifflée un grand quart d'heure. Hivert même était retourné d'une demie-lieue en arrière, croyant l'apercevoir à chaque minute; mais il avait fallu continuer la route. Emma avait pleuré, s'était emportée; elle avait accusé Charles de ce malheur. M. Lheureux, marchand d'étoffes, qui se trouvait avec elle dans la voiture, avait essayé de la consoler par quantité d'exemples de chiens perdus, reconnaissant leur maître au bout de longues années. On en citait un, disait-il, qui était revenu de Constantinople à Paris. Un autre avait fait cinquante lieues en ligne droite et passé quatre rivières à la nage; et son père à lui-même avait possédé un caniche qui, après douze ans d'absence, lui avait tout à coup sauté sur le dos, un soir, dans la rue, comme il allait dîner en ville.

Chapitre 2.

Emma descendit la première, puis Félicité, M. Lheureux, une nourrice, et l'on fut obligé de réveiller Charles dans son coin, où il s'était endormi complètement, dès que la nuit était venue.

Homais se présenta; il offrit ses hommages à Madame, ses civilités à Monsieur, dit qu'il était charmé d'avoir pu leur rendre quelque service, et ajouta d'un air cordial qu'il avait osé s'inviter lui-même, sa femme, d'ailleurs, étant absente.

Madame Bovary, quand elle fut dans la cuisine, s'approcha de la cheminée. Du bout de ses deux doigts elle prit sa robe à la hauteur du genou, et, l'ayant ainsi remontée jusqu'aux chevilles, elle tendit à la flamme, par-dessus le gigot qui tournait, son pied chaussé d'une bottine noire. Le feu l'éclairait en entier, pénétrant d'une lumière crue la trame de sa robe, les pores égaux de sa peau blanche et même les paupières de ses yeux qu'elle clignait de temps à autre. Une grande couleur rouge passait sur elle selon le souffle du vent qui venait par la porte entr'ouverte.

De l'autre côté de la cheminée, un jeune homme à chevelure blonde la regardait silencieusement.

Comme il s'ennuyait beaucoup à Yonville, où il était clerc chez maître Guillaumin, souvent M. Léon Dupuis (c'était lui, le second habitué du *Lion d'or*) reculait l'instant de son repas, espérant qu'il viendrait quelque voyageur à l'auberge avec qui causer dans la soirée. Les jours que sa besogne était finie, il lui fallait bien, faute de savoir que faire, arriver à l'heure exacte, et subir depuis la soupe jusqu'au fromage le tête-à-tête de Binet. Ce fut donc avec joie qu'il accepta la proposition de l'hôtesse de dîner en la compagnie des nouveaux venus, et l'on passa dans la grande salle où madame Lefrançois, par pompe, avait fait dresser les quatre couverts.

Homais demanda la permission de garder son bonnet grec, de peur des coryzas.

Puis, se retournant vers sa voisine:

— Madame, sans doute, est un peu lasse? On est si épouvantablement cahoté dans notre *Hirondelle!*

— Il est vrai, répondit Emma; mais le dérangement m'amuse toujours; j'aime à changer de place.

— C'est une chose si maussade, soupira le clerc, que de vivre cloué aux mêmes endroits!

— Si vous étiez comme moi, dit Charles, sans cesse obligé d'être à cheval...

— Mais, reprit Léon, s'adressant à madame Bovary, rien n'est plus agréable, il me semble; quand on le peut, ajouta-t-il.

— Du reste, disait l'apothicaire, l'exercice de la médecine n'est pas fort pénible en nos contrées; car l'état de nos routes permet l'usage du cabriolet, et, généralement, l'on paye assez bien, les cultivateurs étant aisés. Nous avons, sous le rapport médical, à part les cas ordinaires d'entérite, bronchite, affections bilieuses, etc., de temps à autre quelques fièvres intermittentes à la moisson, mais, en somme,

peu de choses graves, rien de spécial à noter, si ce n'est
beaucoup d'humeurs froides, et qui tiennent sans doute
aux déplorables conditions hygiéniques de nos logements
de paysans. Ah! vous trouverez bien des préjugés à combattre, monsieur Bovary; bien des entêtements de routine,
où se heurteront quotidiennement tous les efforts de votre
science; car on a recours encore aux neuvaines, aux reli-
ques, au curé, plutôt que de venir naturellement chez le
médecin ou chez le pharmacien. Le climat, pourtant, n'est
point, à vrai dire, mauvais, et même nous comptons dans
la commune quelques nonagénaires. Le thermomètre (j'en
ai fait les observations) descend en hiver jusqu'à quatre
degrés et, dans la forte saison, touche vingt-cinq, trente
centigrades tout au plus, ce qui nous donne vingt-quatre
Réaumur [162] au maximum, ou autrement cinquante-quatre
Fahrenheit (mesure anglaise), pas davantage! — et, en effet,
nous sommes abrités des vents du nord par la forêt
d'Argueil d'une part; des vents d'ouest par la côte Saint-
Jean de l'autre; et cette chaleur, cependant, qui à cause
de la vapeur d'eau dégagée par la rivière et la présence
considérable de bestiaux dans les prairies, lesquels exhalent,
comme vous savez, beaucoup d'ammoniaque, c'est-à-dire
azote, hydrogène et oxygène (non, azote et hydrogène
seulement), et qui, pompant à elle l'humus de la terre,
confondant toutes ces émanations différentes, les réunissant
en un faisceau, pour ainsi dire, et se combinant de soi-
même avec l'électricité répandue dans l'atmosphère, lorsqu'il y en a, pourrait à la longue, comme dans les pays
tropicaux, engendrer des miasmes insalubres; — cette chaleur, dis-je, se trouve justement tempérée du côté d'où elle
vient ou plutôt d'où elle viendrait, c'est-à-dire du côté sud,
par les vents de sud-est, lesquels, s'étant rafraîchis d'eux-
mêmes en passant sur la Seine, nous arrivent quelquefois
tout d'un coup, comme des brises de Russie!

— Avez-vous du moins quelques promenades dans les
environs? continuait madame Bovary parlant au jeune
homme.

— Oh! fort peu, répondit-il. Il y a un endroit que l'on

nomme la Pâture, sur le haut de la côte, à la lisière de la forêt. Quelquefois, le dimanche, je vais là, et j'y reste avec un livre, à regarder le soleil couchant.

— Je ne trouve rien d'admirable comme les soleils couchants, reprit-elle, mais au bord de la mer, surtout.

— Oh! j'adore la mer, dit M. Léon.

— Et puis ne vous semble-t-il pas, répliqua madame Bovary, que l'esprit vogue plus librement sur cette étendue sans limites, dont la contemplation vous élève l'âme et donne des idées d'infini, d'idéal?

— Il en est de même des paysages de montagnes, reprit Léon. J'ai un cousin qui a voyagé en Suisse l'année dernière, et qui me disait qu'on ne peut se figurer la poésie des lacs, le charme des cascades, l'effet gigantesque des glaciers. On voit des pins d'une grandeur incroyable, en travers des torrents, des cabanes suspendues sur des précipices, et, à mille pieds sous vous, des vallées entières quand les nuages s'entr'ouvrent. Ces spectacles doivent enthousiasmer, disposer à la prière, à l'extase! Aussi je ne m'étonne plus de ce musicien célèbre qui, pour exciter mieux son imagination, avait coutume d'aller jouer du piano devant quelque site imposant.

— Vous faites de la musique? demanda-t-elle.

— Non, mais je l'aime beaucoup, répondit-il.

— Ah! ne l'écoutez pas, madame Bovary, interrompit Homais en se penchant sur son assiette, c'est modestie pure. — Comment, mon cher! Eh! l'autre jour, dans votre chambre, vous chantiez l'*Ange gardien* [163] à ravir. Je vous entendais du laboratoire; vous détachiez cela comme un acteur.

Léon, en effet, logeait chez le pharmacien, où il avait une petite pièce au second étage, sur la place. Il rougit à ce compliment de son propriétaire, qui déjà s'était tourné vers le médecin et lui énumérait les uns après les autres les principaux habitants d'Yonville. Il racontait des anecdotes, donnait des renseignements. On ne savait pas au juste la fortune du notaire, *et il y avait la maison Tuvache* qui faisait beaucoup d'embarras.

Emma reprit:

— Et quelle musique préférez-vous?

— Oh! la musique allemande, celle qui porte à rêver.

— Connaissez-vous les Italiens?

— Pas encore; mais je les verrai l'année prochaine, quand j'irai habiter Paris, pour finir mon droit.

— C'est comme j'avais l'honneur, dit le pharmacien, de l'exprimer à monsieur votre époux, à propos de ce pauvre Yanoda qui s'est enfui; vous vous trouverez, grâce aux folies qu'il a faites, jouir d'une des maisons les plus confortables d'Yonville. Ce qu'elle a principalement de commode pour un médecin, c'est une porte sur l'*Allée*, qui permet d'entrer et de sortir sans être vu. D'ailleurs, elle est fournie de tout ce qui est agréable à un ménage: buanderie, cuisine avec office, salon de famille, fruitier, etc. C'était un gaillard qui n'y regardait pas![164] Il s'était fait construire, au bout du jardin, à côté de l'eau, une tonnelle tout exprès pour boire de la bière en été, et si Madame aime le jardinage, elle pourra...

— Ma femme ne s'en occupe guère, dit Charles; elle aime mieux, quoiqu'on lui recommande l'exercice, toujours rester dans sa chambre à lire.

— C'est comme moi, répliqua Léon; quelle meilleure chose, en effet, que d'être le soir au coin du feu avec un livre, pendant que le vent bat les carreaux, que la lampe brûle?...

— N'est-ce pas? dit-elle, en fixant sur lui ses grands yeux noirs tout ouverts.

— On ne songe à rien, continuait-il, les heures passent. On se promène immobile dans des pays que l'on croit voir, et votre pensée, s'enlaçant à la fiction, se joue dans les détails ou poursuit le contour des aventures. Elle se mêle aux personnages; il semble que c'est vous qui palpitez sous leurs costumes.

— C'est vrai! c'est vrai! disait-elle.

— Vous est-il arrivé parfois, reprit Léon, de rencontrer dans un livre une idée vague que l'on a eue, quelque image obscurcie qui revient de loin, et comme l'exposition entière de votre sentiment le plus délié?

—J'ai éprouvé cela, répondit-elle.

—C'est pourquoi, dit-il, j'aime surtout les poètes. Je trouve les vers plus tendres que la prose, et qu'ils font bien mieux pleurer.

—Cependant ils fatiguent à la longue, reprit Emma; et maintenant, au contraire, j'adore les histoires qui se suivent tout d'une haleine, où l'on a peur. Je déteste les héros communs et les sentiments tempérés, comme il y en a dans la nature.

—En effet, observa le clerc, ces ouvrages, ne touchant pas le cœur, s'écartent, il me semble, du vrai but de l'Art. Il est doux, parmi les désenchantements de la vie, de pouvoir se reporter en idée sur de nobles caractères, des affections pures et des tableaux de bonheur. Quant à moi, vivant ici, loin du monde, c'est ma seule distraction; mais Yonville offre si peu de ressources!

—Comme Tostes, sans doute, reprit Emma, aussi j'étais toujours abonnée à un cabinet de lecture.

—Si Madame veut me faire l'honneur d'en user, dit le pharmacien, qui venait d'entendre ces derniers mots, j'ai moi-même à sa disposition une bibliothèque composée des meilleurs auteurs: Voltaire, Rousseau, Delille,[165] Walter Scott, l'*Echo des feuilletons,* etc., et je reçois, de plus, différentes feuilles périodiques, parmi lesquelles le *Fanal de Rouen,* quotidiennement, ayant l'avantage d'en être le correspondant pour les circonscriptions de Buchy, Forges, Neufchâtel, Yonville et les alentours.

Depuis deux heures et demie, on était à table; car la servante Artémise, traînant nonchalamment sur les carreaux ses savates de lisière, apportait les assiettes les unes après les autres, oubliait tout, n'entendait à rien et sans cesse laissait entre-bâillée la porte du billard, qui battait contre le mur du bout de sa clenche.

Sans qu'il s'en aperçût, tout en causant, Léon avait posé son pied sur un des barreaux de la chaise où madame

Bovary était assise. Elle portait une petite cravate de soie bleue, qui tenait droit comme une fraise [166] un col de batiste tuyauté; et, selon les mouvements de tête qu'elle faisait, le bas de son visage s'enfonçait dans le linge ou en sortait avec douceur. C'est ainsi, l'un près de l'autre, pendant que Charles et le pharmacien devisaient, qu'ils entrèrent dans une de ces vagues conversations où le hasard des phrases vous ramène toujours au centre fixe d'une sympathie commune. Spectacles de Paris, titres de romans, quadrilles nouveaux, et le monde qu'ils ne connaissaient pas, Tostes où elle avait vécu, Yonville où ils étaient, ils examinèrent tout, parlèrent de tout jusqu'à la fin du dîner.

Quand le café fut servi, Félicité s'en alla préparer la chambre dans la nouvelle maison, et les convives bientôt levèrent le siège. Madame Lefrançois dormait auprès des cendres, tandis que le garçon d'écurie, une lanterne à la main, attendait M. et Madame Bovary pour les conduire chez eux. Sa chevelure rouge était entremêlée de brins de paille et il boitait de la jambe gauche. Lorsqu'il eut pris de son autre main le parapluie de M. le curé, l'on se mit en marche.

Le bourg était endormi. Les piliers des halles allongeaient de grandes ombres. La terre était toute grise, comme par une nuit d'été.

Mais, la maison du médecin se trouvant à cinquante pas de l'auberge, il fallut presque aussitôt se souhaiter le bonsoir, et la compagnie se dispersa.

Emma, dès le vestibule, sentit tomber sur ses épaules, comme un linge humide, le froid du plâtre. Les murs étaient neufs, et les marches de bois craquèrent. Dans la chambre, au premier, un jour blanchâtre passait par les fenêtres sans rideaux. On entrevoyait des cimes d'arbres et, plus loin, la prairie, à demi noyée dans le brouillard, qui fumait au clair de lune, selon le cours de la rivière. Au milieu de l'appartement, pêle-mêle, il y avait des tiroirs de commode, des bouteilles, des tringles, des bâtons dorés avec des matelas sur des chaises et des cuvettes sur le

parquet, — les deux hommes qui avaient apporté les
meubles ayant tout laissé là, négligemment.

C'était la quatrième fois qu'elle couchait dans un endroit
inconnu. La première avait été le jour de son entrée au
couvent, la seconde celle de son arrivée à Tostes, la troisième à la Vaubyessard, la quatrième était celle-ci; et
chacune s'était trouvée faire dans sa vie comme l'inaugu-
ration d'une phase nouvelle. Elle ne croyait pas que les
choses pussent se représenter les mêmes à des places
différentes, et, puisque la portion vécue avait été mauvaise,
sans doute ce qui restait à consommer serait meilleur.[167]

Chapitre 3.

Le lendemain, à son réveil, elle aperçut le clerc sur la
place. Elle était en peignoir. Il leva la tête et la salua.
Elle fit une inclination rapide et referma la fenêtre.

Léon attendit pendant tout le jour que six heures du
soir fussent arrivées: mais, en entrant à l'auberge, il ne
trouva que M. Binet, attablé.

Ce dîner de la veille était pour lui un événement considérable; jamais, jusqu'alors, il n'avait causé pendant deux
heures de suite avec une *dame*. Comment donc avoir pu
lui exposer, et en un tel langage, quantité de choses qu'il
n'aurait pas si bien dites auparavant? Il était timide d'habitude et gardait cette réserve qui participe à la fois de la
pudeur et de la dissimulation. On trouvait à Yonville qu'il
avait des manières *comme il faut*. Il écoutait raisonner les
gens mûrs et ne paraissait point exalté en politique, chose
remarquable pour un jeune homme. Puis il possédait des
talents, il peignait à l'aquarelle, savait lire la clef de sol,

et s'occupait volontiers de littérature après son dîner, quand il ne jouait pas aux cartes. M. Homais le considérait pour son instruction; Madame Homais l'affectionnait pour sa complaisance, car souvent il accompagnait au jardin les petits Homais, marmots toujours barbouillés, fort mal élevés et quelque peu lymphatiques, comme leur mère. Ils avaient, pour les soigner, outre la bonne, Justin, l'élève en pharmacie, un arrière-cousin de M. Homais que l'on avait pris dans la maison par charité, et qui servait en même temps de domestique.

L'apothicaire se montra le meilleur des voisins. Il renseigna madame Bovary sur les fournisseurs, fit venir son marchand de cidre tout exprès, goûta la boisson lui-même, et veilla dans la cave à ce que la futaille fût bien placée; il indiqua encore la façon de s'y prendre pour avoir une provision de beurre à bon marché, et conclut un arrangement avec Lestiboudois, le sacristain, qui, outre ses fonctions sacerdotales et mortuaires, soignait les principaux jardins d'Yonville à l'heure ou à l'année, selon le goût des personnes.

Le besoin de s'occuper d'autrui ne poussait pas seul le pharmacien à tant de cordialité obséquieuse, et il y avait là-dessous un plan.

Il avait enfreint la loi du 19 ventôse [168] an XI, article Ier, qui défend à tout individu non porteur de diplôme l'exercice de la médecine; si bien que, sur des dénonciations ténébreuses, Homais avait été mandé à Rouen, près M. le procureur du roi, en son cabinet particulier. Le magistrat l'avait reçu debout, dans sa robe, hermine à l'épaule et toque en tête. C'était le matin, avant l'audience. On entendait dans le corridor passer les fortes bottes des gendarmes, et comme un bruit lointain de grosses serrures qui se fermaient. Les oreilles du pharmacien lui tintèrent à croire qu'il allait tomber d'un coup de sang; il entrevit des culs de basse-fosse, sa famille en pleurs, la pharmacie vendue, tous les bocaux disséminés; et il fut obligé d'entrer dans un café prendre un verre de rhum avec de l'eau de Seltz, pour se remettre les esprits.

Peu à peu, le souvenir de cette admonition s'affaiblit, et il continuait, comme autrefois, à donner des consultations anodines dans son arrière-boutique. Mais le maire lui en voulait, des confrères étaient jaloux, il fallait tout craindre; en s'attachant M. Bovary par des politesses, c'était gagner [169] sa gratitude et empêcher qu'il ne parlât plus tard, s'il s'apercevait de quelque chose. Aussi, tous les matins, Homais lui apportait *le journal,* et souvent, dans l'après-midi, quittait un instant la pharmacie pour aller chez l'officier de santé faire la conversation.

Charles était triste: la clientèle n'arrivait pas. Il demeurait assis pendant de longues heures, sans parler, allait dormir dans son cabinet ou regardait coudre sa femme. Pour se distraire, il s'employa chez lui comme homme de peine et même il essaya de peindre le grenier avec un reste de couleur que les peintres avaient laissé. Mais les affaires d'argent le préoccupaient. Il en avait tant dépensé pour les réparations de Tostes, pour les toilettes de Madame et pour le déménagement, que toute la dot, plus de trois mille écus, s'était écoulée en deux ans. Puis, que de choses endommagées ou perdues dans le transport de Tostes à Yonville, sans compter le curé de plâtre, qui, tombant de la charrette à un cahot trop fort, s'était écrasé en mille morceaux sur le pavé de Quincampoix!

Un souci meilleur vint le distraire, à savoir la grossesse de sa femme. A mesure que le terme en approchait, il la chérissait davantage. C'était un autre lien de la chair s'établissant, et comme le sentiment continu d'une union plus complexe. Quand il voyait de loin sa démarche paresseuse et sa taille tourner mollement sur ses hanches sans corset; quand, vis-à-vis l'un de l'autre, il la contemplait tout à l'aise et qu'elle prenait, assise, des poses fatiguées dans son fauteuil, alors son bonheur ne se tenait plus, il se levait, il l'embrassait, passait ses mains sur sa figure, l'appelait petite maman, voulait la faire danser, et débitait, moitié riant, moitié pleurant, toutes sortes de plaisanteries caressantes qui lui venaient à l'esprit. L'idée d'avoir engendré le délectait. Rien ne lui manquait à présent. Il connaissait l'existence humaine tout du long, et il s'y attablait sur les deux coudes avec sérénité.

Emma, d'abord, sentit un grand étonnement, puis eut envie d'être délivrée, pour savoir quelle chose c'était que d'être mère. Mais, ne pouvant faire les dépenses qu'elle voulait, avoir un berceau en nacelle[170] avec des rideaux de soie rose et des béguins brodés, elle renonça au trousseau, dans un accès d'amertume, et le commanda d'un seul coup à une ouvrière du village, sans rien choisir ni discuter. Elle ne s'amusa donc pas à ces préparatifs où la tendresse des mères se met en appétit, et son affection, dès l'origine, en fut peut-être atténuée de quelque chose.

Cependant, comme Charles, à tous les repas, parlait du marmot, bientôt elle y songea d'une façon plus continue.

Elle souhaitait un fils; il serait fort et brun, et s'appellerait Georges; et cette idée d'avoir pour enfant un mâle était comme la revanche en espoir de toutes ses impuissances passées. Un homme, au moins, est libre; il peut parcourir les passions et les pays, traverser les obstacles, mordre aux bonheurs les plus lointains. Mais une femme est empêchée continuellement. Inerte et flexible à la fois, elle a contre elle les mollesses de la chair avec les dépendances de la loi. Sa volonté, comme le voile de son chapeau retenu par un cordon, palpite à tous les vents, il y a toujours quelque désir qui entraîne, quelque convenance qui retient.

Elle accoucha un dimanche, vers six heures, au soleil levant.

—C'est une fille! dit Charles.

Elle tourna la tête et s'évanouit.

Presque aussitôt, madame Homais accourut et l'embrassa, ainsi que la mère Lefrançois du *Lion d'or*. Le pharmacien, en homme discret, lui adressa seulement quelques félicitations provisoires, par la porte entrebâillée. Il voulut voir l'enfant et le trouva bien conformé.

Pendant sa convalescence, elle s'occupa beaucoup à chercher un nom pour sa fille. D'abord elle passa en revue tous ceux qui avaient des terminaisons italiennes, tels que

Clara, Louisa, Amanda, Atala; elle aimait assez Galsuinde, plus encore Yseult ou Léocadie. Charles désirait qu'on appelât l'enfant comme sa mère; Emma s'y opposait. On parcourut le calendrier d'un bout à l'autre, et l'on consulta les étrangers.

— M. Léon, disait le pharmacien, avec qui j'en causais l'autre jour, s'étonne que vous ne choisissiez point Madeleine, qui est excessivement à la mode maintenant.

Mais la mère Bovary se récria bien fort sur ce nom de pécheresse. M. Homais, quant à lui, avait en prédilection tous ceux qui rappelaient un grand homme, un fait illustre ou une conception généreuse, et c'est dans ce système-là qu'il avait baptisé ses quatre enfants. Ainsi Napoléon représentait la gloire et Franklin la liberté; Irma, peut-être, était une concession au romantisme; mais Athalie [171] un hommage au plus immortel chef-d'œuvre de la scène française. Car ses convictions philosophiques n'empêchaient pas ses admirations artistiques, le penseur, chez lui, n'étouffait point l'homme sensible; il savait établir des différences, faire la part de l'imagination et celle du fanatisme. De cette tragédie, par exemple, il blâmait les idées, mais il admirait le style; il maudissait la conception, mais il applaudissait à tous les détails, et s'exaspérait contre les personnages, en s'enthousiasmant de leurs discours. Lorsqu'il lisait les grands morceaux, il était transporté; mais, quand il songeait que les calotins [172] en tiraient avantage pour leur boutique, il était désolé, et dans cette confusion de sentiments où il s'embarrassait, il aurait voulu tout à la fois pouvoir couronner Racine de ses deux mains et discuter avec lui pendant un bon quart d'heure.

Enfin, Emma se souvint qu'au château de la Vaubyessard elle avait entendu la marquise appeler Berthe une jeune femme; dès lors ce nom-là fut choisi, et, comme le père Rouault ne pouvait venir, on pria M. Homais d'être parrain. Il donna pour cadeaux tous produits de son établissement, à savoir: six boîtes de jujubes, un bocal entier de racahout, trois coffins de pâte à la guimauve, [173] et, de plus, six bâtons de sucre candi qu'il avait retrouvés dans un placard. Le soir de la cérémonie, il y eut un grand dîner; le curé s'y trouvait; on s'échauffa. M. Homais, vers les liqueurs, entonna *le Dieu des bonnes gens,*[174] M. Léon chanta une barcarolle, et madame Bovary mère, qui était la marraine, une romance du temps de l'Empire; enfin M. Bovary père exigea que l'on descendît l'enfant, et se mit à le baptiser avec un verre de champagne qu'il lui versait de haut sur la tête. Cette dérision du premier des sacrements indigna l'abbé Bournisien; le père Bovary répondit par une citation de *la Guerre des dieux,*[175] le curé voulut partir: les dames suppliaient; Homais s'interposa, et l'on parvint à faire rasseoir l'ecclésiastique, qui reprit tranquillement, dans sa soucoupe, sa demi-tasse de café à moitié bue.

M. Bovary père resta encore un mois à Yonville, dont il éblouit les habitants par un superbe bonnet de police à galons d'argent, qu'il portait le matin, pour fumer sa pipe sur la place. Ayant aussi l'habitude de boire beaucoup d'eau-de-vie, souvent il envoyait la servante au *Lion d'or* lui en acheter une bouteille, que l'on inscrivait au compte de son fils; et il usa, pour parfumer ses foulards, toute la provision d'eau de Cologne qu'avait sa bru.

Celle-ci ne se déplaisait point dans sa compagnie. Il avait couru le monde: il parlait de Berlin, de Vienne, de Strasbourg, de son temps d'officier, des maîtresses qu'il avait eues, des grands déjeuners qu'il avait faits, puis il se montrait aimable, et parfois même, soit dans l'escalier ou au jardin, il lui saisissait la taille en s'écriant:

— Charles, prends garde à toi!

Alors la mère Bovary s'effraya pour le bonheur de son fils, et, craignant que son époux, à la longue, n'eût une influence immorale sur les idées de la jeune femme, elle se hâta de presser le départ. Peut-être avait-elle des inquiétudes plus sérieuses. M. Bovary était homme à ne rien respecter.

Un jour, Emma fut prise tout à coup du besoin de voir sa petite fille, qui avait été mise en nourrice chez la femme du menuisier, et, sans regarder à l'almanach si les six semaines de la Vierge [176] duraient encore, elle s'achemina vers la demeure de Rollet, qui se trouvait à l'extrémité du village, au bas de la côte, entre la grande route et les prairies.

Il était midi; les maisons avaient leurs volets fermés, et les toits d'ardoises, qui reluisaient sous la lumière âpre du ciel bleu, semblaient à la crête de leurs pignons faire pétiller des étincelles. Un vent lourd soufflait. Emma se sentait faible en marchant; les cailloux du trottoir la blessaient; elle hésita si elle ne s'en retournerait pas chez elle ou entrerait quelque part pour s'asseoir.

A ce moment, M. Léon sortit d'une porte voisine, avec une liasse de papiers sous son bras. Il vint la saluer et se mit à l'ombre devant la boutique de Lheureux, sous la tente grise qui avançait.

Madame Bovary dit qu'elle allait voir son enfant, mais qu'elle commençait à être lasse.

— Si..., reprit Léon, n'osant poursuivre.

— Avez-vous affaire quelque part? demanda-t-elle.

Et, sur la réponse du clerc, elle le pria de l'accompagner. Dès le soir, cela fut connu dans Yonville, et madame Tuvache, la femme du maire, déclara devant sa servante que *madame Bovary se compromettait.*

Pour arriver chez la nourrice, il fallait, après la rue, tourner à gauche, comme pour gagner le cimetière, et suivre, entre des maisonnettes et des cours, un petit sentier que bordaient des troènes. Ils étaient en fleur et les véroniques aussi, les églantiers, les orties et les ronces légères qui s'élançaient des buissons. Par le trou des haies, on apercevait, dans les *masures,* quelque pourceau sur un fumier, ou des vaches embricolées,[177] frottant leurs cornes contre le tronc des arbres. Tous les deux, côte à côte, ils marchaient doucement, elle s'appuyant sur lui, et lui retenant son pas qu'il mesurait sur les siens; devant eux un essaim de mouches voltigeait, en bourdonnant dans l'air chaud.

Ils reconnurent la maison à un vieux noyer qui l'ombrageait. Basse et couverte de tuiles brunes, elle avait en dehors, sous la lucarne de son grenier, un chapelet d'oignons suspendu. Des bourrées, debout contre la clôture d'épines, entouraient un carré de laitues, quelques pieds de lavande et des pois à fleurs montés sur des rames. De l'eau sale coulait en s'éparpillant sur l'herbe, et il y avait tout autour plusieurs guenilles indistinctes, des bas de tricot, une camisole d'indienne rouge et un grand drap de toile épaisse étalé en long sur la haie. Au bruit de la barrière, la nourrice parut, tenant sur son bras un enfant qui tétait. Elle tirait de l'autre main un pauvre marmot chétif, couvert de scrofules au visage, le fils d'un bonnetier de Rouen, que ses parents, trop occupés de leur négoce, laissaient à la campagne.

—Entrez, dit-elle; votre petite est là qui dort.

La chambre, au rez-de-chaussée, la seule du logis, avait au fond, contre la muraille, un large lit sans rideaux, tandis que le pétrin occupait le côté de la fenêtre, dont une vitre était raccommodée avec un soleil de papier bleu. Dans l'angle, derrière la porte, des brodequins à clous luisants étaient rangés sous la dalle du lavoir, près d'une bouteille pleine d'huile qui portait une plume à son goulot; un *Mathieu Laensberg* [178] traînait sur la cheminée poudreuse, parmi des pierres à fusil, des bouts de chandelle et des morceaux d'amadou. Enfin, la dernière superfluité de cet appartement était une Renommée soufflant dans des trompettes, image découpée sans doute à même quelque prospectus de parfumerie et que six pointes à sabot clouaient au mur.

L'enfant d'Emma dormait à terre, dans un berceau d'osier. Elle la prit avec la couverture qui l'enveloppait, et se mit à chanter doucement en se dandinant.

Léon se promenait dans la chambre; il lui semblait étrange de voir cette belle dame en robe de nankin tout au milieu de cette misère. Madame Bovary devint rouge; il se détourna, croyant que ses yeux peut-être avaient eu quelque impertinence. Puis elle recoucha la petite qui venait de vomir sur sa collerette. La nourrice aussitôt vint l'essuyer, protestant qu'il n'y paraîtrait pas.

—Elle m'en fait bien d'autres, disait-elle, et je ne suis occupée qu'à la rincer continuellement! Si vous aviez donc la complaisance de commander à Camus l'épicier qu'il me laisse prendre un peu de savon lorsqu'il m'en faut? Ce serait même plus commode pour vous, que je ne dérangerais pas.

—C'est bien, c'est bien! dit Emma. Au revoir, mère Rollet!

Et elle sortit en essuyant ses pieds sur le seuil.

La bonne femme l'accompagna jusqu'au bout de la cour, tout en parlant du mal qu'elle avait à se relever la nuit.

—J'en suis si rompue quelquefois que je m'endors sur ma chaise; aussi, vous devriez pour le moins me donner une petite livre de café moulu qui me ferait un mois et que je prendrais le matin avec du lait.

Après avoir subi ses remercîments, madame Bovary s'en alla; et elle était quelque peu avancée dans le sentier, lorsqu'à un bruit de sabots elle tourna la tête: c'était la nourrice.

—Qu'y a-t-il?

Alors la paysanne, la tirant à l'écart derrière un orme, se mit à lui parler de son mari, qui, avec son métier et six francs par an que le capitaine...

— Achevez plus vite, dit Emma.

— Eh bien! reprit la nourrice poussant des soupirs entre chaque mot, j'ai peur qu'il ne se fasse une tristesse de me voir prendre du café toute seule; vous savez, les hommes...

—Puisque vous en aurez, répétait Emma, je vous en donnerai!... Vous m'ennuyez!

—Hélas! ma pauvre chère dame, c'est qu'il a, par suite de ses blessures, des crampes terribles à la poitrine. Il dit même que le cidre l'affaiblit.

—Mais dépêchez-vous, mère Rollet!

—Donc, reprit celle-ci faisant une révérence, si ce n'était pas trop vous demander..., elle salua encore une fois — quand vous voudrez, — et son regard suppliait, — un cruchon d'eau-de-vie, dit-elle enfin, et j'en frotterai les pieds de votre petite, qui les a tendres comme la langue.

Débarrassée de la nourrice, Emma reprit le bras de

M. Léon. Elle marcha rapidement pendant quelque temps; puis elle se ralentit, et son regard, qu'elle promenait devant elle, rencontra l'épaule du jeune homme, dont la redingote avait un collet de velours noir. Ses cheveux châtains tombaient dessus, plats et bien peignés. Elle remarqua ses ongles, qui étaient plus longs qu'on ne les portait à Yonville. C'était une des grandes occupations du clerc que de les entretenir; et il gardait, à ce usage, un canif tout particulier dans son écritoire.

Ils s'en revinrent à Yonville en suivant le bord de l'eau. Dans la saison chaude, la berge plus élargie découvrait jusqu'à leur base les murs des jardins, qui avaient un escalier de quelques marches descendant à la rivière. Elle coulait sans bruit, rapide et froide à l'œil; de grandes herbes minces s'y courbaient ensemble, selon le courant qui les poussait, et comme des chevelures vertes abandonnées s'étalaient dans sa limpidité. Quelquefois, à la pointe des joncs ou sur la feuille des nénufars, un insecte à pattes fines marchait ou se posait. Le soleil traversait d'un rayon les petits globules bleus des ondes qui se succédaient en se crevant; les vieux saules ébranchés miraient dans l'eau leur écorce grise; au delà, tout alentour, la prairie semblait vide. C'était l'heure du dîner dans les fermes, et la jeune femme et son compagnon n'entendaient en marchant que la cadence de leurs pas sur la terre du sentier, les paroles qu'ils se disaient, et le frôlement de la robe d'Emma qui bruissait tout autour d'elle.

Les murs des jardins, garnis à leur chaperon de morceaux de bouteilles, étaient chauds comme le vitrage d'une serre. Dans les briques, des ravenelles avaient poussé, et, du bord de son ombrelle déployée, madame Bovary, tout en passant, faisait s'égrener en poussière jaune un peu de leurs fleurs flétries, ou bien quelque branche des chèvrefeuilles et des clématites qui pendaient au dehors traînait un moment sur la soie, en s'accrochant aux effilés.

Ils causaient d'une troupe de danseurs espagnols, que l'on attendait bientôt sur le théâtre de Rouen.

—Vous irez? demanda-t-elle.

—Si je le peux, répondit-il.

N'avaient-ils rien autre chose à se dire? Leurs yeux pourtant étaient pleins d'une causerie plus sérieuse; et, tandis qu'ils s'efforçaient à trouver des phrases banales, ils sentaient une même langueur les envahir tous les deux; c'était comme un murmure de l'âme, profond, continu, qui dominait celui des voix. Surpris d'étonnement à cette suavité nouvelle, ils ne songeaient pas à s'en raconter la sensation ou en découvrir la cause. Les bonheurs futurs, comme les rivages des tropiques, projettent sur l'immensité qui les précède leurs mollesses natales, une brise parfumée, et l'on s'assoupit dans cet enivrement, sans même s'inquiéter de l'horizon que l'on n'aperçoit pas.

La terre, à un endroit, se trouvait effondrée par le pas des bestiaux; il fallut marcher sur de grosses pierres vertes, espacées dans la boue. Souvent, elle s'arrêtait une minute à regarder où poser sa bottine, —et, chancelant sur le caillou qui tremblait, les coudes en l'air, la taille penchée, l'œil indécis, elle riait alors, de peur de tomber dans les flaques d'eau.

Quand ils furent arrivés devant son jardin, madame Bovary poussa la petite barrière, monta les marches en courant et disparut.

Léon rentra à son étude. Le patron était absent; il jeta un coup d'œil sur les dossiers, puis se tailla une plume, prit enfin son chapeau et s'en alla.

Il alla sur la Pâture, au haut de la côte d'Argueil, à l'entrée de la forêt; il se coucha par terre sous les sapins et regarda le ciel à travers ses doigts.

—Comme je m'ennuie! se disait-il, comme je m'ennuie!

Il se trouvait à plaindre de vivre dans ce village, avec Homais pour ami et M. Guillaumin pour maître. Ce dernier, tout occupé d'affaires, portant des lunettes à branches d'or et favoris rouges sur cravate blanche, n'entendait rien aux délicatesses de l'esprit, quoiqu'il affectât un genre raide et anglais qui avait ébloui le clerc dans les premiers temps. Quant à la femme du pharmacien, c'était la meilleure épouse de Normandie, douce comme un mouton, chérissant ses enfants, son père, sa mère, ses cousins, pleurant aux maux d'autrui, faisant tout aller dans son ménage, et détestant les corsets; — mais si lente à se mouvoir, si ennuyeuse à écouter, d'un aspect si commun et d'une conversation si restreinte qu'il n'avait jamais songé, quoiqu'elle eût trente ans, qu'il en eût vingt, qu'ils couchassent porte à porte, et qu'il lui parlât chaque jour, qu'elle pût être une femme pour quelqu'un, ni qu'elle possédât de son sexe autre chose que la robe.

Et ensuite, qu'y avait-il? Binet, quelques marchands, deux ou trois cabaretiers, le curé, et enfin M. Tuvache, le maire, avec ses deux fils, gens cossus, bourrus, obtus, cultivant leurs terres eux-mêmes, faisant les ripailles en famille, dévots d'ailleurs, et d'une société tout à fait insupportable.

Mais, sur le fond commun de tous ces visages humains, la figure d'Emma se détachait isolée et plus lointaine cependant; car il sentait entre elle et lui comme de vagues abîmes.

Au commencement, il était venu chez elle plusieurs fois dans la compagnie du pharmacien. Charles n'avait point paru extrêmement curieux de le recevoir; et Léon ne savait comment s'y prendre entre la peur d'être indiscret et le désir d'une intimité qu'il estimait presque impossible.

Chapitre 4.

Dès les premiers froids, Emma quitta sa chambre pour habiter la salle, longue pièce à plafond bas où il y avait, sur la cheminée, un polypier [179] touffu s'étalant contre la glace. Assise dans son fauteuil, près de la fenêtre, elle voyait passer les gens du village sur le trottoir.

Léon, deux fois par jour, allait de son étude au *Lion
d'or;* Emma, de loin, l'entendait venir; elle se penchait en
écoutant; et le jeune homme glissait derrière le rideau,
toujours vêtu de même façon et sans détourner la tête.
Mais, au crépuscule, lorsque, le menton dans sa main
gauche, elle avait abandonné sur ses genoux sa tapisserie
commencée, souvent elle tressaillait à l'apparition de cette
ombre glissant tout à coup. Elle se levait et commandait
qu'on mît le couvert.

M. Homais arrivait pendant le dîner. Bonnet grec à la
main, il entrait à pas muets pour ne déranger personne
et toujours en répétant la même phrase: «Bonsoir la
compagnie!» Puis, quand il s'était posé à sa place, contre
la table, entre les deux époux, il demandait au médecin
des nouvelles de ses malades, et celui-ci le consultait sur
la probabilité des honoraires. Ensuite, on causait de ce
qu'il y avait *dans le journal.* Homais, à cette heure-là, le
savait presque par cœur; et il le rapportait intégralement,
avec les réflexions du journaliste et toutes les histoires des
catastrophes individuelles arrivées en France ou à l'étranger. Mais, le sujet se tarissant, il ne tardait pas à lancer
quelques observations sur les mets qu'il voyait. Parfois
même, se levant à demi, il indiquait délicatement à Madame le morceau le plus tendre, ou, se tournant vers la
bonne, lui adressait des conseils, pour la manipulation des
ragoûts et l'hygiène des assaisonnements; il parlait arome,
osmazôme,[180] suc et gélatine d'une façon à éblouir. La
tête, d'ailleurs, plus remplie de recettes que sa pharmacie
ne l'était de bocaux, Homais excellait à faire quantité de
confitures, vinaigres et liqueurs douces, et il connaissait
aussi toutes les inventions nouvelles de caléfacteurs[181]
économiques, avec l'art de conserver les fromages et de
soigner les vins malades.

A huit heures, Justin venait le chercher pour fermer
la pharmacie. Alors M. Homais le regardait d'un œil
narquois, surtout si Félicité se trouvait là, s'étant aperçu
que son élève affectionnait la maison du médecin.

—Mon gaillard, disait-il, commence à avoir des idées,

et je crois, diable m'emporte, qu'il est amoureux de votre bonne!

Mais un défaut plus grave, et qu'il lui reprochait, c'était d'écouter continuellement les conversations. Le dimanche, par exemple, on ne pouvait le faire sortir du salon, où madame Homais l'avait appelé pour prendre les enfants, qui s'endormaient dans les fauteuils, en tirant avec leurs dos les housses de calicot, trop larges.

Il ne venait pas grand monde à ces soirées du pharmacien, sa médisance et ses opinions politiques ayant écarté de lui successivement différentes personnes respectables. Le clerc ne manquait pas de s'y trouver. Dès qu'il entendait la sonnette, il courait au-devant de madame Bovary, prenait son châle, et posait à l'écart, sous le bureau de la pharmacie, les grosses pantoufles de lisière qu'elle portait sur sa chaussure, quand il y avait de la neige.

On faisait d'abord quelques parties de trente-et-un; ensuite M. Homais jouait à l'écarté avec Emma; Léon, derrière elle, lui donnait des avis. Debout et les mains sur le dossier de sa chaise, il regardait les dents de son peigne qui mordaient son chignon. A chaque mouvement qu'elle faisait pour jeter les cartes, sa robe du côté droit remontait. De ses cheveux retroussés, il descendait une couleur brune sur son dos, et qui s'apâlissant graduellement, peu à peu se perdait dans l'ombre. Son vêtement, ensuite, retombait des deux côtés sur le siège, en bouffant, plein de plis, et s'étalait jusqu'à terre. Quand Léon, parfois, sentait la semelle de sa botte poser dessus, il s'écartait comme s'il eût marché sur quelqu'un.

Lorsque la partie de cartes était finie, l'apothicaire et le médecin jouaient aux dominos, et Emma, changeant de place, s'accoudait sur la table à feuilleter l'*Illustration*. Elle avait apporté son journal de modes. Léon se mettait près d'elle; ils regardaient ensemble les gravures et s'attendaient au bas des pages. Souvent elle le priait de lui dire des vers; Léon les déclamait d'une voix traînante et qu'il faisait expirer soigneusement aux passages d'amour. Mais le bruit des dominos la contrariait; M. Homais y

était fort, il battait Charles à plein double-six. Puis les
trois centaines terminées, ils s'allongeaient tous les deux
devant le foyer et ne tardaient pas à s'endormir. Le feu se
mourait dans les cendres; la théière était vide; Léon lisait
encore, Emma l'écoutait, en faisant tourner machinalement
l'abat-jour de la lampe, où étaient peints sur la gaze des
pierrots dans des voitures et des danseuses de corde, avec
leurs balanciers. Léon s'arrêtait, désignant d'un geste son
auditoire endormi; alors ils se parlaient à voix basse, et
la conversation qu'ils avaient leur semblait plus douce
parce qu'elle n'était pas entendue.

Ainsi s'établit entre eux une sorte d'association, un
commerce continuel de livres et de romances; M. Bovary,
peu jaloux, ne s'en étonnait pas.

Il reçut pour sa fête une belle tête phrénologique,[182]
toute marquetée de chiffres jusqu'au thorax et peinte en
bleu. C'était une attention du clerc. Il en avait bien d'autres, jusqu'à lui faire, à Rouen, ses commissions; et le livre
d'un romancier ayant mis à la mode la manie des plantes
grasses, Léon en achetait pour Madame, qu'il rapportait
sur ses genoux, dans l'*Hirondelle,* tout en se piquant les
doigts à leurs poils durs.

Elle fit ajuster, contre sa croisée, une planchette à
balustrade pour tenir ses potiches. Le clerc eut aussi son
jardinet suspendu; ils s'apercevaient soignant leurs fleurs
à leur fenêtre.

Parmi les fenêtres du village, il y en avait une encore
plus souvent occupée: car, le dimanche, depuis le matin
jusqu'à la nuit, et chaque après-midi, si le temps était clair,
on voyait à la lucarne d'un grenier le profil maigre de
M. Binet penché sur son tour, dont le ronflement monotone s'entendait jusqu'au *Lion d'or.*

Un soir, en rentrant, Léon trouva dans sa chambre un
tapis de velours et de laine avec des feuillages sur fond
pâle. Il appela madame Homais, M. Homais, Justin, les
enfants, la cuisinière; il en parla à son patron; tout le
monde désira connaître ce tapis; pourquoi la femme du
médecin faisait-elle au clerc des *générosités?* Cela parut

drôle, et l'on pensa définitivement qu'elle devait être *sa bonne amie*.

Il le donnait à croire, tant il vous entretenait sans cesse de ses charmes et de son esprit, si bien que Binet lui répondit une fois fort brutalement:

— Que m'importe à moi, puisque je ne suis pas de sa société!

Il se torturait à découvrir par quel moyen lui *faire sa déclaration;* et, toujours hésitant entre la crainte de lui déplaire et la honte d'être si pusillanime, il en pleurait de découragement et de désir. Puis il prenait des décisions énergiques; il écrivait des lettres qu'il déchirait, s'ajournait à des époques qu'il reculait. Souvent, il se mettait en marche, dans le projet de tout oser; mais cette résolution l'abandonnait bien vite en la présence d'Emma, et quand Charles, survenant, l'invitait à monter dans son *boc,* pour aller voir ensemble quelque malade aux environs, il acceptait aussitôt, saluait Madame et s'en allait. Son mari, n'était-ce pas quelque chose d'elle?

Quant à Emma, elle ne s'interrogea point pour savoir si elle l'aimait. L'amour, croyait-elle, devait arriver tout à coup, avec de grands éclats et des fulgurations, — ouragan des cieux qui tombe sur la vie, la bouleverse, arrache les volontés comme des feuilles et emporte à l'abîme le cœur entier. Elle ne savait pas que, sur la terrasse des maisons, la pluie fait des lacs quand les gouttières sont bouchées, et elle fût ainsi demeurée en sa sécurité lorsqu'elle découvrit subitement une lézarde dans le mur.

Chapitre 5.

Ce fut un dimanche de février, une après-midi qu'il neigeait.

Ils étaient tous, M. et Madame Bovary, Homais et

M. Léon, partis voir, à une demi-lieue d'Yonville, dans la vallée, une filature de lin que l'on établissait. L'apothicaire avait emmené avec lui Napoléon et Athalie, pour leur faire faire de l'exercice, et Justin les accompagnait portant des parapluies sur son épaule.

Rien pourtant n'était moins curieux que cette curiosité. Un grand espace de terrain vide, où se trouvaient pêle-mêle, entre des tas de sable et de cailloux, quelques roues d'engrenage déjà rouillées, entourait un long bâtiment quadrangulaire que perçaient quantité de petites fenêtres. Il n'était pas achevé d'être bâti et l'on voyait le ciel à travers les lambourdes de la toiture. Attaché à la poutrelle du pignon, un bouquet de paille entremêlé d'épis faisait claquer au vent ses rubans tricolores.

Homais parlait. Il expliquait à la *compagnie* l'importance future de cet établissement, supputait la force des planchers, l'épaisseur des murailles, et regrettait beaucoup de n'avoir pas de canne métrique, comme M. Binet en possédait une pour son usage particulier.

Emma, qui lui donnait le bras, s'appuyait un peu sur son épaule, et elle regardait le disque du soleil irradiant au loin, dans la brume, sa pâleur éblouissante; mais elle tourna la tête: Charles était là. Il avait sa casquette enfoncée sur les sourcils, et ses deux grosses lèvres tremblotaient, ce qui ajoutait à son visage quelque chose de stupide; son dos même, son dos tranquille était irritant à voir, et elle y trouvait étalée sur la redingote toute la platitude du personnage.

Pendant qu'elle le considérait, goûtant ainsi dans son irritation une sorte de volupté dépravée, Léon s'avança d'un pas. Le froid qui le pâlissait semblait déposer sur sa figure une langueur plus douce; entre sa cravate et son cou, le col de sa chemise, un peu lâche, laissait voir la peau; un bout d'oreille dépassait sous une mèche de cheveux, et son grand œil bleu, levé vers les nuages, parut à Emma plus limpide et plus beau que ces lacs des montagnes où le ciel se mire.

— Malheureux! s'écria tout à coup l'apothicaire.

Et il courut à son fils, qui venait de se précipiter dans un tas de chaux pour peindre ses souliers en blanc. Aux reproches dont on l'accablait Napoléon se prit à pousser des hurlements, tandis que Justin lui essuyait ses chaussures avec un torchis de paille. Mais il eût fallu un couteau; Charles offrit le sien.

—Ah! se dit-elle, il porte un couteau dans sa poche, comme un paysan!

Le givre tombait, et l'on s'en retourna vers Yonville.

Madame Bovary, le soir, n'alla pas chez ses voisins, et, quand Charles fut parti, lorsqu'elle se sentit seule, le parallèle recommença dans la netteté d'une sensation presque immédiate et avec cet allongement de perspective que le souvenir donne aux objets. Regardant de son lit le feu clair qui brûlait, elle voyait encore, comme là-bas, Léon debout, faisant plier d'une main sa badine et tenant de l'autre Athalie, qui suçait tranquillement un morceau de glace. Elle le trouvait charmant; elle ne pouvait s'en détacher; elle se rappela ses autres attitudes en d'autres jours, des phrases qu'il avait dites, le son de sa voix, toute sa personne; et elle répétait, en avançant ses lèvres comme pour un baiser:

—Oui, charmant! charmant!... N'aime-t-il pas? se demanda-t-elle. Qui donc?... mais c'est moi!

Toutes les preuves à la fois s'en étalèrent, son cœur bondit. La flamme de la cheminée faisait trembler au plafond une clarté joyeuse; elle se tourna sur le dos en s'étirant les bras.

Alors commença l'éternelle lamentation: « Oh! si le ciel l'avait voulu! Pourquoi n'est-ce pas? Qui empêchait donc?... »

Quand Charles, à minuit, rentra, elle eut l'air de s'éveiller, et, comme il fit du bruit en se déshabillant, elle se plaignit de la migraine; puis demanda nonchalamment ce qui s'était passé dans la soirée.

—M. Léon, dit-il, est remonté de bonne heure.

Elle ne put s'empêcher de sourire, et elle s'endormit l'âme remplie d'un enchantement nouveau.

Le lendemain, à la nuit tombante, elle reçut la visite du sieur Lheureux, marchand de nouveautés. C'était un homme habile que ce boutiquier.

Né Gascon, mais devenu Normand, il doublait sa faconde méridionale de cautèle cauchoise. Sa figure grasse, molle et sans barbe, semblait teinte par une décoction de réglisse claire, et sa chevelure blanche rendait plus vif encore l'éclat rude de ses petits yeux noirs. On ignorait ce qu'il avait été jadis: porteballe, disaient les uns, banquier à Routot, selon les autres. Ce qu'il y a de sûr, c'est qu'il faisait, de tête, des calculs compliqués à effrayer Binet lui-même. Poli jusqu'à l'obséquiosité, il se tenait toujours les reins à demi courbés, dans la position de quelqu'un qui salue ou qui invite.

Après avoir laissé à la porte son chapeau garni d'un crêpe, il posa sur la table un carton vert et commença par se plaindre à Madame, avec force civilités, d'être resté jusqu'à ce jour sans obtenir sa confiance. Une pauvre boutique comme la sienne n'était pas faite pour attirer une *élégante;* il appuya sur le mot. Elle n'avait pourtant qu'à commander, et il se chargerait de lui fournir ce qu'elle voudrait, tant en mercerie que lingerie, bonneterie ou nouveautés; car il allait à la ville quatre fois par mois régulièrement. Il était en relation avec les plus fortes maisons. On pourrait parler de lui aux *Trois Frères,* à la *Barbe d'or* ou au *Grand Sauvage;* tous ces messieurs le connaissaient comme leurs poches! Aujourd'hui, donc, il venait montrer à Madame, en passant, différents articles qu'il se trouvait avoir, grâce à une occasion des plus rares. Et il retira de la boîte une demi-douzaine de cols brodés.

Madame Bovary les examina.

—Je n'ai besoin de rien, dit-elle.

Alors M. Lheureux exhiba délicatement trois écharpes algériennes, plusieurs paquets d'aiguilles anglaises, une paire de pantoufles en paille et, enfin, quatre coquetiers en coco, ciselés à jour par des forçats. Puis, les deux mains sur la table, le cou tendu, la taille penchée, il suivait, bouche béante, le regard d'Emma qui se promenait

indécis parmi ces marchandises. De temps à autre, comme
pour en chasser la poussière, il donnait un coup d'ongle
sur la soie des écharpes, dépliées dans toute leur longueur;
et elles frémissaient avec un bruit léger en faisant, à la
lumière verdâtre du crépuscule, scintiller, comme de petites
étoiles, les paillettes d'or de leur tissu.

— Combien coûtent-elles?

— Une misère, répondit-il, une misère; mais rien ne
presse; quand vous voudrez; nous ne sommes pas des Juifs!

Elle réfléchit quelques instants, et finit encore par remercier M. Lheureux, qui répliqua sans s'émouvoir:

— Eh bien! nous nous entendrons plus tard; avec les
dames je me suis toujours arrangé, si ce n'est avec la
mienne, cependant!

Emma sourit.

— C'était pour vous dire, reprit-il d'un air bonhomme,
après sa plaisanterie, que ce n'est pas l'argent qui m'inquiète... Je vous en donnerais, s'il le fallait.

Elle eut un geste de surprise.

— Ah! fit-il vivement et à voix basse, je n'aurais pas
besoin d'aller loin pour vous en trouver; comptez-y!

Et il se mit à demander des nouvelles du père Tellier,
le maître du *Café Français,* que M. Bovary soignait alors.

— Qu'est-ce qu'il a donc, le père Tellier?... Il tousse
qu'il en secoue toute sa maison, et j'ai bien peur que,
prochainement, il ne faille plutôt un paletot de sapin [183]
qu'une camisole de flanelle! Il a fait tant de bamboches [184]
quand il était jeune! Ces gens-là, madame, n'avaient pas
le moindre ordre! Il s'est calciné avec l'eau-de-vie! Mais
c'est fâcheux, tout de même, de voir une connaissance
s'en aller.

Et, tandis qu'il rebouclait son carton, il discourait ainsi
sur la clientèle du médecin.

— C'est le temps, sans doute, dit-il en regardant les
carreaux avec une figure rechignée, qui est la cause de ces
maladies-là? Moi aussi, je ne me sens pas en mon assiette;
il faudra même un de ces jours que je vienne consulter
Monsieur, pour une douleur que j'ai dans le dos. Enfin,

au revoir, madame Bovary; à votre disposition; serviteur très humble!

Et il referma la porte doucement.

Emma se fit servir à dîner dans sa chambre, au coin du feu, sur un plateau; elle fut longue à manger; tout lui sembla bon.

— Comme j'ai été sage! se disait-elle en songeant aux écharpes.

Elle entendit des pas dans l'escalier: c'était Léon. Elle se leva, et prit sur la commode, parmi des torchons à ourler, le premier de la pile. Elle semblait fort occupée quand il parut.

La conversation fut languissante, madame Bovary l'abandonnant à chaque minute, tandis qu'il demeurait lui-même comme tout embarrassé. Assis sur une chaise basse, près de la cheminée, il faisait tourner dans ses doigts l'étui d'ivoire; elle poussait son aiguille, ou, de temps à autre, avec son ongle, fronçait les plis de la toile. Elle ne parlait pas; il se taisait, captivé par son silence, comme il l'eût été par ses paroles.

— Pauvre garçon! pensait-elle.

— En quoi lui déplais-je? se demandait-il.

Léon, cependant, finit par dire qu'il devait, un de ces jours, aller à Rouen, pour une affaire de son étude.

— Votre abonnement de musique est terminé, dois-je le reprendre?

— Non, répondit-elle.

— Pourquoi?

— Parce que...

Et, pinçant ses lèvres, elle tira lentement une longue aiguillée de fil gris.

Cet ouvrage irritait Léon. Les doigts d'Emma semblaient s'y écorcher par le bout; il lui vint en tête une phrase galante, mais qu'il ne risqua pas.

— Vous l'abandonnez donc? reprit-il.

— Quoi? dit-elle vivement: la musique? Ah! mon Dieu, oui! N'ai-je pas ma maison à tenir, mon mari à soigner, mille choses enfin, bien des devoirs qui passent auparavant!

Elle regarda la pendule. Charles était en retard. Alors elle fit la soucieuse. Deux ou trois fois elle répéta:

—Il est si bon!

Le clerc affectionnait M. Bovary. Mais cette tendresse à son endroit l'étonna d'une façon désagréable; néanmoins il continua son éloge, qu'il entendait faire à chacun, disait-il, et surtout au pharmacien.

—Ah! c'est un brave homme, reprit Emma.

—Certes, reprit le clerc.

Et il se mit à parler de madame Homais, dont la tenue fort négligée leur prêtait à rire ordinairement.

—Qu'est-ce que cela fait? interrompit Emma. Une bonne mère de famille ne s'inquiète pas de sa toilette.

Puis elle retomba dans son silence.

Il en fut de même les jours suivants; ses discours, ses manières, tout changea. On la vit prendre à cœur son ménage, retourner à l'église régulièrement et tenir sa servante avec plus de sévérité.

Elle retira Berthe de nourrice. Félicité l'amenait quand il venait des visites, et madame Bovary la déshabillait afin de faire voir ses membres. Elle déclarait adorer les enfants; c'était sa consolation, sa joie, sa folie, et elle accompagnait ses caresses d'expansions lyriques, qui, à d'autres qu'à des Yonvillais, eussent rappelé la Sachette[185] de *Notre-Dame de Paris*.

Quand Charles rentrait, il trouvait auprès des cendres ses pantoufles à chauffer. Ses gilets maintenant ne manquaient plus de doublure, ni ses chemises de boutons, et même il y avait plaisir à considérer dans l'armoire tous les bonnets de coton rangés par piles égales. Elle ne rechignait plus, comme autrefois, à faire des tours dans le jardin; ce qu'il proposait était toujours consenti, bien qu'elle ne devinât pas les volontés auxquelles elle se soumettait sans un murmure; — et lorsque Léon le voyait au coin de feu, après le dîner, les deux mains sur son ventre, les deux pieds sur les chenets, la joue rougie par la digestion, les yeux humides de bonheur, avec l'enfant qui se traînait sur le tapis, et cette femme à taille mince qui, par-dessus le dossier du fauteuil, venait le baiser au front:

—Quelle folie! se disait-il, et comment arriver jusqu'à elle?

Elle lui parut donc si vertueuse et inaccessible que toute espérance, même la plus vague, l'abandonna.

Mais, par ce renoncement, il la plaçait en des conditions extraordinaires. Elle se dégagea, pour lui, des qualités charnelles dont il n'avait rien à obtenir; et elle alla, dans son cœur, montant toujours et s'en détachant à la manière magnifique d'une apothéose qui s'envole. C'était un de ces sentiments purs qui n'embarrassent pas l'exercice de la vie, que l'on cultive parce qu'ils sont rares, et dont la perte affligerait plus que la possession n'est réjouissante.

Emma maigrit, ses joues pâlirent, sa figure s'allongea. Avec ses bandeaux noirs, ses grands yeux, son nez droit, sa démarche d'oiseau, et toujours silencieuse maintenant, ne semblait-elle pas traverser l'existence en y touchant à peine, et porter au front la vague empreinte de quelque prédestination sublime? Elle était si triste et si calme, si douce à la fois et si réservée, que l'on se sentait près d'elle pris par un charme glacial, comme l'on frissonne dans les églises sous le parfum des fleurs mêlé au froid des marbres. Les autres même n'échappaient point à cette séduction. Le pharmacien disait:

—C'est une femme de grands moyens et qui ne serait pas déplacée dans une sous-préfecture.

Les bourgeoises admiraient son économie, les clients sa politesse, les pauvres sa charité.

Mais elle était pleine de convoitises, de rage, de haine. Cette robe aux plis droits cachait un cœur bouleversé, et ces lèvres si pudiques n'en racontaient pas la tourmente. Elle était amoureuse de Léon, et elle recherchait la solitude, afin de pouvoir plus à l'aise se délecter en son image. La vue de sa personne troublait la volupté de cette méditation. Emma palpitait au bruit de ses pas: puis, en sa présence, l'émotion tombait, et il ne lui restait ensuite qu'un immense étonnement qui se finissait en tristesse.

Léon ne savait pas, lorsqu'il sortait de chez elle désespéré, qu'elle se levait derrière lui, afin de le voir dans la rue. Elle s'inquiétait de ses démarches; elle épiait son visage; elle inventa toute une histoire pour trouver prétexte à visiter sa chambre. La femme du pharmacien lui semblait bien heureuse de dormir sous le même toit; et ses pensées continuellement s'abattaient sur cette maison, comme les pigeons du *Lion d'or* qui venaient tremper là, dans les gouttières, leurs pattes roses et leurs ailes blanches. Mais plus Emma s'apercevait de son amour, plus elle le refoulait, afin qu'il ne parût pas, et pour le diminuer. Elle aurait voulu que Léon s'en doutât; et elle imaginait des hasards, des catastrophes qui l'eussent facilité. Ce qui la retenait, sans doute, c'était la paresse ou l'épouvante, et la pudeur aussi. Elle songeait qu'elle l'avait repoussé trop loin, qu'il n'était plus temps, que tout était perdu. Puis l'orgueil, la joie de se dire: « Je suis vertueuse », et de se regarder dans la glace en prenant des poses résignées, la consolait un peu du sacrifice qu'elle croyait faire.

Alors, les appétits de la chair, les convoitises d'argent et les mélancolies de la passion, tout se confondit dans une même souffrance; — et au lieu d'en détourner sa pensée, elle l'y attachait davantage, s'excitant à la douleur et en cherchant partout les occasions. Elle s'irritait d'un plat mal servi ou d'une porte entre-bâillée, gémissait du velours qu'elle n'avait pas, du bonheur qui lui manquait, de ses rêves trop hauts, de sa maison trop étroite.

Ce qui l'exaspérait, c'est que Charles n'avait pas l'air de se douter de son supplice. La conviction où il était de la rendre heureuse lui semblait une insulte imbécile, et sa sécurité là-dessus de l'ingratitude. Pour qui donc était-elle sage? N'était-il pas, lui, l'obstacle à toute félicité, la cause de toute misère, et comme l'ardillon pointu de cette courroie complexe qui la bouclait de tous côtés?

Donc, elle reporta sur lui seul la haine nombreuse qui résultait de ses ennuis, et chaque effort pour l'amoindrir ne servait qu'à l'augmenter; car cette peine inutile s'ajoutait aux autres motifs de désespoir et contribuait encore plus à l'écartement. Sa propre douceur à elle-même lui donnait des rébellions. La médiocrité domestique la poussait à des fantaisies luxueuses, la tendresse matrimoniale en des désirs adultères. Elle aurait voulu que Charles la battît, pour pouvoir plus justement le détester, s'en venger. Elle s'étonnait parfois des conjectures atroces qui lui arrivaient à la pensée; et il fallait continuer à sourire, s'entendre répéter qu'elle était heureuse, faire semblant de l'être, le laisser croire?

Elle avait des dégoûts, cependant, de cette hypocrisie. Des tentations la prenaient de s'enfuir avec Léon, quelque part, bien loin, pour essayer une destinée nouvelle; mais aussitôt il s'ouvrait dans son âme un gouffre vague, plein d'obscurité.

— D'ailleurs, il ne m'aime plus, pensait-elle; que devenir? quel secours attendre, quelle consolation, quel allégement?

Elle restait brisée, haletante, inerte, sanglotant à voix basse et avec des larmes qui coulaient.

— Pourquoi ne point le dire à Monsieur? lui demandait la domestique, lorsqu'elle entrait pendant ces crises.

— Ce sont les nerfs, répondait Emma; ne lui en parle pas, tu l'affligerais.

— Ah! oui, reprenait Félicité, vous êtes justement comme la Guérine, la fille au père Guérin, le pêcheur du Pollet, que j'ai connue à Dieppe, avant de venir chez vous. Elle était triste, si triste, qu'à la voir debout sur le seuil de sa maison, elle vous faisait l'effet d'un drap d'enterrement tendu devant la porte. Son mal, à ce qu'il paraît, était une manière de brouillard qu'elle avait dans la tête, et les médecins n'y pouvaient rien, ni le curé non plus. Quand ça la prenait trop fort, elle s'en allait toute seule sur le bord de la mer, si bien que le lieutenant de la douane, en faisant sa tournée, souvent la trouvait étendue à plat ventre et pleurant sur les galets. Puis, après son mariage, ça lui a passé, dit-on.

— Mais, moi, reprenait Emma, c'est après le mariage que ça m'est venu.

Chapitre 6.

Un soir que la **fenêtre** était ouverte, et que, assise au bord, elle venait de regarder Lestiboudois, le bedeau, qui taillait le buis, elle entendit tout à coup sonner l'*Angelus*.

On était au commencement d'avril, quand les primevères sont écloses; un vent tiède se roule sur les plates-bandes labourées, et les jardins, comme des femmes, semblent faire leur toilette pour les fêtes de l'été. Par les barreaux de la tonnelle et au delà tout alentour, on voyait la rivière dans la prairie, où elle dessinait sur l'herbe des sinuosités vagabondes. La vapeur du soir passait entre les peupliers sans feuilles, estompant leurs contours d'une teinte violette, plus pâle et plus transparente qu'une gaze subtile arrêtée sur leurs branchages. Au loin, des bestiaux marchaient; on n'entendait ni leurs pas, ni leurs mugissements; et la cloche, sonnant toujours, continuait dans les airs sa lamentation pacifique.

A ce tintement répété, la pensée de la jeune femme s'égarait dans ses vieux souvenirs de jeunesse et de pension. Elle se rappela les grands chandeliers, qui dépassaient sur l'autel, les vases pleins de fleurs et le tabernacle à colonnettes. Elle aurait voulu, comme autrefois, être encore confondue dans la longue ligne des voiles blancs, que marquaient de noir çà et là les capuchons raides des bonnes sœurs inclinées sur leur prie-Dieu; le dimanche, à la messe, quand elle relevait sa tête, elle apercevait le doux visage de la Vierge, parmi les tourbillons bleuâtres de l'encens qui montait. Alors un attendrissement la saisit: elle se sentit molle et tout abandonnée comme un duvet d'oiseau qui tournoie dans la tempête; et ce fut sans en

avoir conscience qu'elle s'achemina vers l'église, disposée
à n'importe quelle dévotion, pourvu qu'elle y courbât son
âme et que l'existence entière y disparût.

Elle rencontra, sur la place, Lestiboudois, qui s'en
revenait; car, pour ne pas rogner la journée,[186] il préférait
interrompre sa besogne, puis la prendre, si bien qu'il
tintait l'*Angelus* selon sa commodité. D'ailleurs, la sonnerie, faite plus tôt, avertissait les gamins de l'heure du
catéchisme.

Déjà quelques-uns, qui se trouvaient arrivés, jouaient
aux billes sur les dalles du cimetière. D'autres, à cali-
fourchon sur le mur, agitaient leurs jambes, en fauchant
avec leurs sabots les grandes orties poussées entre la petite
enceinte et les dernières tombes. C'était la seule place qui
fût verte; tout le reste n'était que pierres, et couvert continuellement d'une poudre fine, malgré le balai de la sacristie.

Les enfants en chaussons couraient là comme sur un
parquet fait pour eux, et on entendait les éclats de leurs
voix à travers le bourdonnement de la cloche. Il diminuait
avec les oscillations de la grosse corde qui, tombant des
hauteurs du clocher, traînait à terre par le bout. Des
hirondelles passaient en poussant de petits cris, coupaient
l'air au tranchant de leur vol, et rentraient vite dans leurs
nids jaunes sous les tuiles du larmier. Au fond de l'église,
une lampe brûlait, c'est-à-dire une mèche de veilleuse dans
un verre suspendu. Sa lumière, de loin, semblait une tache
blanchâtre qui tremblait sur l'huile. Un long rayon de
soleil traversait toute la nef et rendait plus sombres encore
les bas-côtés et les angles.

—Où est le curé? demanda madame Bovary à un jeune
garçon qui s'amusait à secouer le tourniquet dans son
trou trop lâche.

—Il va venir, répondit-il.

En effet, la porte du presbytère grinça, l'abbé Bournisien parut; les enfants, pêle-mêle, s'enfuirent dans l'église.

—Ces polissons-là! murmura l'ecclésiastique, toujours
les mêmes!

Et, ramassant un catéchisme en lambeaux qu'il venait de heurter avec son pied:

— Ça ne respecte rien!

Mais, dès qu'il aperçut madame Bovary:

— Excusez-moi, dit-il, je ne vous remettais pas.[187]

Il fourra le catéchisme dans sa poche et s'arrêta, continuant à balancer entre deux doigts la lourde clef de la sacristie.

La lueur du soleil couchant qui frappait en plein son visage pâlissait le lasting de sa soutane, luisante sous les coudes, effiloquée par le bas. Des taches de graisse et de tabac suivaient sur sa poitrine large la ligne des petits boutons, et elles devenaient plus nombreuses en s'écartant de son rabat, où reposaient les plis abondants de sa peau rouge; elle était semée de macules jaunes qui disparaissaient dans les poils rudes de sa barbe grisonnante. Il venait de dîner et respirait bruyamment.

— Comment vous portez-vous? ajouta-t-il.

— Mal, répondit Emma; je souffre.

— Eh bien! moi aussi, reprit l'ecclésiastique. Ces premières chaleurs, n'est-ce pas, vous amollissent étonnamment? Enfin, que voulez-vous! nous sommes nés pour souffrir, comme dit saint Paul. Mais M. Bovary, qu'est-ce qu'il en pense?

— Lui! fit-elle avec un geste de dédain.

— Quoi! répliqua le bonhomme tout étonné, il ne vous ordonne pas quelque chose?

— Ah! dit Emma, ce ne sont pas les remèdes de la terre qu'il me faudrait.

Mais le curé, de temps à autre, regardait dans l'église, où tous les gamins agenouillés se poussaient de l'épaule, et tombaient comme des capucins de cartes.

— Je voudrais savoir..., reprit-elle.

— Attends, attends, Riboudet, cria l'ecclésiastique d'une voix colère, je m'en vas aller te chauffer les oreilles, mauvais galopin!

Puis se tournant vers Emma:

— C'est le fils de Boudet le charpentier; ses parents

sont à leur aise et lui laissent faire ses fantaisies. Pourtant il apprendrait vite, s'il le voulait, car il est plein d'esprit. Et moi, quelquefois, par plaisanterie, je l'appelle donc Riboudet (comme la côte que l'on prend pour aller à Maromme), et je dis même: mon Riboudet. Ah! ah! Mont-Riboudet! L'autre jour, j'ai rapporté ce mot-là à Monseigneur, qui en a ri... il a daigné en rire.—Et M. Bovary, comment va-t-il?

Elle semblait ne pas entendre. Il continua:

—Toujours fort occupé, sans doute? Car nous sommes certainement, lui et moi, les deux personnes de la paroisse qui avons le plus à faire. Mais lui, il est le médecin des corps, ajouta-t-il avec un rire épais, et moi, je le suis des âmes!

Elle fixa sur le prêtre des yeux suppliants:

—Oui..., dit-elle, vous soulagez toutes les misères.

—Ah! ne m'en parlez pas, madame Bovary! Ce matin même, il a fallu que j'aille dans le Bas-Diauville [188] pour une vache qui avait l'*enfle;* [189] ils croyaient que c'était un sort. Toutes leurs vaches, je ne sais comment... Mais, pardon! Longuemarre et Boudet! sac à papier! [190] voulez-vous bien finir!

Et, d'un bond, il s'élança dans l'église.

Les gamins, alors, se pressaient autour du grand pupitre, grimpaient sur le tabouret du chantre, ouvraient le missel; et d'autres, à pas de loup, allaient se hasarder bientôt jusque dans le confessionnal. Mais le curé, soudain, distribua sur tous une grêle de soufflets. Les prenant par le collet de la veste, il les enlevait de terre et les reposait à deux genoux sur les pavés du chœur, fortement, comme s'il eût voulu les y planter.

—Allez, dit-il quand il fut revenu près d'Emma, et en déployant son large mouchoir d'indienne, dont il mit un angle entre ses dents, les cultivateurs sont bien à plaindre!

—Il y en a d'autres, répondit-elle.

—Assurément! les ouvriers des villes, par exemple.

—Ce ne sont pas eux....

—Pardonnez-moi! j'ai connu là de pauvres mères de

famille, des femmes vertueuses, je vous assure, de véritables saintes, qui manquaient même de pain.

— Mais celles, reprit Emma (et les coins de sa bouche se tordaient en parlant), celles, monsieur le curé, qui ont du pain, et qui n'ont pas...

— De feu l'hiver, dit le prêtre.

— Eh! qu'importe?

— Comment! qu'importe? Il me semble, à moi, que lorsqu'on est bien chauffé, bien nourri..., car, enfin...

— Mon Dieu! mon Dieu! soupirait-elle.

— Vous vous trouvez gênée? fit-il, en s'avançant d'un air inquiet; c'est la digestion, sans doute? il faut rentrer chez vous, madame Bovary, boire un peu de thé, ça vous fortifiera, ou bien un verre d'eau fraîche avec de la cassonade.

— Pourquoi?

Et elle avait l'air de quelqu'un qui se réveille d'un songe.

— C'est que vous passiez la main sur votre front. J'ai cru qu'un étourdissement vous prenait.

Puis, se ravisant:

— Mais vous me demandiez quelque chose? Qu'est-ce donc? Je ne sais plus.

— Moi? Rien..., rien..., répétait Emma.

Et son regard, qu'elle promenait autour d'elle, s'abaissa lentement sur le vieillard à soutane. Ils se considéraient tous les deux, face à face, sans parler.

— Alors, madame Bovary, dit-il enfin, faites excuse, mais le devoir avant tout, vous savez; il faut que j'expédie mes garnements. Voilà les premières communions qui vont venir. Nous serons encore surpris, j'en ai peur! Aussi, à partir de l'Ascension, je les tiens *recta*[191] tous les mercredis une heure de plus. Ces pauvres enfants! on ne saurait les diriger trop tôt dans la voie du Seigneur, comme, du reste, il nous l'a recommandé lui-même par la bouche de son divin Fils... Bonne santé, madame; mes respects à monsieur votre mari.

Et il entra dans l'église, en faisant, dès la porte, une génuflexion.

Emma le vit qui disparaissait entre la double ligne de bancs, marchant à pas lourds, la tête un peu penchée sur l'épaule, et avec ses deux mains entr'ouvertes, qu'il portait en dehors.

Puis elle tourna sur ses talons, tout d'un bloc, comme une statue sur un pivot, et prit le chemin de sa maison. Mais la grosse voix du curé, la voix claire des gamins arrivaient encore à son oreille et continuaient derrière elle:

—Etes-vous chrétien?

—Oui, je suis chrétien.

—Qu'est-ce qu'un chrétien?

—C'est celui qui, étant baptisé..., baptisé..., baptisé.

Elle monta les marches de son escalier en se tenant à la rampe, et, quand elle fut dans sa chambre, se laissa tomber dans un fauteuil.

Le jour blanchâtre des carreaux s'abaissait doucement avec des ondulations. Les meubles à leur place semblaient devenus plus immobiles et se perdre dans l'ombre comme dans un océan ténébreux. La cheminée était éteinte, la pendule battait toujours, et Emma vaguement s'ébahissait à ce calme des choses, tandis qu'il y avait en elle-même tant de bouleversements. Mais, entre la fenêtre et la table à ouvrage, la petite Berthe était là, qui chancelait sur ses bottines de tricot et essayait de se rapprocher de sa mère pour lui saisir, par le bout, les rubans de son tablier.

—Laisse-moi! dit celle-ci en l'écartant avec la main.

La petite fille bientôt revint plus près encore contre ses genoux; et, s'y appuyant des bras, elle levait vers elle son gros œil bleu, pendant qu'un filet de salive pure découlait de sa lèvre sur la soie du tablier.

—Laisse-moi! répéta la jeune femme tout irritée.

Sa figure épouvanta l'enfant, qui se mit à crier.

—Eh! laisse-moi donc! fit-elle en la repoussant du coude.

Berthe alla tomber au pied de la commode, contre la patère de cuivre; elle s'y coupa la joue, le sang sortit. Madame Bovary se précipita pour la relever, cassa le cordon de la sonnette, appela la servante de toutes ses forces, et elle allait commencer à se maudire, lorsque Charles parut. C'était l'heure du dîner, il rentrait.

— Regarde donc, cher ami, lui dit Emma d'une voix tranquille: voilà la petite qui, en jouant, vient de se blesser par terre.

Charles la rassura, le cas n'était point grave, et il alla chercher du diachylum.[192]

Madame Bovary ne descendit pas dans la salle; elle voulut demeurer seule à garder son enfant. Alors, en la contemplant dormir, ce qu'elle conservait d'inquiétude se dissipa par degrés, et elle se parut à elle-même bien sotte et bien bonne de s'être troublée tout à l'heure pour si peu de chose. Berthe, en effet, ne sanglotait plus. Sa respiration, maintenant, soulevait insensiblement la couverture de coton. De grosses larmes s'arrêtaient au coin de ses paupières à demi closes, qui laissaient voir entre les cils deux prunelles pâles, enfoncées; le sparadrap, collé sur sa joue, en tirait obliquement la peau tendue.

— C'est une chose étrange, pensait Emma, comme cette enfant est laide!

Quand Charles, à onze heures du soir, revint de la pharmacie (où il avait été remettre, après le dîner, ce qui lui restait du diachylum), il trouva sa femme debout auprès du berceau.

— Puisque je t'assure que ce ne sera rien, dit-il en la baisant au front; ne te tourmente pas, pauvre chérie, tu te rendras malade!

Il était resté longtemps chez l'apothicaire. Bien qu'il ne s'y fût pas montré fort ému, M. Homais, néanmoins, s'était efforcé de le raffermir, de lui *remonter le moral*. Alors on avait causé des dangers divers qui menaçaient l'enfance et de l'étourderie des domestiques. Madame Homais en savait quelque chose, ayant encore sur la poitrine les marques d'une écuellée de braise qu'une cuisinière, autrefois, avait laissé tomber dans son sarrau. Aussi ces bons parents prenaient-ils quantité de précautions. Les couteaux jamais n'étaient affilés, ni les appartements cirés. Il y avait aux fenêtres des grilles en fer et aux chambranles

de fortes barres. Les petits Homais, malgré leur indépendance, ne pouvaient remuer sans un surveillant derrière
eux; au moindre rhume, leur père les bourrait de pecto-
raux, et jusqu'à plus de quatre ans ils portaient tous,
impitoyablement, des bourrelets matelassés.[193] C'était, il
est vrai, une manie de madame Homais; son époux en
était intérieurement affligé, redoutant pour les organes de
l'intellect les résultats possibles d'une pareille compression,
et il s'échappait jusqu'à lui dire:

— Tu prétends donc en faire des Caraïbes ou des Boto-
cudos?

Charles, cependant, avait essayé plusieurs fois d'interrompre la conversation.

— J'aurais à vous entretenir, avait-il soufflé bas à l'oreille
du clerc, qui se mit à marcher devant lui dans l'escalier.

— Se douterait-il de quelque chose? se demandait Léon.
Il avait des battements de cœur et se perdait en conjectures.

Enfin Charles, ayant fermé la porte, le pria de voir
lui-même à Rouen quel pouvait être le prix d'un beau
daguerréotype; c'était une surprise sentimentale qu'il réser-
vait à sa femme, une attention fine, son portrait en habit
noir. Mais il voulait auparavant *savoir à quoi s'en tenir;* [194]
ces démarches ne devaient pas embarrasser M. Léon,
puisqu'il allait à la ville toutes les semaines, à peu près.

Dans quel but? Homais soupçonnait là-dessous quelque
histoire de jeune homme, une intrigue. Mais il se trompait;
Léon ne poursuivait aucune amourette. Plus que jamais
il était triste, et madame Lefrançois s'en apercevait bien
à la quantité de nourriture qu'il laissait maintenant sur
son assiette. Pour en savoir plus long, elle interrogea le
percepteur; Binet répliqua, d'un ton rogue, qu'il n'était
point payé par la police.

Son camarade, toutefois, lui paraissait fort singulier;
car souvent Léon se renversait sur sa chaise en écartant
les bras et se plaignait vaguement de l'existence.

— C'est que vous ne prenez point assez de distractions,
disait le percepteur.

— Lesquelles?

— Moi, à votre place, j'aurais un tour!

— Mais je ne sais pas tourner, répondait le clerc.

— Oh! c'est vrai! faisait l'autre en caressant sa mâchoire, avec un air de dédain mêlé de satisfaction.

Léon était las d'aimer sans résultat; puis il commençait à sentir cet accablement que vous cause la répétition de la même vie, lorsque aucun intérêt ne la dirige et qu'aucune espérance ne la soutient. Il était si ennuyé d'Yonville et des Yonvillais, que la vue de certaines gens, de certaines maisons l'irritait à n'y pouvoir tenir;[195] et le pharmacien, tout bonhomme qu'il était,[196] lui devenait complètement insupportable. Cependant la perspective d'une situation nouvelle l'effrayait autant qu'elle le séduisait.

Cette appréhension se tourna vite en impatience, et Paris alors agita pour lui, dans le lointain, la fanfare de ses bals masqués avec le rire de ses grisettes. Puisqu'il devait y terminer son droit, pourquoi ne partait-il pas? Qui l'empêchait? Et il se mit à faire des préparatifs intérieurs; il arrangea d'avance ses occupations. Il se meubla, dans sa tête, un appartement. Il y mènerait une vie d'artiste! Il y prendrait des leçons de guitare! Il aurait une robe de chambre, un béret basque, des pantoufles de velours bleu! El même il admirait déjà sur sa cheminée deux fleurets en sautoir,[197] avec une tête de mort et la guitare au-dessus.

La chose difficile était le consentement de sa mère; rien pourtant ne paraissait plus raisonnable. Son patron même l'engageait à visiter une autre étude, où il pût se développer davantage. Prenant donc un parti moyen,[198] Léon chercha quelque place de second clerc à Rouen, n'en trouva pas; il écrivit enfin à sa mère une longue lettre détaillée, où il exposait les raisons d'aller habiter Paris immédiatement. Elle y consentit.

Il ne se hâta point. Chaque jour, durant tout un mois, Hivert transporta pour lui d'Yonville à Rouen, de Rouen à Yonville, des coffres, des valises, des paquets; et, quand

Léon eut remonté sa garde-robe, fait rembourrer ses trois fauteuils, acheté une provision de foulards, pris, en un mot, plus de dispositions que pour un voyage autour du monde, il ajourna de semaine en semaine, jusqu'à ce qu'il reçût une seconde lettre maternelle où on le pressait de partir, puisqu'il désirait, avant les vacances, passer son examen.

Lorsque le moment fut venu des embrassades, madame Homais pleura; Justin sanglotait; Homais, en homme fort, dissimula son émotion, il voulait lui-même porter le paletot de son ami jusqu'à la grille du notaire, qui emmenait Léon à Rouen dans sa voiture. Ce dernier avait juste le temps de faire ses adieux à M. Bovary.

Quand il fut au haut de l'escalier, il s'arrêta, tant il se sentait hors d'haleine. A son entrée, madame Bovary se leva vivement.

—C'est encore moi! dit Léon.

—J'en étais sûre!

Elle se mordit les lèvres, et un flot de sang lui courut sous la peau, qui se colora tout en rose, depuis la racine des cheveux jusqu'au bord de sa collerette. Elle restait debout, s'appuyant de l'épaule contre la boiserie.

—Monsieur n'est donc pas là? reprit-il.

—Il est absent.

Elle répéta:

—Il est absent.

Alors il y eut un silence. Ils se regardèrent; et leurs pensées, confondues dans la même angoisse, s'étreignaient étroitement, comme deux poitrines palpitantes.

—Je voudrais bien embrasser Berthe, dit Léon.

Emma descendit quelques marches et elle appela Félicité.

Il jeta vite autour de lui un large coup d'œil qui s'étala sur les murs, les étagères, la cheminée, comme pour pénétrer tout, emporter tout.

Mais elle rentra, et la servante amena Berthe, qui secouait au bout d'une ficelle un moulin à vent la tête en bas.

Léon la baisa sur le cou à plusieurs reprises.

— Adieu, pauvre enfant! adieu, chère petite, adieu!

Et il la remit à sa mère.

— Emmenez-la, dit celle-ci.

Ils restèrent seuls.

Madame Bovary, le dos tourné, avait la figure posée contre un carreau; Léon tenait sa casquette à la main et la battait doucement le long de sa cuisse.

— Il va pleuvoir, dit Emma.

— J'ai un manteau, répondit-il.

— Ah!

Elle se détourna, le menton baissé et le front en avant. La lumière y glissait comme sur un marbre, jusqu'à la courbe des sourcils, sans que l'on pût savoir ce qu'Emma regardait à l'horizon ni ce qu'elle pensait au fond d'elle-même.

— Allons, adieu! soupira-t-il.

Elle releva sa tête d'un mouvement brusque:

— Oui, adieu... partez!

Ils s'avancèrent l'un vers l'autre: il tendit la main, elle hésita.

— A l'anglaise donc,[199] fit-elle, abandonnant la sienne, tout en s'efforçant de rire.

Léon la sentit entre ses doigts, et la substance même de tout son être lui semblait descendre dans cette paume humide.

Puis il ouvrit la main; leurs yeux se rencontrèrent encore, et il disparut.

Quand il fut sous les halles, il s'arrêta, et il se cacha derrière un pilier, afin de contempler une dernière fois cette maison blanche avec ses quatre jalousies vertes. Il crut voir une ombre derrière la fenêtre, dans la chambre, mais le rideau, se décrochant de la patère comme si personne n'y touchait, remua lentement ses longs plis obliques, qui d'un seul bond s'étalèrent tous, et il resta droit, plus immobile qu'un mur de plâtre. Léon se mit à courir.

Il aperçut de loin, sur la route, le cabriolet de son patron, et à côté un homme en serpillière [200] qui tenait le cheval. Homais et M. Guillaumin causaient ensemble. On l'attendait.

— Embrassez-moi, dit l'apothicaire, les larmes aux yeux. Voilà votre paletot, mon bon ami, prenez garde au froid! Soignez-vous! ménagez-vous!

— Allons, Léon, en voiture! dit le notaire.

Homais se pencha sur le garde-crotte et, d'une voix entrecoupée par les sanglots, laissa tomber ces deux mots tristes.

— Bon voyage!

— Bonsoir, répondit M. Guillaumin. Lâchez tout!

Ils partirent, et Homais s'en retourna.

Madame Bovary avait ouvert sa fenêtre sur le jardin, et elle regardait les nuages.

Ils s'amoncelaient au couchant, du côté de Rouen, et roulaient vite leurs volutes noires, d'où dépassaient par derrière les grandes lignes du soleil, comme les flèches d'or d'un trophée suspendu, tandis que le reste du ciel vide avait la blancheur d'une porcelaine. Mais une rafale de vent fit se courber les peupliers, et tout à coup la pluie tomba; elle crépitait sur les feuilles vertes. Puis le soleil reparut, les poules chantèrent, des moineaux battaient des ailes dans les buissons humides, et les flaques d'eau sur le sable emportaient en s'écoulant les fleurs roses d'un acacia.

— Ah! qu'il doit être loin déjà! pensa-t-elle.

M. Homais, comme de coutume, vint à six heures et demie, pendant le dîner.

— Eh bien! dit-il en s'asseyant, nous avons donc tantôt embarqué notre jeune homme?

— Il paraît! répondit le médecin.

Puis, se tournant sur sa chaise:

— Et quoi de neuf chez vous?

— Pas grand'chose. Ma femme, seulement, a été cette après-midi un peu émue. Vous savez, les femmes, un rien les trouble! la mienne surtout! Et l'on aurait tort de se révolter là contre, puisque leur organisation nerveuse est beaucoup plus malléable que la nôtre.

— Ce pauvre Léon! disait Charles, comment va-t-il vivre à Paris!... S'y accoutumera-t-il?

Madame Bovary soupira.

— Allons donc! dit le pharmacien en claquant de la langue, les parties fines chez le traiteur![201] les bals masqués! le champagne! tout cela va rouler,[202] je vous assure.

— Je ne crois pas qu'il se dérange,[203] objecta Bovary.

— Ni moi! reprit vivement M. Homais, quoiqu'il lui faudra pourtant suivre les autres, au risque de passer pour un jésuite. Et vous ne savez pas la vie que mènent ces farceurs-là, dans le quartier Latin, avec les actrices! Du reste, les étudiants sont fort bien vus à Paris. Pour peu qu'ils aient quelque talent d'agrément, on les reçoit dans les meilleures sociétés, et il y a même des dames du faubourg Saint-Germain qui en deviennent amoureuses, ce qui leur fournit, par la suite, les occasions de faire de très beaux mariages.

— Mais, dit le médecin, j'ai peur pour lui que... là-bas...

— Vous avez raison, interrompit l'apothicaire, c'est le revers de la médaille! et l'on y est obligé continuellement d'avoir la main posée sur son gousset.[204] Ainsi, vous êtes dans un jardin public, je suppose; un quidam se présente, bien mis, décoré même, et qu'on prendrait pour un diplomate; il vous aborde; vous causez; il s'insinue, vous offre une prise ou vous ramasse votre chapeau. Puis on se lie davantage; il vous mène au cafè, vous invite à venir dans sa maison de campagne, vous fait faire, entre deux vins, toutes sortes de connaissances, et, les trois quarts du temps, ce n'est que pour flibuster[205] votre bourse ou vous entraîner en des démarches pernicieuses.

— C'est vrai, répondit Charles; mais je pensais surtout aux maladies, à la fièvre typhoïde, par exemple, qui attaque les étudiants de la province.

Emma tressaillit.

— A cause du changement de régime, continua le pharmacien, et de la perturbation qui en résulte dans l'économie générale. Et puis, l'eau de Paris, voyez-vous!

les mets des restaurateurs, toutes ces nourritures épicées finissent par vous échauffer le sang et ne valent pas, quoi qu'on en dise, un bon pot-au-feu. J'ai toujours, quant à moi, préféré la cuisine bourgeoise: c'est plus sain! Aussi, lorsque j'étudiais à Rouen la pharmacie, je m'étais mis en pension dans une pension; je mangeais avec les professeurs.

Et il continua donc à exposer ses opinions générales et ses sympathies personnelles, jusqu'au moment où Justin vint le chercher pour un lait de poule qu'il fallait faire.

— Pas un instant de répit! s'écria-t-il, toujours à la chaîne! Je ne peux sortir une minute! Il faut, comme un cheval de labour, être à suer sang et eau! Quel collier de misère! [206]

Puis, quand il fut sur la porte:

— A propos, dit-il, savez-vous la nouvelle?

— Quoi donc?

— C'est qu'il est fort probable, reprit Homais, en dressant ses sourcils et en prenant une figure des plus sérieuses, que les comices agricoles de la Seine-Inférieure se tiendront cette année à Yonville-l'Abbaye. Le bruit, du moins, en circule. Ce matin, le journal en touchait quelque chose. Ce serait, pour notre arrondissement, de la dernière importance! Mais nous en causerons plus tard. J'y vois, je vous remercie; Justin a la lanterne.

Chapitre 7.

Le lendemain fut, pour Emma, une journée funèbre. Tout lui parut enveloppé par une atmosphère noire qui flottait confusément sur l'extérieur des choses, et le chagrin s'engouffrait dans son âme avec des hurlements doux, comme fait le vent d'hiver dans les châteaux abandonnés. C'était cette rêverie que l'on a sur ce qui ne reviendra plus, la lassitude qui vous prend après chaque fait accompli, cette douleur, enfin, que vous apportent l'interruption de tout mouvement accoutumé, la cessation brusque d'une vibration prolongée.

Comme au retour de la Vaubyessard, quand les quadrilles tourbillonnaient dans sa tête, elle avait une mélancolie morne, un désespoir engourdi. Léon réapparaissait plus grand, plus beau, plus suave, plus vague; quoiqu'il fût séparé d'elle, il ne l'avait pas quittée, il était là, et les murailles de la maison semblaient garder son ombre. Elle ne pouvait détacher sa vue de ce tapis où il avait marché, de ces meubles où il s'était assis. La rivière coulait toujours, et poussait lentement ses petits flots le long de la berge glissante. Ils s'y étaient promenés bien des fois, à ce même murmure des ondes, sur les cailloux couverts de mousse. Quels bons soleils ils avaient eus! Quelles bonnes après-midi, seuls, à l'ombre, dans le fond du jardin! Il lisait tout haut, tête nue, posé sur un tabouret de bâtons secs; le vent frais de la prairie faisait trembler les pages du livre et les capucines de la tonnelle. Ah! il était parti, le seul charme de sa vie, le seul espoir possible d'une félicité! Comment n'avait-elle pas saisi ce bonheur-là, quand il se présentait! Pourquoi ne l'avoir pas retenu à deux mains, à deux genoux, quand il voulait s'enfuir? Et elle se maudit de n'avoir pas aimé Léon; elle eut soif de ses lèvres. L'envie la prit de courir le rejoindre, de se jeter dans ses bras, de lui dire: « C'est moi, je suis à toi! » Mais Emma s'embarrassait d'avance aux difficultés de l'entreprise, et ses désirs, s'augmentant d'un regret, n'en devenaient que plus actifs.

Dès lors, ce souvenir de Léon fut comme le centre de son ennui; il y pétillait plus fort que, dans une steppe de Russie, un feu de voyageurs abandonné sur la neige. Elle se précipitait vers lui, elle se blottissait contre, elle remuait délicatement ce foyer près de s'éteindre, elle allait cherchant tout autour d'elle ce qui pouvait l'aviver davantage; et les réminiscences les plus lointaines comme les plus immédiates occasions, ce qu'elle éprouvait avec ce qu'elle imaginait, ses envies de volupté qui se dispersaient, ses projets de bonheur qui craquaient au vent comme des branchages morts, sa vertu stérile, ses espérances tombées, la litière domestique, elle ramassait tout, prenait tout, et faisait servir tout à réchauffer sa tristesse.

Cependant les flammes s'apaisèrent, soit que la provision d'elle-même s'épuisât ou que l'entassement fût trop considérable. L'amour peu à peu s'éteignit par l'absence, le regret s'étouffa sous l'habitude; et cette lueur d'incendie qui empourprait son ciel pâle se couvrit de plus d'ombre et s'effaça par degrés. Dans l'assoupissement de sa conscience, elle prit même les répugnances du mari pour des aspirations vers l'amant, les brûlures de la haine pour des réchauffements de la tendresse; mais, comme l'ouragan soufflait toujours, et que la passion se consuma jusqu'aux cendres, et qu'aucun secours ne vint, qu'aucun soleil ne parut, il fut de tous côtés nuit complète, et elle demeura perdue dans un froid qui la traversait.

Alors les mauvais jours de Tostes recommencèrent. Elle s'estimait à présent beaucoup plus malheureuse, car elle avait l'expérience du chagrin, avec la certitude qu'il ne finirait pas.

Une femme qui s'était imposé de si grands sacrifices pouvait bien se passer des fantaisies.[207] Elle s'acheta un prie-Dieu gothique, elle dépensa en un mois pour quatorze francs de citrons à se nettoyer les ongles; elle écrivit à Rouen, afin d'avoir une robe en cachemire bleu; elle choisit chez Lheureux la plus belle de ses écharpes; elle se la nouait à la taille par-dessus sa robe de chambre; et, les volets fermés, avec un livre à la main, elle restait étendue sur un canapé, dans cet accoutrement.

Souvent, elle variait sa coiffure: elle se mettait à la chinoise, en boucles molles, en nattes tressées; elle se fit une raie sur le côté de la tête et roula ses cheveux en dessous, comme un homme.

Elle voulut apprendre l'italien: elle acheta des dictionnaires, une grammaire, une provision de papier blanc.

Elle essaya des lectures sérieuses, de l'histoire et de la philosophie. La nuit, quelquefois, Charles se réveillait en sursaut, croyant qu'on venait le chercher pour un malade:

—J'y vais, balbutiait-il.

Et c'était le bruit d'une allumette qu'Emma frottait afin de rallumer la lampe. Mais il en était de ses lectures comme de ses tapisseries, qui, toutes commencées, encombraient son armoire; elle les prenait, les quittait, passait à d'autres.

Elle avait des accès, où on l'eût poussée facilement à des extravagances. Elle soutint un jour, contre son mari, qu'elle boirait un grand demi-verre d'eau-de-vie, et, comme Charles eut la bêtise de l'en défier, elle avala l'eau-de-vie jusqu'au bout.

Malgré ses airs évaporés (c'était le mot des bourgeoises d'Yonville), Emma, pourtant, ne paraissait pas joyeuse, et, d'habitude, elle gardait aux coins de la bouche cette immobile contraction qui plisse la figure des vieilles filles et celle des ambitieux déchus. Elle était pâle partout, blanche comme du linge; la peau du nez se tirait vers les narines, ses yeux vous regardaient d'une manière vague. Pour s'être découvert trois cheveux gris sur les tempes, elle parla de sa vieillesse.

Souvent des défaillances la prenaient. Un jour même elle eut un crachement de sang, et, comme Charles s'empressait, laissant apercevoir son inquiétude:

—Ah bah! répondit-elle, qu'est-ce que cela fait?

Charles s'alla réfugier dans son cabinet; et il pleura, les deux coudes sur la table, assis dans son fauteuil de bureau, sous la tête phrénologique.

Alors il écrivit à sa mère pour la prier de venir, et ils eurent ensemble de longues conférences au sujet d'Emma.

A quoi se résoudre? Que faire, puisqu'elle se refusait à tout traitement?

—Sais-tu ce qu'il faudrait à ta femme? reprenait la mère Bovary. Ce seraient des occupations forcées, des ouvrages manuels! Si elle était, comme tant d'autres, contrainte à gagner son pain, elle n'aurait pas ces vapeurslà, qui lui viennent d'un tas d'idées qu'elle se fourre dans la tête, et du désœuvrement où elle vit.

— Pourtant elle s'occupe, disait Charles.

— Ah! elle s'occupe! A quoi donc? A lire des romans, de mauvais livres, des ouvrages qui sont contre la religion et dans lesquels on se moque des prêtres par des discours tirés de Voltaire. Mais tout cela va loin, mon pauvre enfant, et quelqu'un qui n'a pas de religion finit toujours par tourner mal.

Donc, il fut résolu que l'on empêcherait Emma de lire des romans. L'entreprise ne semblait point facile. La bonne dame s'en chargea: elle devait, quand elle passerait par Rouen, aller en personne chez le loueur de livres et lui représenter qu'Emma cessait ses abonnements. N'aurait-on pas le droit d'avertir la police, si le libraire persistait quand même dans son métier d'empoisonneur?

Les adieux de la belle-mère et de la bru furent secs. Pendant trois semaines qu'elles étaient restées ensemble, elle n'avaient pas échangé quatre paroles, à part les informations et les compliments, quand elles se rencontraient à table, et le soir avant de se mettre au lit.

Madame Bovary mère partit un mercredi, qui était jour de marché à Yonville.

La place, dès le matin, était encombrée par une file de charrettes qui, toutes à cul et les brancards en l'air, s'étendaient le long des maisons depuis l'église jusqu'à l'auberge. De l'autre côté, il y avait des baraques de toile où l'on vendait des cotonnades, des couvertures et des bas de laine, avec des licous pour les chevaux et des paquets de rubans bleus, qui par le bout s'envolaient au vent. De la grosse quincaillerie s'étalait par terre, entre les pyramides d'œufs et les bannettes de fromages, d'où sortaient des pailles gluantes; près des machines à blé, des poules qui gloussaient dans des cages plates passaient leurs cous par les barreaux. La foule, s'encombrant au même endroit sans en vouloir bouger, menaçait quelquefois de rompre la devanture de la pharmacie. Les mercredis, elle ne désemplissait pas et l'on s'y poussait, moins pour acheter des médicaments que pour prendre des consultations, tant était fameuse la réputation du sieur Homais, dans les villages circonvoisins. Son robuste aplomb avait fasciné les campagnards. Ils le regardaient comme un plus grand médecin que tous les médecins.

Emma était accoudée à sa fenêtre (elle s'y mettait souvent: la fenêtre, en province, remplace les théâtres et la promenade), et elle s'amusait à considérer la cohue des rustres, lorsqu'elle aperçut un monsieur vêtu d'une redingote de velours vert. Il était ganté de gants jaunes, quoiqu'il fût chaussé de fortes guêtres; et il se dirigeait vers la maison du médecin, suivi d'un paysan marchant la tête basse d'un air tout réfléchi.

— Puis-je voir Monsieur? demanda-t-il à Justin, qui causait sur le seuil avec Félicité.

Et, le prenant pour le domestique de la maison:

— Dites-lui que M. Rodolphe Boulanger, de la Huchette, est là.

Ce n'était point par vanité territoriale que le nouvel arrivant avait ajouté à son nom la particule, mais afin de se faire mieux connaître. La Huchette, en effet, était un domaine près d'Yonville, dont il venait d'acquérir le château, avec deux fermes qu'il cultivait lui-même, sans trop se gêner cependant. Il vivait en garçon, et passait pour avoir *au moins quinze mille livres de rentes!*

Charles entra dans la salle. M. Boulanger lui présenta son homme, qui voulait être saigné, parce qu'il éprouvait *des fourmis le long du corps.*

— Ça me purgera, objectait-il à tous les raisonnements.

Bovary commença donc d'apporter une bande et une cuvette, et pria Justin de la soutenir. Puis, s'adressant au villageois déjà blême:

— N'ayez point peur, mon brave.

— Non, non, répondit l'autre, marchez toujours!

Et, d'un air fanfaron, il tendit son gros bras. Sous la piqûre de la lancette, le sang jaillit et alla s'éclabousser contre la glace.

— Approche le vase! exclama Charles.

—*Guête!* [208] disait le paysan, on jurerait une petite fontaine qui coule! Comme j'ai le sang rouge! Ce doit être bon signe, n'est-ce pas?

—Quelquefois, reprit l'officier de santé, l'on n'éprouve rien au commencement, puis la syncope se déclare, et plus particulièrement chez les gens bien constitués comme celui-ci.

Le campagnard, à ces mots, lâcha l'étui qu'il tournait entre ses doigts. Une saccade de ses épaules fit craquer le dossier de sa chaise. Son chapeau tomba.

—Je m'en doutais, dit Bovary en appliquant son doigt sur la veine.

La cuvette commençait à trembler aux mains de Justin; ses genoux chancelèrent, il devint pâle.

—Ma femme! ma femme! appela Charles.

D'un bond, elle descendit l'escalier.

—Du vinaigre! cria-t-il. Ah! mon Dieu, deux à la fois.

Et, dans son émotion, il avait peine à poser la compresse.

—Ce n'est rien, disait tout tranquillement M. Boulanger, tandis qu'il prenait Justin entre ses bras.

Et il l'assit sur la table, lui appuyant le dos contre la muraille.

Madame Bovary se mit à lui retirer sa cravate. Il y avait un nœud aux cordons de sa chemise; elle resta quelques minutes à remuer ses doigts légers dans le cou du jeune garçon; ensuite elle versa du vinaigre sur son mouchoir de batiste; elle lui en mouillait les tempes à petits coups et elle soufflait dessus, délicatement.

Le charretier se réveilla: mais la syncope de Justin durait encore, et ses prunelles disparaissaient dans leur sclérotique pâle, comme des fleurs bleues dans du lait.

—Il faudrait, dit Charles, lui cacher cela.

Madame Bovary prit la cuvette, pour la mettre sous la table; dans le mouvement qu'elle fit en s'inclinant, sa robe (c'était une robe d'été à quatre volants, de couleur jaune, longue de taille, large de jupe), sa robe s'évasa autour d'elle sur les carreaux de la salle;—et, comme Emma, baissée, chancelait un peu en écartant les bras, le gonflement de l'étoffe se crevait de place en place, selon les inflexions de son corsage. Ensuite, elle alla prendre une carafe d'eau, et elle faisait fondre des morceaux de sucre lorsque le pharmacien arriva. La servante l'avait été chercher dans l'algarade; en apercevant son élève les yeux ouverts, il reprit haleine. Puis, tournant autour de lui, il le regardait de haut en bas.

— Sot! disait-il; petit sot, vraiment! sot en trois lettres! Grand'chose, après tout, qu'une phlébotomie! et un gaillard qui n'a pas peur de rien! une espèce d'écureuil tel que vous le voyez, qui monte locher [209] des noix à des hauteurs vertigineuses. Ah! oui, parle, vante-toi! voilà de belles dispositions à exercer plus tard la pharmacie; car tu peux te trouver appelé en des circonstances graves, par-devant les tribunaux, afin d'y éclairer la conscience des magistrats; et il faudra pourtant garder son sang-froid, raisonner, se montrer homme, ou bien passer pour un imbécile!

Justin ne répondait pas. L'apothicaire continuait:

— Qui t'a prié de venir? Tu importunes toujours monsieur et madame! Les mercredis, d'ailleurs, ta présence m'est plus indispensable. Il y a maintenant vingt personnes à la maison. J'ai tout quitté, à cause de l'intérêt que je te porte. Allons, va-t'en! cours! attends-moi, et surveille les bocaux!

Quand Justin, qui se rhabillait, fut parti, l'on causa quelque peu des évanouissements. Madame Bovary n'en avait jamais eu.

— C'est extraordinaire pour une dame! dit M. Boulanger. Du reste, il y a des gens bien délicats. Ainsi j'ai vu, dans une rencontre, un témoin perdre connaissance rien qu'au bruit des pistolets que l'on chargeait.

— Moi, dit l'apothicaire, la vue du sang des autres ne me fait rien du tout; mais l'idée seulement du mien qui coule suffirait à me causer des défaillances, si j'y réfléchissais trop.

Cependant M. Boulanger congédia son domestique, en l'engageant à se tranquilliser l'esprit, puisque sa fantaisie était passée.

—Elle m'a procuré l'avantage de votre connaissance, ajouta-t-il.

Et il regardait Emma durant cette phrase.

Puis il déposa trois francs sur le coin de la table, salua négligemment et s'en alla.

Il fut bientôt de l'autre côté de la rivière (c'était son chemin pour s'en retourner à la Huchette); et Emma l'aperçut dans la prairie, qui marchait sous les peupliers, se ralentissant de temps à autre comme quelqu'un qui réfléchit.

—Elle est fort gentille! se disait-il; elle est fort gentille, cette femme du médecin! De belles dents, les yeux noirs, le pied coquet, et de la tournure comme une Parisienne. D'où diable sort-elle? Où donc l'a-t-il trouvée, ce gros garçon-là?

M. Rodolphe Boulanger avait trente-quatre ans; il était de tempérament brutal et d'intelligence perspicace, ayant d'ailleurs beaucoup fréquenté les femmes et s'y connaissant bien. Celle-là lui avait paru jolie: il y rêvait donc, et à son mari.

—Je le crois très bête. Elle en est fatiguée sans doute. Il porte des ongles sales et une barbe de trois jours. Tandis qu'il trottine à ses malades, elle reste à ravauder des chaussettes. Et on s'ennuie! on voudrait habiter la ville, danser la polka tous les soirs! Pauvre petite femme! Ça bâille [210] après l'amour, comme une carpe après l'eau sur une table de cuisine. Avec trois mots de galanterie, cela vous adorerait, j'en suis sûr! ce serait tendre! charmant!... Oui, mais comment s'en débarrasser ensuite?

Alors les encombrements du plaisir, entrevus en perspective, le firent, par contraste, songer à sa maîtresse. C'était une comédienne de Rouen, qu'il entretenait; et, quand il se fut arrêté sur cette image, dont il avait, en souvenir même, des rassasiements:

—Ah! Madame Bovary, pensa-t-il, est bien plus jolie qu'elle, plus fraîche surtout. Virginie, décidément, commence à devenir trop grosse. Elle est si fastidieuse [211] avec ses joies. Et, d'ailleurs, quelle manie de salicoques!

La campagne était déserte, et Rodolphe n'entendait autour de lui que le battement régulier des herbes qui fouettaient sa chaussure, avec le cri des grillons tapis au loin sous les avoines; il revoyait Emma dans la salle, habillée comme il l'avait vue, et il la déshabillait.

— Oh! je l'aurai! s'écria-t-il en écrasant, d'un coup de bâton, une motte de terre devant lui.

Et, aussitôt, il examina la partie politique de l'entreprise. Il se demandait:

— Où se rencontrer? par quel moyen? On aura continuellement le marmot sur les épaules, et la bonne, les voisins, le mari, toute sorte de tracasseries considérables. Ah bah! dit-il, on y perd trop de temps!

Puis il recommença:

— C'est qu'elle a des yeux qui vous entrent au cœur comme des vrilles. Et ce teint pâle!... Moi, qui adore les femmes pâles!

Au haut de la côte d'Argueil, sa résolution était prise.

— Il n'y a plus qu'à chercher les occasions. Eh bien! j'y passerai quelquefois, je leur enverrai du gibier, de la volaille; je me ferai saigner, s'il le faut; nous deviendrons amis, je les inviterai chez moi... Ah! parbleu! ajouta-t-il, voilà les Comices bientôt; elle y sera, je la verrai. Nous commencerons, et hardiment, car c'est le plus sûr.

Chapitre 8.

Ils arrivèrent, en effet, ces fameux Comices! Dès le matin de la solennité, tous les habitants, sur leurs portes, s'entretenaient des préparatifs; on avait enguirlandé de lierre le fronton de la mairie; une tente, dans un pré, était dressée pour le festin, et, au milieu de la place, devant l'église,

une espèce de bombarde [212] devait signaler l'arrivée de
M. le préfet et le nom des cultivateurs lauréats. La garde
nationale de Buchy (il n'y en avait point à Yonville) était
venue s'adjoindre au corps des pompiers, dont Binet était
le capitaine. Il portait, ce jour-là, un col encore plus haut
que de coutume; et, sanglé [213] dans sa tunique, il avait
le buste si raide et immobile, que toute la partie vitale
de sa personne semblait être descendue dans ses deux
jambes, qui se levaient en cadence, à pas marqués, d'un
seul mouvement. Comme une rivalité subsistait entre le
percepteur et le colonel, l'un et l'autre, pour montrer leurs
talents, faisaient à part manœuvrer leurs hommes. On
voyait alternativement passer et repasser les épaulettes
rouges et les plastrons noirs. Cela ne finissait pas et toujours
recommençait! Jamais il n'y avait eu pareil déploiement
de pompe! Plusieurs bourgeois, dès la veille, avaient lavé
leurs maisons; des drapeaux tricolores pendaient aux fenêtres entr'ouvertes; tous les cabarets étaient pleins; et, par
le beau temps qu'il faisait, les bonnets empesés, les croix
d'or et les fichus de couleur paraissaient plus blancs que
neige, miroitaient au soleil clair, et relevaient de leur
bigarrure éparpillée la sombre monotonie des redingotes
et des bourgerons bleus. Les fermières des environs retiraient, en descendant de cheval, la grosse épingle qui leur
serrait autour du corps leur robe retroussée de peur des
taches; et les maris, au contraire, afin de ménager leurs
chapeaux, gardaient par-dessus des mouchoirs de poche,
dont ils tenaient un angle entre les dents.

La foule arrivait dans la grande rue par les deux bouts
du village. Il s'en dégorgeait des ruelles, des allées, des
maisons, et l'on entendait de temps à autre retomber le
marteau des portes, derrière les bourgeoises en gants de
fil, qui sortaient pour aller voir la fête. Ce que l'on admirait surtout, c'étaient deux longs ifs couverts de lampions
qui flanquaient une estrade où s'allaient tenir les autorités;
et il y avait de plus, contre les quatre colonnes de la
mairie, quatre manières de gaules, portant chacune un
petit étendard de toile verdâtre, enrichi d'inscriptions en

lettres d'or. On lisait sur l'un: « Au Commerce »; sur l'autre: « A l'Agriculture »; sur le troisième: « A l'Industrie », et sur le quatrième: « Aux Beaux-Arts ».

Mais la jubilation qui épanouissait tous les visages paraissait assombrir madame Lefrançois, l'aubergiste. Debout sur les marches de sa cuisine, elle murmurait dans son menton:

— Quelle bêtise! Quelle bêtise avec leur baraque de toile! Croient-ils que le préfet sera bien aise de dîner là-bas, sous une tente, comme un saltimbanque? Ils appellent ces embarras-là faire le bien du pays! Ce n'était pas la peine, alors, d'aller chercher un gargotier [214] à Neufchâtel! Et pour qui? pour des vachers! des va-nu-pieds!...

L'apothicaire passa. Il avait un habit noir, un pantalon de nankin, des souliers de castor et, par extraordinaire, un chapeau,—un chapeau bas de forme.

— Serviteur! [215] dit-il; excusez-moi, je suis pressé.

Et comme la grosse veuve lui demanda où il allait:

— Cela vous semble drôle, n'est-ce pas? moi qui reste toujours plus confiné dans mon laboratoire que le rat du bonhomme dans son fromage. [216]

— Quel fromage? fit l'aubergiste.

— Non, rien! ce n'est rien! reprit Homais. Je voulais vous exprimer seulement, madame Lefrançois, que je demeure d'habitude tout reclus chez moi. Aujourd'hui, cependant, vu la circonstance, il faut bien que...

— Ah! vous allez là-bas? dit-elle avec un air de dédain.

— Oui, j'y vais, répliqua l'apothicaire étonné; ne fais-je point partie de la commission consultative?

La mère Lefrançois le considéra quelques minutes, et finit par répondre en souriant:

— C'est autre chose! Mais qu'est-ce que la culture vous regarde? Vous vous y entendez donc?

— Certainement, je m'y entends, puisque je suis pharmacien, c'est-à-dire chimiste! Et la chimie, madame Lefrançois, ayant pour objet la connaissance de l'action réciproque et moléculaire de tous les corps de la nature, il s'ensuit que l'agriculture se trouve comprise dans son domaine! Et, en effet, composition des engrais, fermentation des liquides, analyse des gaz et influence des miasmes, qu'est-ce que tout cela, je vous le demande, si ce n'est de la chimie pure et simple?

L'aubergiste ne répondit rien. Homais continua:

—Croyez-vous qu'il faille, pour être agronome, avoir soi-même labouré la terre ou engraissé des volailles? Mais il faut connaître plutôt la constitution des substances dont il s'agit, les gisements géologiques, les actions atmosphériques, la qualité des terrains, des minéraux, des eaux, la densité des différents corps et leur capillarité! Que sais-je? Et il faut posséder à fond tous les principes d'hygiène, pour diriger, critiquer la construction des bâtiments, le régime des animaux, l'alimentation des domestiques! Il faut encore, madame Lefrançois, posséder la botanique; pouvoir discerner les plantes. Entendez-vous? Quelles sont les salutaires d'avec les délétères; quelles les improductives et quelles les nutritives; s'il est bon de les arracher par-ci et de les ressemer par-là, de propager les unes, de détruire les autres; bref, il faut se tenir au courant de la science par les brochures et papiers publics, être toujours en haleine, afin d'indiquer les améliorations...

L'aubergiste ne quittait point des yeux la porte du *Café Français,* et le pharmacien poursuivit:

—Plût à Dieu que nos agriculteurs fussent des chimistes, ou que du moins ils écoutassent davantage les conseils de la science! Ainsi, moi, j'ai dernièrement écrit un fort opuscule, un mémoire de plus de soixante et douze pages, intitulé: *Du cidre, de sa fabrication et de ses effets, suivi de quelques réflexions nouvelles à ce sujet,* que j'ai envoyé à la Société agronomique de Rouen; ce qui m'a même valu l'honneur d'être reçu parmi ses membres, section d'agriculture, classe de pomologie. Eh bien! si mon ouvrage avait été livré à la publicité...

Mais l'apothicaire s'arrêta, tant madame Lefrançois paraissait préoccupée.

—Voyez-les donc! disait-elle, on n'y comprend rien! une gargote semblable!

Et, avec des haussements d'épaules qui tiraient sur sa poitrine les mailles de son tricot, elle montrait des deux mains le cabaret de son rival, d'où sortaient alors des chansons.

— Du reste, il n'en a pas pour longtemps, ajouta-t-elle; avant huit jours, tout est fini.

Homais se recula de stupéfaction. Elle descendit ses trois marches, et, lui parlant à l'oreille:

— Comment! vous ne savez pas cela? On va le saisir cette semaine. C'est Lheureux qui le fait vendre. Il l'a assassiné de billets.

L'hôtesse donc se mit à lui raconter cette histoire, qu'elle savait par Théodore, le domestique de M. Guillaumin, et, bien qu'elle exécrât Tellier, elle blâmait Lheureux. C'était un enjôleur, un rampant.

— Ah! tenez, dit-elle, le voilà sous les halles: il salue madame Bovary, qui a un chapeau vert. Elle est même au bras de Boulanger.

— Madame Bovary! fit Homais. Je m'empresse d'aller lui offrir mes hommages. Peut-être qu'elle sera bien aise d'avoir une place dans l'enceinte, sous le péristyle.

Et, sans écouter la mère Lefrançois, qui le rappelait pour lui en conter plus long, le pharmacien s'éloigna d'un pas rapide, sourire aux lèvres et jarret tendu, distribuant de droite et de gauche quantité de salutations et emplissant beaucoup d'espace avec les grandes basques de son habit noir, qui flottaient au vent derrière lui.

Rodolphe, l'ayant aperçu de loin, avait pris un train rapide; mais madame Bovary s'essouffla; il se ralentit donc et lui dit en souriant, d'un ton brutal:

— C'est pour éviter ce gros homme: vous savez, l'apothicaire.

Elle lui donna un coup de coude.

— Qu'est-ce que cela signifie? se demanda-t-il.

Et il la considéra du coin de l'œil, tout en continuant à marcher.

Son profil était si calme, que l'on n'y devinait rien. Il se détachait en pleine lumière, dans l'ovale de sa capote

qui avait des rubans pâles ressemblant à des feuilles de
roseau. Ses yeux aux longs cils courbes regardaient devant
elle, et, quoique bien ouverts, ils semblaient un peu bridés
par les pommettes, à cause du sang qui battait doucement
sous sa peau fine. Une couleur rose traversait la cloison
de son nez. Elle inclinait la tête sur l'épaule, et l'on voyait
entre ses lèvres le bout nacré de ses dents blanches.

— Se moque-t-elle de moi? songeait Rodolphe.

Ce geste d'Emma pourtant n'avait été qu'un avertisse-
ment, car M. Lheureux les accompagnait, et il leur parlait
de temps à autre, comme pour entrer en conversation.

— Voici une journée superbe! Tout le monde est dehors!
Les vents sont à l'est.

Et madame Bovary, non plus que Rodolphe, ne lui
répondait guère, tandis qu'au moindre mouvement qu'ils
faisaient, il se rapprochait en disant: « Plaît-il? » et portait
la main à son chapeau.

Quand ils furent devant la maison du maréchal, au lieu
de suivre la route jusqu'à la barrière, Rodolphe, brusquement, prit un sentier, entraînant madame Bovary; il cria:

— Bonsoir, monsieur Lheureux! Au plaisir!

— Comme vous l'avez congédié! dit-elle en riant.

— Pourquoi, reprit-il, se laisser envahir par les autres?
et, puisque, aujourd'hui, j'ai le bonheur d'être avec vous...

Emma rougit. Il n'acheva point sa phrase. Alors il parla
du beau temps et du plaisir de marcher sur l'herbe.
Quelques marguerites étaient repoussées.

— Voici de gentilles pâquerettes, dit-il, et de quoi fournir
bien des oracles à toutes les amoureuses du pays.

Il ajouta:

— Si j'en cueillais. Qu'en pensez-vous?

— Est-ce que vous êtes amoureux? fit-elle en toussant
un peu.

— Eh! eh! qui sait, répondit Rodolphe.

Le pré commençait à se remplir, et les ménagères vous
heurtaient avec leurs grands parapluies, leurs paniers et
leurs bambins. Souvent il fallait se déranger devant une
longue file de campagnardes, servantes en bas bleus, à

souliers plats, à bagues d'argent, et qui sentaient le lait quand on passait près d'elles. Elles marchaient en se tenant par la main, et se répandaient ainsi sur toute la longueur de la prairie, depuis la ligne des trembles jusqu'à la tente du banquet. Mais c'était le moment de l'examen, et les cultivateurs, les uns après les autres, entraient dans une manière d'hippodrome que formait une longue corde portée sur des bâtons.

Les bêtes étaient là, le nez tourné vers la ficelle, et alignant confusément leurs croupes inégales. Les porcs assoupis enfonçaient en terre leur groin; des veaux beuglaient; des brebis bêlaient; les vaches, un jarret replié, étalaient leur ventre sur le gazon, et, ruminant lentement, clignaient leurs paupières lourdes sous les moucherons qui bourdonnaient autour d'elles. Des charretiers, les bras nus, retenaient par le licou des étalons cabrés, qui hennissaient à pleins naseaux du côté des juments. Elles restaient paisibles, allongeant la tête et la crinière pendante, tandis que leurs poulains se reposaient à leur ombre, ou venaient les téter quelquefois; et, sur la longue ondulation de tous ces corps tassés, on voyait se lever au vent, comme un flot, quelque crinière blanche, ou bien saillir des cornes aiguës et des têtes d'hommes qui couraient. A l'écart, en dehors des lices, cent pas plus loin, il y avait un grand taureau noir muselé, portant un cercle de fer à la narine, et qui ne bougeait pas plus qu'une bête de bronze. Un enfant en haillons le tenait par une corde.

Cependant, entre les deux rangées, des messieurs s'avançaient d'un pas lourd, examinant chaque animal, puis se consultaient à voix basse. L'un d'eux, qui semblait plus considérable, prenait, tout en marchant, quelques notes sur un album. C'était le président du jury: M. Derozerays de la Panville. Sitôt qu'il reconnut Rodolphe, il s'avança vivement, et lui dit en souriant d'un air aimable:

—Comment, monsieur Boulanger, vous nous abandonnez?

Rodolphe protesta qu'il allait venir. Mais, quand le président eut disparu:

— Ma foi, non, reprit-il, je n'irai pas: votre compagnie vaut bien la sienne.

Et, tout en se moquant des comices, Rodolphe, pour circuler plus à l'aise, montrait au gendarme sa pancarte bleue, et même il s'arrêtait parfois devant quelque beau *sujet* que madame Bovary n'admirait guère. Il s'en aperçut, et alors se mit à faire des plaisanteries sur les dames d'Yonville, à propos de leur toilette; puis il s'excusa lui-même du négligé de la sienne. Elle avait cette incohérence de choses communes et recherchées, où le vulgaire, d'habitude, croit entrevoir la révélation d'une existence excentrique, les désordres du sentiment, les tyrannies de l'art, et toujours un certain mépris des conventions sociales, ce qui le séduit ou l'exaspère. Ainsi, sa chemise de batiste à manchettes plissées bouffait au hasard du vent dans l'ouverture de son gilet, qui était de coutil gris, et son pantalon à larges raies découvrait aux chevilles ses bottines de nankin, claquées de cuir verni. Elles étaient si vernies, que l'herbe s'y reflétait. Il foulait avec elles les crottins de cheval, une main dans la poche de sa veste et son chapeau de paille mis de côté.

— D'ailleurs, ajouta-t-il, quand on habite la campagne...

— Tout est peine perdue, dit Emma.

— C'est vrai! répliqua Rodolphe. Songer que pas un seul de ces braves gens n'est capable de comprendre même la tournure d'un habit!

Alors ils parlèrent de la médiocrité provinciale, des existences qu'elle étouffait, des illusions qui s'y perdaient.

— Aussi, disait Rodolphe, je m'enfonce dans une tristesse...

— Vous! fit-elle avec étonnement. Mais je vous croyais très gai?

— Ah! oui, d'apparence, parce qu'au milieu du monde je sais mettre sur mon visage un masque railleur; et, cependant, que de fois, à la vue d'un cimetière, au clair de lune, je me suis demandé si je ne ferais pas mieux d'aller rejoindre ceux qui sont à dormir...

— Oh! Et vos amis? dit-elle. Vous n'y pensez pas.

— Mes amis? Lesquels donc? En ai-je? Qui s'inquiète de moi?

Et il accompagna ces derniers mots d'une sorte de sifflement entre ses lèvres.

Mais ils furent obligés de s'écarter l'un de l'autre à cause d'un grand échafaudage de chaises qu'un homme portait derrière eux. Il en était si surchargé que l'on apercevait seulement la pointe de ses sabots, avec le bout de ses deux bras, écartés droit. C'était Lestiboudois, le fossoyeur, qui charriait dans la multitude les chaises de l'église. Plein d'imagination pour tout ce qui concernait ses intérêts, il avait découvert ce moyen de tirer parti des comices, et son idée lui réussissait, car il ne savait plus auquel entendre. En effet, les villageois, qui avaient chaud, se disputaient ces sièges dont la paille sentait l'encens, et s'appuyaient contre leurs gros dossiers, salis par la cire des cierges, avec une certaine vénération.

Madame Bovary reprit le bras de Rodolphe; il continua comme se parlant à lui-même:

— Oui! tant de choses m'ont manqué! Toujours seul! Ah! si j'avais eu un but dans la vie, si j'eusse rencontré une affection, si j'avais trouvé quelqu'un... Oh! comme j'aurais dépensé toute l'énergie dont je suis capable, j'aurais surmonté tout, brisé tout!

— Il me semble pourtant, dit Emma, que vous n'êtes guère à plaindre.

— Ah! vous trouvez? fit Rodolphe.

— Car enfin..., reprit-elle, vous êtes libre.

Elle hésita:

— Riche.

— Ne vous moquez pas de moi, répondit-il.

Et elle jurait qu'elle ne se moquait pas, quand un coup de canon retentit; aussitôt, on se poussa pêle-mêle vers le village.

C'était une fausse alerte. M. le préfet n'arrivait pas; et les membres du jury se trouvaient fort embarrassés, ne sachant s'il fallait commencer la séance ou bien attendre encore.

Enfin, au fond de la place, parut un grand landau de louage, traîné par deux chevaux maigres, que fouettait à tour de bras un cocher en chapeau blanc. Binet n'eut que le temps de crier: « Aux armes! » et le colonel de l'imiter. On courut vers les faisceaux. On se précipita. Quelques-uns même oublièrent leur col. Mais l'équipage préfectoral sembla deviner cet embarras, et les deux rosses accouplées, se dandinant sur leur chaînette, arrivèrent au petit trot devant le péristyle de la mairie juste au moment où la garde nationale et les pompiers s'y déployaient, tambour battant, et marquant le pas.

—Balancez! [217] cria Binet.

—Halte! cria le colonel! Par file à gauche!

Et, après un port d'armes [218] où le cliquetis des capucines se déroulant sonna comme un chaudron de cuivre qui dégringole les escaliers, tous les fusils retombèrent.

Alors on vit descendre du carrosse un monsieur vêtu d'un habit court à broderie d'argent, chauve sur le front, portant toupet à l'occiput, ayant le teint blafard et l'apparence des plus bénignes. Ses deux yeux, fort gros et couverts de paupières épaisses, se fermaient à demi pour considérer la multitude, en même temps qu'il levait son nez pointu et faisait sourire sa bouche rentrée. Il reconnut le maire à son écharpe, et lui exposa que M. le préfet n'avait pu venir. Il était, lui, un conseiller de préfecture; puis il ajouta quelques excuses. Tuvache y répondit par des civilités, l'autre s'avoua confus; et ils restaient ainsi, face à face, et leurs fronts se touchant presque, avec les membres du jury tout alentour, le conseil municipal, les notables, la garde nationale et la foule. M. le conseiller, appuyant contre sa poitrine son petit tricorne noir, réitérait ses salutations, tandis que Tuvache, courbé comme un arc, souriait aussi, bégayait, cherchait ses phrases, protestait de son dévouement à la monarchie, et de l'honneur que l'on faisait à Yonville.

Hippolyte, le garçon de l'auberge, vint prendre par la bride les chevaux du cocher, et tout en boitant de son pied bot, il les conduisit sous le porche du *Lion d'or* où beaucoup de paysans s'amassèrent à regarder la voiture. Le tambour battit, l'obusier tonna, et les messieurs à la file montèrent s'asseoir sur l'estrade, dans les fauteuils en Utrecht [219] rouge qu'avait prêtés madame Tuvache.

Tous ces gens-là se ressemblaient. Leurs molles figures blondes, un peu hâlées par le soleil, avaient la couleur du cidre doux, et leurs favoris bouffants s'échappaient de grands cols roides, que maintenaient des cravates blanches à rosette bien étalée. Tous les gilets étaient de velours, à châle; toutes les montres portaient au bout d'un long ruban quelque cachet ovale en cornaline; et l'on appuyait ses deux mains sur ses deux cuisses, en écartant avec soin la fourche du pantalon, dont le drap non décati [220] reluisait plus brillamment que le cuir des fortes bottes.

Les dames de la société se tenaient derrière, sous le vestibule, entre les colonnes, tandis que le commun de la foule était en face, debout, ou bien assis sur des chaises. En effet, Lestiboudois avait apporté là toutes celles qu'il avait déménagées de la prairie, et même il courait à chaque minute en chercher d'autres dans l'église, et causait un tel encombrement par son commerce, que l'on avait grand'peine à parvenir jusqu'au petit escalier de l'estrade.

— Moi, je trouve, dit M. Lheureux (s'adressant au pharmacien, qui passait pour gagner sa place), que l'on aurait dû planter là deux mâts vénitiens; avec quelque chose d'un peu sévère et de riche comme nouveauté, c'eût été un fort joli coup d'œil.

— Certes, répondit Homais. Mais, que voulez-vous! c'est le maire qui a tout pris sous son bonnet. Il n'a pas grand goût, ce pauvre Tuvache; il est même complètement dénué de ce qui s'appelle le génie des arts.

Cependant Rodolphe, avec madame Bovary, était monté au premier étage de la mairie, dans la *salle des délibérations,* et, comme elle était vide, il avait déclaré que l'on y serait bien pour jouir du spectacle plus à son aise. Il prit trois tabourets autour de la table ovale, sous le buste du monarque, et, les ayant approchés de l'une des fenêtres, ils s'assirent l'un près de l'autre.

Il y eut une agitation sur l'estrade, de longs chuchote-
ments, des pourparlers. Enfin, M. le Conseiller se leva.
On savait maintenant qu'il s'appelait Lieuvain, et l'on se
répétait son nom de l'un à l'autre, dans la foule. Quand
il eut donc collationné quelques feuilles et appliqué dessus
son œil, pour y mieux voir, il commença:

« MESSIEURS,

« Qu'il me soit permis d'abord (avant de vous entretenir
de l'objet de cette réunion d'aujourd'hui, et ce sentiment,
j'en suis sûr, sera partagé par vous tous), qu'il me soit
permis, dis-je, de rendre justice à l'administration supérieure, au gouvernement, au monarque, messieurs, à notre
souverain, à ce roi bien-aimé à qui aucune branche de la
prospérité publique ou particulière n'est indifférente, et
qui dirige à la fois d'une main si ferme et si sage le char
de l'Etat parmi les périls incessants d'une mer orageuse,
sachant d'ailleurs faire respecter la paix comme la guerre,
l'industrie, le commerce, l'agriculture et les beaux-arts. »

— Je devrais, dit Rodolphe, me reculer un peu.

— Pourquoi? dit Emma.

Mais, à ce moment, la voix du Conseiller s'éleva d'un
ton extraordinaire. Il déclamait:

« Le temps n'est plus, messieurs, où la discorde civile
ensanglantait nos places publiques, où le propriétaire, le
négociant, l'ouvrier lui-même, en s'endormant le soir d'un
sommeil paisible, tremblaient de se voir réveillés tout à
coup au bruit des tocsins incendiaires, où les maximes les
plus subversives sapaient audacieusement les bases... »

— C'est qu'on pourrait, reprit Rodolphe, m'apercevoir
d'en bas; puis j'en aurais pour quinze jours à donner des
excuses, et, avec ma mauvaise réputation...

— Oh! vous vous calomniez, dit Emma.

— Non, non, elle est exécrable, je vous jure.

« Mais, messieurs, poursuivait le Conseiller, que si, écartant de mon souvenir ces sombres tableaux, je reporte mes yeux sur la situation actuelle de notre belle patrie: qu'y vois-je? Partout fleurissent le commerce et les arts; partout des voies nouvelles de communication, comme autant d'artères nouvelles dans le corps de l'Etat, y établissent des rapports nouveaux; nos grands centres manufacturiers ont repris leur activité; la religion, plus affermie, sourit à tous les cœurs; nos ports sont pleins, la confiance renaît, et enfin la **France** respire!... »

— Du reste, ajouta Rodolphe, peut-être, au point de vue du monde, a-t-on raison?

— Comment cela? fit-elle.

— Eh quoi, dit-il, ne savez-vous pas qu'il y a des âmes sans cesse tourmentées? Il leur faut tour à tour le rêve et l'action, les passions les plus pures, les jouissances les plus furieuses, et l'on se jette ainsi dans toutes sortes de fantaisies, de folies.

Alors elle le regarda comme on contemple un voyageur qui a passé par des pays extraordinaires, et elle reprit:

— Nous n'avons pas même cette distraction, nous autres pauvres femmes!

— Triste distraction, car on n'y trouve pas le bonheur.

— Mais le trouve-t-on jamais? demanda-t-elle.

— Oui, il se rencontre un jour, répondit-il.

« Et c'est là ce que vous avez compris, disait le Conseiller. Vous, agriculteurs et ouvriers des campagnes; vous, pionniers pacifiques d'une œuvre toute de civilisation! vous, hommes de progrès et de moralité! vous avez compris, dis-je, que les orages politiques sont encore plus redoutables vraiment que les désordres de l'atmosphère... »

— Il se rencontre un jour, répéta Rodolphe, un jour, tout à coup et quand on en désespérait. Alors des horizons s'entr'ouvrent, c'est comme une voix qui crie: « Le voilà! »

Vous sentez le besoin de faire à cette personne la confidence de votre vie, de lui donner tout, de lui sacrifier tout! On ne s'explique pas, on se devine. On s'est entrevu dans ses rêves. (Et il la regardait.) Enfin, il est là, ce trésor que l'on a tant cherché, là, devant vous; il brille, il étincelle. Cependant on en doute encore, on n'ose y croire; on en reste ébloui, comme si l'on sortait des ténèbres à la lumière.

Et, en achevant ces mots, Rodolphe ajouta la pantomime à sa phrase. Il se passa la main sur le visage, tel qu'un homme pris d'étourdissement; puis il la laissa retomber sur celle d'Emma. Elle retira la sienne. Mais le Conseiller lisait toujours:

« Et qui s'en étonnerait, messieurs? Celui-là seul qui serait assez aveugle, assez plongé (je ne crains pas de le dire), assez plongé dans les préjugés d'un autre âge pour méconnaître encore l'esprit des populations agricoles. Où trouver, en effet, plus de patriotisme que dans les campagnes, plus de dévouement à la cause publique, plus d'intelligence en un mot? Et je n'entends pas, messieurs, cette intelligence superficielle, vain ornement des esprits oisifs, mais plus de cette intelligence profonde et modérée, qui s'applique par-dessus toute chose à poursuivre des buts utiles, contribuant ainsi au bien de chacun, à l'amélioration commune et au soutien des Etats, fruit du respect des lois et de la pratique des devoirs... »

—Ah! encore, dit Rodolphe. Toujours les devoirs, je suis assommé de ces mots-là. Ils sont un tas de vieilles ganaches en gilet de flanelle, et de bigotes à chaufferette et à chapelet, qui continuellement nous chantent aux oreilles: « Le devoir! le devoir! » Eh! parbleu! le devoir, c'est de sentir ce qui est grand, de chérir ce qui est beau, et non pas d'accepter toutes les conventions de la société, avec les ignominies qu'elle nous impose.

—Cependant..., cependant..., objectait madame Bovary.

— Eh non! pourquoi déclamer contre les passions? Ne sont-elles pas la seule belle chose qu'il y ait sur la terre, la source de l'héroïsme, de l'enthousiasme, de la poésie, de la musique, des arts, de tout enfin?

— Mais il faut bien, dit Emma, suivre un peu l'opinion du monde et obéir à sa morale.

— Ah! c'est qu'il y en a deux, répliqua-t-il. La petite, la convenue, celle des hommes, celle qui varie sans cesse et qui braille si fort, s'agite en bas, terre à terre, comme ce rassemblement d'imbéciles que vous voyez. Mais l'autre, l'éternelle, elle est tout autour et au-dessus, comme le paysage qui nous environne et le ciel bleu qui nous éclaire.

M. Lieuvain venait de s'essuyer la bouche avec son mouchoir de poche. Il reprit:

« Et qu'aurais-je à faire, messieurs, de vous démontrer ici l'utilité de l'agriculture? Qui donc pourvoit à nos besoins? Qui donc fournit à notre subsistance? N'est-ce pas l'agriculteur? L'agriculteur, messieurs, qui, ensemen-çant d'une main laborieuse les sillons féconds des campagnes, fait naître le blé, lequel broyé est mis en poudre au moyen d'ingénieux appareils, en sort sous le nom de farine, et, de là, transporté dans les cités, est bientôt rendu chez le boulanger, qui en confectionne un aliment pour le pauvre comme pour le riche. N'est-ce pas l'agriculteur encore qui engraisse, pour nos vêtements, ses abondants troupeaux dans les pâturages? Car comment nous vêtirions-nous, car comment nous nourririons-nous sans l'agriculteur? Et même, messieurs, est-il besoin d'aller si loin chercher des exemples? Qui n'a souvent réfléchi à toute l'importance que l'on retire de ce modeste animal, ornement de nos basses-cours, qui fournit à la fois un oreiller moelleux pour nos couches, sa chair succulente pour nos tables, et des œufs? Mais je n'en finirais pas s'il fallait énumérer les uns après les autres les différents produits que la terre bien cultivée, telle qu'une mère généreuse, prodigue à ses enfants. Ici, c'est la vigne; ailleurs, ce sont les pommiers à cidre; là, le colza; plus loin, les fromages;

et le lin; messieurs, n'oublions pas le lin! qui a pris dans
ces dernières années un accroissement considérable et sur
lequel j'appellerai plus particulièrement votre attention. »

Il n'avait pas besoin de l'appeler: car toutes les bouches
de la multitude se tenaient ouvertes, comme pour boire
ses paroles. Tuvache, à côté de lui, l'écoutait en écarquillant les yeux; M. Derozerays, de temps à autre, fermait
doucement les paupières; et plus loin, le pharmacien, avec
son fils Napoléon entre les jambes, bombait sa main contre
son oreille pour ne pas perdre une seule syllabe. Les
autres membres du jury balançaient lentement leur menton
dans leur gilet, en signe d'approbation. Les pompiers, au
bas de l'estrade, se reposaient sur leurs baïonnettes; et
Binet, immobile, restait le coude en dehors, avec la pointe
du sabre en l'air. Il entendait peut-être, mais il ne devait
rien apercevoir à cause de la visière de son casque qui
lui descendait sur le nez. Son lieutenant, le fils cadet du
sieur Tuvache, avait encore exagéré le sien; car il en
portait un énorme et qui lui vacillait sur la tête, en laissant
dépasser un bout de son foulard d'indienne. Il souriait
là-dessous avec une douceur tout enfantine, et sa petite
figure pâle, où des gouttes ruisselaient, avait une expression de jouissance, d'accablement et de sommeil.

La place jusqu'aux maisons était comble de monde. On
y voyait des gens accoudés à toutes les fenêtres, d'autres
debout sur toutes les portes, et Justin, devant la devanture
de la pharmacie, paraissait tout fixé dans la contemplation
de ce qu'il regardait. Malgré le silence, la voix de M.
Lieuvain se perdait dans l'air. Elle vous arrivait par
lambeaux de phrases, qu'interrompait çà et là le bruit des
chaises dans la foule; puis on entendait, tout à coup, partir
derrière soi un long mugissement de bœuf, ou bien les
bêlements des agneaux qui se répondaient au coin des
rues. En effet, les vachers et les bergers avaient poussé
leurs bêtes jusque-là, et elles beuglaient de temps à autre,
tout en arrachant avec leur langue quelque bribe de feuillage qui leur pendait sur le museau.

Rodolphe s'était rapproché d'Emma, et il disait d'une voix basse, en parlant vite:

— Est-ce que cette conjuration du monde ne vous révolte pas? Est-il un seul sentiment qu'il ne condamne? Les instincts les plus nobles, les sympathies les plus pures sont persécutés, calomniés, et, s'il se rencontre enfin deux pauvres âmes, tout est organisé pour qu'elles ne puissent se joindre. Elles essayeront cependant, elles battront des ailes, elles s'appelleront. Oh! n'importe, tôt ou tard, dans six mois, dix ans, elles se réuniront, s'aimeront, parce que la fatalité l'exige et qu'elles sont nées l'une pour l'autre.

Il se tenait les bras croisés sur ses genoux, et, ainsi levant la figure vers Emma, il la regardait de près, fixement. Elle distinguait dans ses yeux des petits rayons d'or, s'irradiant tout autour de ses pupilles noires, et même elle sentait le parfum de la pommade qui lustrait sa chevelure. Alors une mollesse la saisit, elle se rappela ce vicomte qui l'avait fait valser à la Vaubyessard, et dont la barbe exhalait, comme ces cheveux-là, cette odeur de vanille et de citron; et, machinalement, elle entreferma les paupières pour la mieux respirer. Mais, dans ce geste qu'elle fit en se cabrant sur sa chaise, elle aperçut au loin, tout au fond de l'horizon, la vieille diligence l'*Hirondelle,* qui descendait lentement la côte des Leux, en traînant après soi un long panache de poussière. C'était dans cette voiture jaune que Léon, si souvent, était revenu vers elle; et par cette route là-bas qu'il était parti pour toujours! Elle crut le voir en face, à sa fenêtre, puis tout se confondit, des nuages passèrent; il lui sembla qu'elle tournait encore dans la valse, sous le feu des lustres, au bras du vicomte, et que Léon n'était pas loin, qu'il allait venir... et cependant elle sentait toujours la tête de Rodolphe à côté d'elle. La douceur de cette sensation pénétrait ainsi ses désirs d'autrefois, et comme des grains de sable sous un coup de vent, ils tourbillonnaient dans la bouffée subtile du parfum qui se répandait sur son âme. Elle ouvrit les narines à plusieurs reprises, fortement, pour aspirer la fraîcheur des lierres autour des chapiteaux. Elle retira ses gants, elle s'essuya

les mains; puis, avec son mouchoir, elle s'éventait la figure,
tandis qu'à travers le battement de ses tempes elle entendait
la rumeur de la foule et la voix du Conseiller qui psalmo-
diait ses phrases.

Il disait:

« Continuez! persévérez! n'écoutez ni les suggestions
de la routine, ni les conseils trop hâtifs d'un empirisme
téméraire! Appliquez-vous surtout à l'amélioration du sol,
aux bons engrais, au développement des races chevalines,
bovines, ovines et porcines! Que ces comices soient pour
vous comme des arènes pacifiques où le vainqueur, en
sortant, tendra la main au vaincu et fraternisera avec lui,
dans l'espoir d'un succès meilleur! Et vous, vénérables
serviteurs! humbles domestiques, dont aucun gouvernement jusqu'à ce jour n'avait pris en considération les
pénibles labeurs, venez recevoir la récompense de vos
vertus silencieuses, et soyez convaincus que l'Etat, désormais, a les yeux fixés sur vous, qu'il vous encourage,
qu'il vous protège, qu'il fera droit à vos justes réclamations
et allégera, autant qu'il est en lui, le fardeau de vos pénibles
sacrifices! »

M. Lieuvain se rassit alors; M. Derozerays se leva,
commençant un autre discours. Le sien, peut-être, ne fut
point aussi fleuri que celui du Conseiller; mais il se recom-
mandait par un caractère de style plus positif, c'est-à-dire
par des connaissances plus spéciales et des considérations
plus relevées. Ainsi, l'éloge du gouvernement y tenait
moins de place; la religion et l'agriculture en occupaient
davantage. On y voyait le rapport de l'une et de l'autre,
et comment elles avaient concouru toujours à la civilisation. Rodolphe, avec madame Bovary, causait rêves, pressentiments, magnétisme. Remontant au berceau des sociétés, l'orateur nous dépeignait ces temps farouches où
les hommes vivaient de glands, au fond des bois. Puis ils
avaient quitté la dépouille des bêtes, endossé le drap,
creusé des sillons, planté la vigne. Etait-ce un bien, et n'y

avait-il pas dans cette découverte plus d'inconvénients que d'avantages? M. Derozerays se posait ce problème. Du magnétisme, peu à peu, Rodolphe en était venu aux affinités, et, tandis que M. le Président citait Cincinnatus [221] à sa charrue, Dioclétien [222] plantant ses choux et les empereurs de la Chine inaugurant l'année par des semailles, le jeune homme expliquait à la jeune femme que ces attractions irrésistibles tiraient leur cause de quelque existence antérieure.

— Ainsi, nous, disait-il, pourquoi nous sommes-nous connus? Quel hasard l'a voulu? C'est qu'à travers l'éloignement, sans doute, comme deux fleuves qui coulent pour se rejoindre, nos pentes particulières nous avaient poussés l'un vers l'autre.[223]

Et il saisit sa main; elle ne la retira pas.

« Ensemble de bonnes cultures! » cria le président.

— Tantôt, par exemple, quand je suis venu chez vous...

« A M. Binet, de Quincampoix. »

— Savais-je que je vous accompagnerais?

« Soixante et dix francs! »

— Cent fois même j'ai voulu partir, et je vous ai suivie, je suis resté.

« Fumiers. »

— Comme je resterais ce soir, demain, les autres jours, toute ma vie!

« A M. Caron, d'Argueil, une médaille d'or! »

— Car jamais je n'ai trouvé dans la société de personne un charme aussi complet.

« A M. Bain, de Givry-Saint-Martin! »

— Aussi, moi, j'emporterai votre souvenir.

« Pour un bélier mérinos... »

— Mais vous m'oublierez, j'aurai passé comme une ombre.

« A M. Belot, de Notre-Dame... »

— Oh! non, n'est-ce pas, je serai quelque chose dans votre pensée, dans votre vie?

« Race porcine, prix *ex æquo* à MM. Lehérissé et Cullembourg; soixante francs! »

Rodolphe lui serrait la main, et il la sentait toute chaude et frémissante comme une tourterelle captive qui veut reprendre sa volée; mais, soit qu'elle essayât de la dégager ou bien qu'elle répondît à cette pression, elle fit un mouvement des doigts; il s'écria:

— Oh! merci! Vous ne me repoussez pas! Vous êtes bonne! Vous comprenez que je suis à vous! Laissez que je vous voie, que je vous contemple!

Un coup de vent qui arriva par les fenêtres fronça le tapis de la table, et, sur la place, en bas, tous les grands bonnets de paysannes se soulevèrent, comme des ailes de papillons blancs qui s'agitent.

« Emploi de tourteaux de graines oléagineuses », continua le président.

Il se hâtait:

« Engrais flamand, — culture du lin, — drainage, — baux à longs termes, — services de domestiques. »

Rodolphe ne parlait plus. Ils se regardaient. Un désir suprême faisait frissonner leurs lèvres sèches; et mollement, sans efforts, leurs doigts se confondirent.

« Catherine-Nicaise-Elisabeth Leroux, de Sassetot-la-Guerrière, pour cinquante-quatre ans de service dans la même ferme, une médaille d'argent — du prix de vingt-cinq francs! »

« Où est-elle, Catherine Leroux? » répéta le Conseiller.

Elle ne se présentait pas, et l'on entendait des voix qui chuchotaient:

— Vas-y!

— Non.

— A gauche!

— N'aie pas peur!

— Ah! qu'elle est bête!

— Enfin y est-elle? s'écria Tuvache.

— Oui!... la voilà!

— Qu'elle approche donc!

Alors on vit s'avancer sur l'estrade une petite vieille femme de maintien craintif, et qui paraissait se ratatiner dans ses pauvres vêtements. Elle avait aux pieds de grosses galoches de bois, et, le long des hanches, un grand tablier bleu. Son visage maigre, entouré d'un béguin sans bordure, était plus plissé de rides qu'une pomme de reinette flétrie, et des manches de sa camisole rouge dépassaient deux longues mains, à articulations noueuses. La poussière des granges, la potasse des lessives et le suint des laines les avaient si bien encroûtées, éraillées, durcies, qu'elles semblaient sales quoiqu'elles fussent rincées d'eau claire; et, à force d'avoir servi, elles restaient entr'ouvertes, comme pour présenter d'elles-mêmes l'humble témoignage de tant de souffrances subies. Quelque chose d'une rigidité monacale relevait l'expression de sa figure. Rien de triste ou d'attendri n'amollissait ce regard pâle. Dans la fréquentation des animaux, elle avait pris leur mutisme et leur placidité. C'était la première fois qu'elle se voyait au milieu d'une compagnie si nombreuse; et, intérieurement effarouchée par les drapeaux, par les tambours, par les messieurs en habit noir et par la croix d'honneur du Conseiller, elle demeurait tout immobile, ne sachant s'il fallait s'avancer ou s'enfuir, ni pourquoi la foule la poussait et pourquoi les examinateurs lui souriaient. Ainsi se tenait, devant ces bourgeois épanouis, ce demi-siècle de servitude.

— Approchez, vénérable Catherine-Nicaise-Elisabeth Leroux! dit M. le Conseiller, qui avait pris des mains du président la liste des lauréats.

Et tour à tour examinant la feuille de papier, puis la vieille femme, il répétait d'un ton paternel:

— Approchez, approchez!

— Etes-vous sourde? dit Tuvache, en bondissant sur son fauteuil.

Et il se mit à lui crier dans l'oreille:

— Cinquante-quatre ans de service! Une médaille d'argent! Vingt-cinq francs! C'est pour vous.

Puis, quand elle eut sa médaille, elle la considéra. Alors un sourire de béatitude se répandit sur sa figure et on l'entendait qui marmottait en s'en allant:

— Je la donnerai au curé de chez nous, pour qu'il me dise des messes.

—Quel fanatisme! exclama le pharmacien, en se penchant vers le notaire.

La séance était finie; la foule se dispersa; et, maintenant que les discours étaient lus, chacun reprenait son rang et tout rentrait dans la coutume: les maîtres rudoyaient les domestiques, et ceux-ci frappaient les animaux, triomphateurs indolents qui s'en retournaient à l'étable, une couronne verte entre les cornes.

Cependant les gardes nationaux étaient montés au premier étage de la mairie, avec des brioches embrochées à leurs baïonnettes, et le tambour du bataillon qui portait un panier de bouteilles. Madame Bovary prit le bras de Rodolphe; il la reconduisit chez elle; ils se séparèrent devant sa porte; puis il se promena seul dans la prairie, tout en attendant l'heure du banquet.

Le festin fut long, bruyant, mal servi; l'on était si tassé, que l'on avait peine à remuer les coudes, et les planches étroites qui servaient de bancs faillirent se rompre sous le poids des convives. Ils mangeaient abondamment. Chacun s'en donnait pour sa quote-part. La sueur coulait sur tous les fronts; et une vapeur blanchâtre, comme la buée d'un fleuve par un matin d'automne, flottait au-dessus de la table, entre les quinquets suspendus. Rodolphe, le dos appuyé contre le calicot de la tente, pensait si fort à Emma, qu'il n'entendait rien. Derrière lui, sur le gazon, des domestiques empilaient des assiettes sales; ses voisins parlaient, il ne leur répondait pas; on lui emplissait son verre, et un silence s'établissait dans sa pensée, malgré les accroissements de la rumeur. Il rêvait à ce qu'elle avait dit et à la forme de ses lèvres; sa figure, comme en un miroir magique, brillait sur la plaque des shakos; les plis de sa robe descendaient le long des murs, et des journées d'amour se déroulaient à l'infini dans les perspectives de l'avenir.

Il la revit le soir, pendant le feu d'artifice; mais elle était avec son mari, madame Homais et le pharmacien, lequel se tourmentait beaucoup sur le danger des fusées perdues; et, à chaque moment, il quittait la compagnie pour aller faire à Binet des recommandations.

Les pièces pyrotechniques envoyées à l'adresse du sieur Tuvache avaient, par excès de précaution, été enfermées dans sa cave; aussi la poudre humide ne s'enflammait guère et le morceau principal, qui devait figurer un dragon se mordant la queue, rata complètement. De temps à autre, il partait une pauvre chandelle romaine; alors la foule béante poussait une clameur où se mêlait le cri des femmes à qui l'on chatouillait la taille pendant l'obscurité. Emma, silencieuse, se blottissait doucement contre l'épaule de Charles; puis, le menton levé, elle suivait dans le ciel noir le jet lumineux des fusées. Rodolphe la contemplait à la lueur des lampions qui brûlaient.

Ils s'éteignirent peu à peu. Les étoiles s'allumèrent. Quelques gouttes de pluie vinrent à tomber. Elle noua son fichu sur sa tête nue.

A ce moment, le fiacre du Conseiller sortit de l'auberge. Son cocher, qui était ivre, s'assoupit tout à coup et l'on apercevait de loin, par-dessus la capote, entre les deux lanternes, la masse de son corps qui se balançait de droite et de gauche, selon le tangage des soupentes.

— En vérité, dit l'apothicaire, on devrait bien sévir contre l'ivresse! Je voudrais que l'on inscrivît, hebdomadairement, à la porte de la mairie, sur un tableau *ad hoc,* les noms de tous ceux qui, durant la semaine, se seraient intoxiqués avec des alcools. D'ailleurs, sous le rapport de la statistique, on aurait là comme des annales patentes qu'on irait au besoin... Mais excusez...

Et il courut encore vers le capitaine.

Celui-ci rentrait à sa maison. Il allait revoir son tour.

— Peut-être ne feriez-vous pas mal, lui dit Homais, d'envoyer un de vos hommes ou d'aller vous-même...

— Laissez-moi donc tranquille, répondit le percepteur, puisqu'il n'y a rien!

— Rassurez-vous, dit l'apothicaire, quand il fut revenu près de ses amis. M. Binet m'a certifié que les mesures

étaient prises. Nulle flammèche ne sera tombée. Les pompes sont pleines. Allons dormir.

— Ma foi! j'en ai besoin, fit madame Homais, qui bâillait
considérablement; mais, n'importe, nous avons eu pour
notre fête une bien belle journée.

Rodolphe répéta d'une voix basse et avec un regard
tendre:

— Oh! oui, bien belle!

Et, s'étant salués, on se tourna le dos.

Deux jours après, dans le *Fanal de Rouen,* il y avait un
grand article sur les comices. Homais l'avait composé, de
verve, dès le lendemain:

« Pourquoi ces festons, ces fleurs, ces guirlandes? Où
courait cette foule, comme les flots d'une mer en furie,
sous les torrents d'un soleil tropical qui répandait sa
chaleur sur nos guérets? »[224]

Ensuite, il parlait de la condition des paysans. Certes,
le gouvernement faisait beaucoup, mais pas assez! « Du
courage? lui criait-il; mille réformes sont indispensables,
accomplissons-les. » Puis, abordant l'entrée du Conseiller,
il n'oubliait point « l'air martial de notre milice », ni « nos
plus sémillantes villageoises », ni les vieillards à tête chauve, « sorte de patriarches qui étaient là, et dont quelques-
uns, débris de nos immortelles phalanges, sentaient encore
battre leurs cœurs au son mâle des tambours ». Il se citait
des premiers parmi les membres du jury, et même il
rappelait, dans une note, que M. Homais, pharmacien,
avait envoyé un Mémoire sur le cidre à la Société d'Agriculture. Quand il arrivait à la distribution des récompenses,
il dépeignait la joie des lauréats en traits dithyrambiques.
« Le père embrassait son fils, le frère le frère, l'époux
l'épouse. Plus d'un montrait avec orgueil son humble
médaille, et sans doute, revenu chez lui, près de sa bonne
ménagère, il l'aura suspendue en pleurant aux murs discrets
de sa chaumine.

« Vers six heures, un banquet, dressé dans l'herbage
de M. Liégard, a réuni les principaux assistants de la fête.
La plus grande cordialité n'a cessé d'y régner. Divers

toasts ont été portés: M. Lieuvain, au monarque! M. Tuvache, au préfet! M. Derozerays, à l'agriculture! M. Homais, à l'industrie et aux beaux-arts, ces deux sœurs! M. Leplichey, aux améliorations! Le soir, un brillant feu d'artifice a tout à coup illuminé les airs. On eût dit un véritable kaléidoscope, un vrai décor d'opéra, et, un moment, notre petite localité a pu se croire transportée au milieu d'un rêve des *Mille et une Nuits*.

« Constatons qu'aucun événement fâcheux n'est venu troubler cette réunion de famille. »

Et il ajoutait:

« On y a seulement remarqué l'absence du clergé. Sans doute les sacristies entendent le progrès d'une autre manière. Libre à vous, messieurs de Loyola! »

Chapitre 9.

Six semaines s'écoulèrent. Rodolphe ne revint pas. Un soir, enfin, il parut.

— N'y retournons pas de sitôt, ce serait une faute.

Et, au bout de la semaine, il était parti pour la chasse.

Après la chasse, il avait songé qu'il était trop tard, puis il fit ce raisonnement:

— Mais, si du premier jour elle m'a aimé, elle doit, par l'impatience de me revoir, m'aimer davantage. Continuons donc!

Et il comprit que son calcul avait été bon, lorsque, en entrant dans la salle, il aperçut Emma pâlir.

Elle était seule. Le jour tombait. Les petits rideaux de mousseline, le long des vitres, épaississaient le crépuscule, et la dorure du baromètre, sur qui frappait un rayon de soleil, étalait des feux dans la glace, entre les découpures du polypier.

Rodolphe resta debout; et à peine si Emma répondit à ses premières phrases de politesse.

— Moi, dit-il, j'ai eu des affaires. J'ai été malade.

— Gravement? s'écria-t-elle.

— Eh bien! fit Rodolphe en s'asseyant à ses côtés sur un tabouret, non!... C'est que je n'ai pas voulu revenir.

— Pourquoi?

— Vous ne devinez pas?

Il la regarda encore une fois, mais d'une façon si violente qu'elle baissa la tête en rougissant. Il reprit:

— Emma...

— Monsieur! fit-elle en s'écartant un peu.

— Ah! vous voyez bien, répliqua-t-il d'une voix mélancolique, que j'avais raison de vouloir ne pas revenir; car ce nom, ce nom qui remplit mon âme et qui m'est échappé, vous me l'interdisez! Madame Bovary!... Eh! tout le monde vous appelle comme cela!... Ce n'est pas votre nom, d'ailleurs; c'est le nom d'un autre!

Il répéta:

— D'un autre!

Et il se cacha la figure entre les mains.

— Oui, je pense à vous continuellement!... Votre souvenir me désespère! Ah! pardon!... Je vous quitte... Adieu!... J'irai loin... si loin que vous n'entendrez plus parler de moi!... Et cependant..., aujourd'hui..., je ne sais quelle force encore m'a poussé vers vous! Car on ne lutte pas contre le ciel, on ne résiste point au sourire des anges! on se laisse entraîner par ce qui est beau, charmant, adorable!

C'était la première fois qu'Emma s'entendait dire ces choses; et son orgueil, comme quelqu'un qui se délasse dans une étuve, s'étirait mollement et tout entier à la chaleur de ce langage.

— Mais, si je ne suis pas venu, continua-t-il, si je n'ai pu vous voir, ah! du moins j'ai bien contemplé ce qui vous entoure. La nuit, toutes les nuits, je me relevais, j'arrivais jusqu'ici, je regardais votre maison, le toit qui brillait sous la lune, les arbres du jardin qui se balançaient à votre fenêtre, et une petite lampe, une lueur, qui brillait à travers les carreaux, dans l'ombre. Ah! vous ne saviez guère qu'il y avait là, si près et si loin, un pauvre misérable...

Elle se tourna vers lui avec un sanglot.

— Oh! vous êtes bon! dit-elle.

— Non, je vous aime, voilà tout! Vous n'en doutez pas! dites-le-moi; un mot! un seul mot!

Et Rodolphe, insensiblement, se laissait glisser du tabouret jusqu'à terre; mais on entendit un bruit de sabots dans la cuisine, et la porte de la salle, il s'en aperçut, n'était pas fermée.

— Que vous seriez charitable, poursuivit-il en se relevant, de satisfaire une fantaisie!

C'était de visiter sa maison; il désirait la connaître; et madame Bovary n'y voyant point d'inconvénient, ils se levaient tous deux, quand Charles entra.

— Bonjour, docteur, lui dit Rodolphe.

Le médecin, flatté de ce titre inattendu, se répandit en obséquiosités, et l'autre en profita pour se remettre un peu.

— Madame m'entretenait, fit-il donc, de sa santé...

Charles l'interrompit: il avait mille inquiétudes, en effet; les oppressions de sa femme recommençaient. Alors Rodolphe demanda si l'exercice du cheval ne serait pas bon.

— Certes! excellent, parfait!... Voilà une idée! Tu devrais la suivre.

Et, comme elle objectait qu'elle n'avait point de cheval, M. Rodolphe en offrit un; elle refusa ses offres; il n'insista pas; puis, afin de motiver sa visite, il conta que son charretier, l'homme à la saignée, éprouvait toujours des étourdissements.

— J'y passerai, dit Bovary.

— Non, non, je vous l'enverrai; nous viendrons, ce sera plus commode pour vous.

— Ah! fort bien. Je vous remercie.

Et, dès qu'ils furent seuls:

—Pourquoi n'acceptes-tu pas les propositions de M. Boulanger, qui sont si gracieuses?

Elle prit un air boudeur, chercha mille excuses, et déclara finalement *que cela peut-être semblerait drôle.*

—Ah! je m'en moque pas mal! dit Charles en faisant une pirouette. La santé avant tout! Tu as tort!

—Eh! comment veux-tu que je monte à cheval, puisque je n'ai pas d'amazone?

—Il faut t'en commander une! répondit-il.

L'amazone la décida.

Quand le costume fut prêt, Charles écrivit à M. Boulanger que sa femme était à sa disposition, et qu'il comptait sur sa complaisance.

Le lendemain, à midi, Rodolphe arriva devant la porte de Charles avec deux chevaux de maître. L'un portait des pompons roses aux oreilles et une selle de femme en peau de daim.

Rodolphe avait mis de longues bottes molles, se disant que sans doute elle n'en avait jamais vu de pareilles; en effet, Emma fut charmée de sa tournure, lorsqu'il apparut sur le palier avec son grand habit de velours et sa culotte de tricot blanc. Elle était prête, elle l'attendait.

Justin s'échappa de la pharmacie pour la voir, et l'apothicaire aussi se dérangea. Il faisait à M. Boulanger des recommandations.

—Un malheur arrive si vite! Prenez garde! Vos chevaux peut-être sont fougueux!

Elle entendit du bruit au-dessus de sa tête: c'était Félicité qui tambourinait contre les carreaux pour divertir la petite Berthe. L'enfant envoya de loin un baiser; sa mère lui répondit d'un signe avec le pommeau de sa cravache.

—Bonne promenade! cria M. Homais. De la prudence, surtout de la prudence!

Et il agita son journal en les regardant s'éloigner.

Dès qu'il sentit la terre, le cheval d'Emma prit le galop. Rodolphe galopait à côté d'elle. Par moments ils échangeaient une parole. La figure un peu baissée, la main haute et le bras droit déployé, elle s'abandonnait à la cadence du mouvement qui la berçait sur la selle.

Au bas de la côte, Rodolphe lâcha les rênes; ils partirent ensemble d'un seul bond; puis, en haut, tout à coup les chevaux s'arrêtèrent et son grand voile bleu retomba.

On était aux premiers jours d'octobre. Il y avait du brouillard sur la campagne. Des vapeurs s'allongeaient à l'horizon, contre le contour des collines; et d'autres, se déchirant, montaient, se perdaient. Quelquefois, dans un écartement des nuées, sous un rayon de soleil, on apercevait au loin les toits d'Yonville, avec les jardins au bord de l'eau, les cours, les murs et le clocher de l'église. Emma fermait à demi les paupières pour reconnaître sa maison, et jamais ce pauvre village où elle vivait ne lui avait semblé si petit. De la hauteur où ils étaient, toute la vallée paraissait un immense lac pâle, s'évaporant à l'air. Les massifs d'arbres de place en place saillissaient commes des rochers noirs; et les hautes lignes des peupliers, qui dépassaient la brume, figuraient des grèves que le vent remuait.

A côté, sur la pelouse, entre les sapins, une lumière brune circulait dans l'atmosphère tiède. La terre, roussâtre comme de la poudre de tabac, amortissait le bruit des pas; et, du bout de leurs fers, en marchant, les chevaux poussaient devant eux des pommes de pin tombées.

Rodolphe et Emma suivirent ainsi la lisière du bois. Elle se détournait de temps à autre, afin d'éviter son regard, et alors, elle ne voyait que les troncs de sapins alignés, dont la succession continue l'étourdissait un peu. Les chevaux soufflaient. Le cuir des selles craquait.

Au moment où ils entrèrent dans la forêt, le soleil parut.

— Dieu nous protège! dit Rodolphe.

— Vous croyez! fit-elle.

— Avançons! Avançons! reprit-il.

Il claqua de la langue. Les deux bêtes couraient.

De longues fougères, au bord du chemin, se prenaient dans l'étrier d'Emma. Rodolphe, tout en allant, se penchait et il les retirait à mesure. D'autres fois, pour écarter les branches, il passait près d'elle, et Emma sentait son genou lui frôler la jambe. Le ciel était devenu bleu. Les feuilles ne remuaient pas. Il y avait de grands espaces pleins de bruyères tout en fleurs; et des nappes de violettes s'alternaient avec le fouillis des arbres, qui étaient gris, fauves ou dorés, selon la diversité des feuillages. Souvent on entendait, sous les buissons, glisser un petit battement d'ailes, ou bien le cri rauque et doux des corbeaux, qui s'envolaient dans les chênes.

Ils descendirent. Rodolphe attacha les chevaux. Elle allait devant, sur la mousse, entre les ornières.

Mais sa robe trop longue l'embarrassait, bien qu'elle la portât relevée par la queue, et Rodolphe, marchant derrière elle, contemplait entre ce drap noir et la bottine noire, la délicatesse de son bas blanc, qui lui semblait quelque chose de sa nudité.

Elle s'arrêta.

— Je suis fatiguée, dit-elle.

— Allons, essayez encore! reprit-il. Du courage!

Puis, cent pas plus loin, elle s'arrêta de nouveau; et, à travers son voile, qui de son chapeau d'homme descendait obliquement sur ses hanches, on distinguait son visage dans une transparence bleuâtre, comme si elle eût nagé sous des flots d'azur.

— Où allons-nous donc?

Il ne répondit rien. Elle respirait d'une façon saccadée. Rodolphe jetait les yeux autour de lui et il se mordait la moustache.

Ils arrivèrent à un endroit plus large, où l'on avait abattu des baliveaux. Ils s'assirent sur un tronc d'arbre renversé, et Rodolphe se mit à lui parler de son amour.

Il ne l'effraya point d'abord par des compliments. Il fut calme, sérieux, mélancolique.

Emma l'écoutait la tête basse, et tout en remuant avec la pointe de son pied des copeaux par terre.

Mais, à cette phrase:

— Est-ce que nos destinées maintenant ne sont pas communes?

— Eh non! répondit-elle. Vous le savez bien. C'est impossible.

Elle se leva pour partir. Il la saisit au poignet. Elle s'arrêta. Puis, l'ayant considéré quelques minutes d'un œil amoureux et tout humide, elle dit vivement:

— Ah! tenez, n'en parlons plus... Où sont les chevaux? Retournons.

Il eut un geste de colère et d'ennui. Elle répéta:

— Où sont les chevaux? Où sont les chevaux?

Alors souriant d'un sourire étrange et la prunelle fixe, les dents serrées, il s'avança en écartant les bras. Elle se recula tremblante. Elle balbutiait:

— Oh! vous me faites peur! Vous me faites mal! Partons.

— Puisqu'il le faut, reprit-il en changeant de visage.

Et il redevint aussitôt respectueux, caressant, timide. Elle lui donna son bras. Ils s'en retournèrent. Il disait:

— Qu'aviez-vous donc? Pourquoi? Je n'ai pas compris. Vous vous méprenez, sans doute? Vous êtes dans mon âme comme une madone sur un piédestal, à une place haute, solide et immaculée. Mais j'ai besoin de vous pour vivre! j'ai besoin de vos yeux, de votre voix, de votre pensée. Soyez mon amie, ma sœur, mon ange!

Et il allongeait son bras et lui en entourait la taille. Elle tâchait de se dégager mollement. Il la soutenait ainsi, en marchant.

Mails ils entendirent les deux chevaux qui broutaient le feuillage.

— Oh! encore, dit Rodolphe. Ne partons pas! Restez!

Il l'entraîna plus loin, autour d'un petit étang, où des lentilles d'eau faisaient une verdure sur les ondes. Des nénufars flétris se tenaient immobiles entre les joncs. Au bruit de leurs pas dans l'herbe, des grenouilles sautaient pour se cacher.

— J'ai tort, j'ai tort, disait-elle. Je suis folle de vous entendre.

— Pourquoi?... Emma! Emma!

—Oh! Rodolphe!... fit lentement la jeune femme en se penchant sur son épaule.

Le drap de sa robe s'accrochait au velours de l'habit, elle renversa son cou blanc, qui se gonflait d'un soupir, et, défaillante, tout en pleurs, avec un long frémissement et se cachant la figure, elle s'abandonna.

Les ombres du soir descendaient; le soleil horizontal, passant entre les branches, lui éblouissait les yeux. Çà et là, tout autour d'elle, dans les feuilles ou par terre, des taches lumineuses tremblaient, comme si des colibris, en volant, eussent éparpillé leurs plumes. Le silence était partout; quelque chose de doux semblait sortir des arbres; elle sentait son cœur, dont les battements recommençaient, et le sang circuler dans sa chair comme un fleuve de lait. Alors, elle entendit tout au loin, au delà du bois, sur les autres collines, un cri vague et prolongé, une voix qui se traînait, et elle l'écoutait silencieusement, se mêlant comme une musique aux dernières vibrations de ses nerfs émus. Rodolphe, le cigare aux dents, raccommodait avec son canif une des deux brides cassée.

Ils s'en revinrent à Yonville, par le même chemin. Ils revirent sur la boue les traces de leurs chevaux, côte à côte, et les mêmes buissons, les mêmes cailloux dans l'herbe. Rien autour d'eux n'avait changé; et pour elle, cependant, quelque chose était survenu de plus considérable que si les montagnes se fussent déplacées. Rodolphe, de temps à autre, se penchait et lui prenait sa main pour la baiser.

Elle était charmante, à cheval! Droite, avec sa taille mince, le genou plié sur la crinière de sa bête et un peu colorée par le grand air, dans la rougeur du soir.

En entrant dans Yonville, elle caracola sur les pavés.

On la regardait des fenêtres.

Son mari, au dîner, lui trouva bonne mine; mais elle eut l'air de ne pas l'entendre lorsqu'il s'informa de sa promenade; et elle restait le coude au bord de son assiette, entre les deux bougies qui brûlaient.

—Emma! dit-il.

— Quoi?

— Eh bien, j'ai passé cette après-midi chez M. Alexandre; il a une ancienne pouliche encore fort belle, un peu couronnée [225] seulement, et qu'on aurait, je suis sûr, pour une centaine d'écus...

Il ajouta:

— Pensant même que cela te serait agréable, je l'ai retenue..., je l'ai achetée... Ai-je bien fait? Dis-moi donc.

Elle remua la tête en signe d'assentiment; puis, un quart d'heure après:

— Sors-tu ce soir? demanda-t-elle.

— Oui. Pourquoi?

— Oh! rien, rien, mon ami.

Et, dès qu'elle fut débarrassée de Charles, elle monta s'enfermer dans sa chambre.

D'abord, ce fut comme un étourdissement; elle voyait les arbres, les chemins, les fossés, Rodolphe, et elle sentait encore l'étreinte de ses bras, tandis que le feuillage frémissait et que les joncs sifflaient.

Mais, en s'apercevant dans la glace, elle s'étonna de son visage. Jamais elle n'avait eu les yeux si grands, si noirs, ni d'une telle profondeur. Quelque chose de subtil épandu sur sa personne la transfigurait.

Elle se répétait: « J'ai un amant! un amant! » se délectant à cette idée comme à celle d'une autre puberté qui lui serait survenue. Elle allait donc posséder enfin ces joies de l'amour, cette fièvre du bonheur dont elle avait désespéré. Elle entrait dans quelque chose de merveilleux où tout serait passion, extase, délire; une immensité bleuâtre l'entourait, les sommets du sentiment étincelaient sous sa pensée, l'existence ordinaire n'apparaissait qu'au loin, tout en bas, dans l'ombre, entre les intervalles de ces hauteurs.

Alors elle se rappela les héroïnes des livres qu'elle avait lus, et la légion lyrique de ces femmes adultères se mit à chanter dans sa mémoire avec des voix de sœurs qui la charmaient. Elle devenait elle-même comme une partie véritable de ces imaginations et réalisait la longue rêverie de sa jeunesse, en se considérant dans ce type d'amoureuse

qu'elle avait tant envié. D'ailleurs, Emma éprouvait une
satisfaction de vengeance. N'avait-elle pas assez souffert!
Mais elle triomphait maintenant, et l'amour, si longtemps
contenu, jaillissait tout entier avec des bouillonnements
joyeux. Elle le savourait sans remords, sans inquiétude,
sans trouble.

La journée du lendemain se passa dans une douceur
nouvelle. Ils se firent des serments. Elle lui raconta ses
tristesses. Rodolphe l'interrompait par ses baisers; et elle
lui demandait, en le contemplant les paupières à demi
closes, de l'appeler encore par son nom et de répéter qu'il
l'aimait. C'était dans la forêt, comme la veille, sous une
hutte de sabotiers. Les murs en étaient de paille et le toit
descendait si bas, qu'il fallait se tenir courbé. Ils étaient
assis l'un contre l'autre, sur un lit de feuilles sèches.

A partir de ce jour-là, ils s'écrivirent régulièrement
tous les soirs. Emma portait sa lettre au bout du jardin
près de la rivière, dans une fissure de la terrasse. Rodolphe
venait l'y chercher et en plaçait une autre, qu'elle accusait
toujours d'être trop courte.

Un matin, que Charles était sorti dès avant l'aube, elle
fut prise par la fantaisie de voir Rodolphe à l'instant. On
pouvait arriver promptement à la Huchette, y rester une
heure et être rentré dans Yonville que tout le monde
encore serait endormi. Cette idée la fit haleter de convoitise; elle se trouva bientôt au milieu de la prairie, où elle
marchait à pas rapides, sans regarder derrière elle.

Le jour commençait à paraître. Emma, de loin, reconnut la maison de son amant, dont les deux girouettes à
queue d'aronde se découpaient en noir sur le crépuscule
pâle.

Après la cour de la ferme, il y avait un corps de logis
qui devait être le château. Elle y entra, comme si les
murs, à son approche, se fussent écartés d'eux-mêmes. Un
grand escalier droit montait vers le corridor. Emma tourna
la clenche d'une porte, et tout à coup, au fond de la
chambre, elle aperçut un homme qui dormait. C'était
Rodolphe. Elle poussa un cri.

—Te voilà! te voilà! répéta-t-il. Comment as-tu fait pour venir?... Ah! ta robe est mouillée!

—Je t'aime, répondit-elle en lui passant les bras autour du cou.

Cette première audace lui ayant réussi, chaque fois maintenant que Charles sortait de bonne heure, Emma s'habillait vite et descendait à pas de loup le perron qui conduisait au bord de l'eau.

Mais, quand la planche aux vaches était levée, il fallait suivre les murs qui longeaient la rivière; la berge était glissante; elle s'accrochait de la main, pour ne pas tomber, aux bouquets de ravenelles flétries. Puis elle prenait à travers des champs en labour, où elle enfonçait, trébuchait et empêtrait ses bottines minces. Son foulard, noué sur sa tête, s'agitait au vent dans les herbages; elle avait peur des bœufs, elle se mettait à courir; elle arrivait essoufflée, les joues roses, et exhalant de toute sa personne un frais parfum de sève, de verdure et de grand air. Rodolphe, à cette heure-là, dormait encore. C'était comme une matinée de printemps qui entrait dans sa chambre.

Les rideaux jaunes, le long des fenêtres, laissaient passer doucement une lourde lumière blonde. Emma tâtonnait en clignant des yeux, tandis que les gouttes de rosée suspendues à ses bandeaux faisaient comme une auréole de topaze tout autour de sa figure. Rodolphe, en riant, l'attirait à lui et il la pressait sur son cœur.

Ensuite, elle examinait l'appartement, elle ouvrait les tiroirs des meubles, elle se peignait avec son peigne et se regardait dans le miroir à barbe. Souvent même, elle mettait entre ses dents le tuyau d'une grosse pipe qui était sur la table de nuit, parmi des citrons et des morceaux de sucre, près d'une carafe d'eau.

Il leur fallait un bon quart d'heure pour les adieux. Alors Emma pleurait; elle aurait voulu ne jamais abandonner Rodolphe. Quelque chose de plus fort qu'elle la poussait vers lui, si bien qu'un jour, la voyant survenir à l'improviste, il fronça le visage, comme quelqu'un de contrarié.

—Qu'as-tu donc? dit-elle. Souffres-tu? Parle-moi!

Enfin il déclara, d'un air sérieux, que ses visites deve-naient imprudentes et qu'elle se compromettait.

Chapitre 10.

Peu à peu, ces craintes de Rodolpe la gagnèrent. L'amour l'avait enivrée d'abord, elle n'avait songé à rien au delà. Mais, à présent qu'il était indispensable à sa vie, elle craignait d'en perdre quelque chose, ou même qu'il ne fût troublé. Quand elle s'en revenait de chez lui, elle jetait tout alentour des regards inquiets, épiant chaque forme qui passait à l'horizon et chaque lucarne du village d'où l'on pouvait l'apercevoir. Elle écoutait les pas, les cris, le bruit des charrues; et elle s'arrêtait plus blême et plus tremblante que les feuilles de peupliers qui se balançaient sur sa tête.

Un matin, qu'elle s'en retournait ainsi, elle crut distin-guer tout à coup le long canon d'une carabine qui semblait la tenir en joue. Il dépassait obliquement le bord d'un petit tonneau, à demi enfoui entre les herbes sur la marge d'un fossé. Emma, prête à défaillir de terreur, avança cependant, et un homme sortit du tonneau, comme ces diables à boudin [226] qui se dressent du fond des boîtes. Il avait des guêtres bouclées jusqu'aux genoux, sa casquette enfoncée jusqu'aux yeux, les lèvres grelottantes et le nez rouge. C'était le capitaine Binet, à l'affût des canards sauvages.

—Vous auriez dû parler de loin! s'écria-t-il. Quand on aperçoit un fusil, il faut toujours avertir.

Le percepteur, par là, tâchait de dissimuler la crainte qu'il venait d'avoir; car, un arrêté préfectoral ayant interdit la chasse aux canards autrement qu'en bateau, M. Binet, malgré son respect pour les lois, se trouvait en contravention. Aussi croyait-il à chaque minute entendre arriver le garde champêtre. Mais cette inquiétude irritait son plaisir, et, tout seul dans son tonneau, il s'applaudissait de son bonheur et de sa malice.

A la vue d'Emma, il parut soulagé d'un grand poids, et aussitôt, entamant la conversation:

— Il ne fait pas chaud, *ça pique!*

Emma ne répondit rien. Il poursuivit:

— Et vous voilà sortie de bien bonne heure?

— Oui, dit-elle en balbutiant; je viens de chez la nourrice où est mon enfant.

— Ah! fort bien! fort bien! Quant à moi, tel que vous me voyez, dès la pointe du jour, je suis là; mais le temps est si crassineux,[227] qu'à moins d'avoir la plume juste au bout...

— Bonsoir, monsieur Binet, interrompit-elle en lui tournant les talons.

— Serviteur, madame, reprit-il d'un ton sec.

Et il rentra dans son tonneau.

Emma se repentit d'avoir quitté si brusquement le percepteur. Sans doute, il allait faire des conjectures défavorables. L'histoire de la nourrice était la pire excuse, tout le monde sachant bien à Yonville que la petite Bovary, depuis un an, était revenue chez ses parents. D'ailleurs, personne n'habitait aux environs; ce chemin ne conduisait qu'à la Huchette; Binet, donc, avait deviné d'où elle venait, et il ne se tairait pas, il bavarderait, c'était certain! Elle resta jusqu'au soir à se torturer l'esprit dans tous les projets de mensonges imaginables, et ayant sans cesse devant les yeux cet imbécile à carnassière.

Charles, après le dîner, la voyant soucieuse, voulut, par distraction, la conduire chez le pharmacien; et la première personne qu'elle aperçut dans la pharmacie ce fut encore lui, le percepteur! Il était debout devant le comptoir éclairé par la lumière du bocal rouge, et il disait:

— Donnez-moi, je vous prie, une demi-once de vitriol.

— Justin, cria l'apothicaire, apporte-nous l'acide sulfu-rique.

Puis, à Emma, qui voulait monter dans l'appartement de madame Homais:

— Non, restez, ce n'est pas la peine, elle va descendre. Chauffez-vous au poêle en attendant... Excusez-moi... Bon-jour, docteur (car le pharmacien se plaisait beaucoup à prononcer ce mot *docteur,* comme si, en l'adressant à un autre, il eût fait rejaillir sur lui-même quelque chose de la pompe qu'il y trouvait)... Mais prends garde de ren-verser les mortiers! va plutôt chercher les chaises de la petite salle; tu sais bien qu'on ne dérange pas les fauteuils du salon.

Et, pour remettre en place son fauteuil, Homais se précipitait hors du comptoir, quand Binet lui demanda une demi-once d'acide de sucre.

— Acide de sucre? fit le pharmacien dédaigneusement. Je ne connais pas, j'ignore! Vous voulez peut-être de l'acide oxalique. C'est oxalique, n'est-il pas vrai?

Binet expliqua qu'il avait besoin d'un mordant pour composer lui-même une eau de cuivre [228] avec quoi dé-rouiller diverses garnitures de chasse. Emma tressaillit. Le pharmacien se mit à dire:

— En effet, le temps n'est pas propice, à cause de l'humidité.

— Cependant, reprit le percepteur d'un air finaud, il y a des personnes qui s'en arrangent.

Elle étouffait.

— Donnez-moi encore...

— Il ne s'en ira donc jamais! pensait-elle.

— Une demi-once d'arcanson [229] et de térébenthine, quatre onces de cire jaune, et trois demi-onces de noir animal, s'il vous plaît, pour nettoyer les cuirs vernis de mon équipement.

L'apothicaire commençait à tailler de la cire, quand madame Homais parut avec Irma dans ses bras, Napoléon à ses côtés et Athalie qui la suivait. Elle alla s'asseoir sur le banc de velours, contre la fenêtre, et le gamin s'accroupit sur un tabouret, tandis que sa sœur aînée rôdait autour de la boîte de jujube, près de son petit papa. Celui-ci emplissait des entonnoirs et bouchait des flacons, il collait des étiquettes, il confectionnait des paquets. On se taisait autour de lui; et l'on entendait seulement de temps à autre tinter les poids dans les balances, avec quelques paroles basses du pharmacien donnant des conseils à son élève.

— Comment va votre jeune personne? demanda tout à coup madame Homais.

— Silence! exclama son mari, qui écrivait des chiffres sur le cahier de brouillons.

— Pourquoi ne l'avez-vous pas amenée? reprit-elle à demi-voix.

— Chut! chut! fit Emma en désignant du doigt l'apothicaire.

Mais Binet, tout entier à la lecture de l'addition, n'avait rien entendu, probablement. Enfin il sortit. Alors Emma, débarrassée, poussa un grand soupir.

— Comme vous respirez fort! dit madame Homais.

— Ah! c'est qu'il fait chaud, répondit-elle.

Ils avisèrent donc, le lendemain, à organiser leurs rendez-vous; Emma voulait corrompre sa servante par un cadeau; mais il eût mieux valu découvrir à Yonville quelque maison discrète. Rodolphe promit d'en chercher une.

Pendant tout l'hiver, trois ou quatre fois la semaine, à la nuit noire, il arrivait dans le jardin. Emma, tout exprès, avait retiré la clef de la barrière, que Charles crut perdue.

Pour l'avertir, Rodolphe jetait contre les persiennes une poignée de sable. Elle se levait en sursaut; mais quelquefois il lui fallait attendre, car Charles avait la manie de bavarder au coin du feu, et il n'en finissait plus.

Elle se dévorait d'impatience; si ses yeux l'avaient pu, ils l'eussent fait sauter par les fenêtres. Enfin, elle commençait sa toilette de nuit; puis elle prenait un livre et continuait à lire fort tranquillement, comme si la lecture l'eût amusée. Mais Charles, qui était au lit, l'appelait pour se coucher:

— Viens donc, Emma, disait-il, il est temps.

— Oui, j'y vais! répondait-elle.

Cependant, comme les bougies l'éblouissaient, il se tournait vers le mur et s'endormait. Elle s'échappait, en retenant son haleine, souriante, palpitante, déshabillée.

Rodolphe avait un grand manteau; il l'en enveloppait tout entière, et, passant le bras autour de sa taille, il l'entraînait sans parler jusqu'au fond du jardin.

C'était sous la tonnelle, sur ce même banc de bâtons pourris où autrefois Léon la regardait si amoureusement, durant les soirs d'été. Elle ne pensait guère à lui maintenant.

Les étoiles brillaient à travers les branches du jasmin sans feuilles. Ils entendaient derrière eux la rivière qui coulait, et, de temps à autre, sur la berge, le claquement des roseaux secs. Des massifs d'ombre, çà et là, se bombaient dans l'obscurité, et parfois, frissonnant tous d'un seul mouvement, ils se dressaient et se penchaient comme d'immenses vagues noires qui se fussent avancées pour les recouvrir. Le froid de la nuit les faisait s'étreindre davantage; les soupirs de leurs lèvres leur semblaient plus forts; leurs yeux, qu'ils entrevoyaient à peine, leur paraissaient plus grands, et, au milieu du silence, il y avait des paroles dites tout bas qui tombaient sur leur âme avec une sonorité cristalline et qui s'y répercutaient en vibrations multipliées.

Lorsque la nuit était pluvieuse, ils s'allaient réfugier dans le cabinet aux consultations, entre le hangar et l'écurie. Elle allumait un des flambeaux de la cuisine, qu'elle avait caché derrière les livres. Rodolphe s'installait là comme chez lui. La vue de la bibliothèque et du bureau, de tout l'appartement, enfin, excitait sa gaieté; et il ne pouvait se retenir de faire sur Charles quantité de plaisanteries qui embarrassaient Emma. Elle eût désiré le voir plus sérieux, et même plus dramatique, à l'occasion, comme cette fois où elle crut entendre dans l'allée un bruit de pas qui s'approchaient.

— On vient! dit-elle.

Il souffla la lumière.

— As-tu tes pistolets?

— Pourquoi?

— Mais... pour te défendre, reprit Emma.

— Est-ce de ton mari? Ah! le pauvre garçon!

Et Rodolphe acheva sa phrase avec un geste qui signifiait: « Je l'écraserais d'une chiquenaude. »

Elle fut ébahie de sa bravoure, bien qu'elle y sentît une sorte d'indélicatesse et de grossièreté naïve qui la scandalisa.

Rodolphe réfléchit beaucoup à cette histoire de pistolets. Si elle avait parlé sérieusement, cela était fort ridicule, pensait-il, odieux même, car il n'avait, lui, aucune raison de haïr ce bon Charles, n'étant pas ce qui s'appelle dévoré de jalousie; — et, à ce propos, Emma lui avait fait un grand serment qu'il ne trouvait pas non plus du meilleur goût.

D'ailleurs, elle devenait bien sentimentale. Il avait fallu échanger des miniatures; on s'était coupé des poignées de cheveux, et elle demandait à présent une bague, un véritable anneau de mariage, en signe d'alliance éternelle. Souvent elle lui parlait des cloches du soir ou des *voix de la nature;* puis elle l'entretenait de sa mère, à elle, et de sa mère, à lui. Rodolphe l'avait perdue depuis vingt ans. Emma, néanmoins, l'en consolait avec des mièvreries de langage, comme on eût fait à un marmot abandonné, et même lui disait quelquefois, en regardant la lune:

— Je suis sûre que là-haut, ensemble, elles approuvent notre amour.

Mais elle était si jolie! Il en avait possédé si peu d'une candeur pareille! Cet amour sans libertinage était pour lui quelque chose de nouveau, et qui, le sortant de ses habitudes faciles, caressait à la fois son orgueil et sa sensualité. L'exaltation d'Emma, que son bon sens bourgeois dédaignait, lui semblait, au fond du cœur, charmante, puisqu'elle s'adressait à sa personne. Alors, sûr d'être aimé, il ne se gêna pas, et insensiblement ses façons changèrent.

Il n'avait plus, comme autrefois, de ces mots si doux qui la faisaient pleurer, ni de ces véhémentes caresses qui la rendaient folle; si bien que leur grand amour, où elle vivait plongée, parut se diminuer sous elle, comme l'eau d'un fleuve qui s'absorberait dans son lit, et elle aperçut la vase. Elle n'y voulait pas croire; elle redoubla de tendresse; et Rodolphe, de moins en moins, cacha son indifférence.

Elle ne savait pas si elle regrettait de lui avoir cédé ou si elle ne souhaitait point, au contraire, le chérir davantage. L'humiliation de se sentir faible se tournait en une rancune que les voluptés tempéraient. Ce n'était pas de l'attachement, c'était comme une séduction permanente. Il la subjuguait. Elle en avait presque peur.

Les apparences, néanmoins, étaient plus calmes que jamais, Rodolphe ayant réussi à conduire l'adultère selon sa fantaisie; et, au bout de six mois, quand le printemps arriva, ils se trouvaient, l'un vis-à-vis de l'autre, comme deux mariés qui entretiennent tranquillement une flamme domestique.

C'était l'époque où le père Rouault envoyait *son* dinde,[230] en souvenir de sa jambe remise. Le cadeau arrivait toujours avec une lettre. Emma coupa la corde qui la retenait au panier, et lut les lignes suivantes:

« MES CHERS ENFANTS,

« J'espère que la présente vous trouvera en bonne santé et que celui-là vaudra bien les autres; car il me semble un peu plus mollet, si j'ose dire, et plus massif. Mais, la prochaine fois, par changement, je vous donnerai un coq, à moins que vous ne teniez de préférence aux *picots*,[231] et renvoyez-moi la bourriche, s'il vous plaît, avec les deux anciennes. J'ai eu un malheur à ma charretterie, dont la couverture, une nuit qu'il ventait fort, s'est envolée dans les arbres. La récolte non plus n'a pas été trop fameuse. Enfin, je ne sais pas quand j'irai vous voir. Ça m'est tellement difficile de quitter maintenant la maison, depuis que je suis seul, ma pauvre Emma! »

Et il y avait ici un intervalle entre les lignes, comme si le bonhomme eût laissé tomber sa plume pour rêver quelque temps.

« Quant à moi, je vais bien, sauf un rhume que j'ai attrapé l'autre jour à la foire d'Yvetot, où j'étais parti pour retenir un berger, ayant mis le mien dehors, par suite de sa trop grande délicatesse de bouche. Comme on est à plaindre avec tous ces brigands-là! Du reste, c'était aussi un malhonnête.

« J'ai appris d'un colporteur qui, en voyageant cet hiver par votre pays, s'est fait arracher une dent, que Bovary travaillait toujours dur. Ça ne m'étonne pas, et il m'a montré sa dent; nous avons pris un café ensemble. Je lui ai demandé s'il t'avait vue, il m'a dit que non, mais qu'il avait vu dans l'écurie deux animaux, d'où je conclus que le métier roule. Tant mieux, mes chers enfants, et que le bon Dieu vous envoie tout le bonheur imaginable.

« Il me fait deuil [232] de ne pas connaître encore ma bien-aimée petite-fille Berthe Bovary. J'ai planté pour elle, dans le jardin, sous ta chambre, un prunier de prunes d'avoine, et je ne veux pas qu'on y touche, si ce n'est pour lui faire plus tard des compotes, que je garderai dans l'armoire, à son intention, quand elle viendra.

« Adieu, mes chers enfants. Je t'embrasse, ma fille, vous aussi mon gendre, et la petite, sur les deux joues.

                    « Je suis, avec bien des compliments,
                         « Votre tendre père,
                              « THÉODORE ROUAULT. »

Elle resta quelques minutes à tenir entre ses doigts ce gros papier. Les fautes d'orthographe s'y enlaçaient les unes aux autres,[233] et Emma poursuivait la pensée douce qui caquetait tout au travers comme une poule à demi cachée dans une haie d'épine. On avait séché l'écriture avec les cendres du foyer, car un peu de poussière grise glissa de la lettre sur sa robe, et elle crut presque apercevoir son père se courbant vers l'âtre pour saisir les pincettes. Comme il y avait longtemps qu'elle n'était plus auprès de lui, sur l'escabeau dans la cheminée, quand elle faisait brûler le bout d'un bâton à la grande flamme des joncs marins qui pétillaient!... Elle se rappela des soirs d'été tout pleins de soleil. Les poulains hennissaient quand on passait, et galopaient, galopaient... Il y avait sous sa fenêtre une ruche à miel et quelquefois les abeilles, tournoyant dans la lumière, frappaient contre les carreaux comme des balles d'or rebondissantes. Quel bonheur dans ce temps-là! quelle liberté! quel espoir! quelle abondance d'illusions! Il n'en restait plus maintenant! Elle en avait dépensé à toutes les aventures de son âme, par toutes les conditions successives, dans la virginité, dans le mariage et dans l'amour; — les perdant ainsi continuellement le long de sa vie, comme un voyageur qui laisse quelque chose de sa richesse à toutes les auberges de la route.

Mais qui donc la rendait si malheureuse? Où était la catastrophe extraordinaire qui l'avait bouleversée? Et elle releva la tête, regardant autour d'elle, comme pour chercher la cause de ce qui la faisait souffrir.

Un rayon d'avril chatoyait sur les porcelaines de l'étagère; le feu brûlait; elle sentait sous ses pantoufles la douceur du tapis; le jour était blanc, l'atmosphère tiède, et elle entendit son enfant qui poussait des éclats de rire.

En effet, la petite fille se roulait alors sur le gazon, au milieu de l'herbe qu'on fanait. Elle était couchée à plat ventre, au haut d'une meule. Sa bonne la retenait par la jupe. Lestiboudois ratissait à côté, et chaque fois qu'il s'approchait, elle se penchait en battant l'air de ses deux bras.

— Amenez-la-moi! dit sa mère, se précipitant pour l'embrasser. Comme je t'aime, ma pauvre enfant! comme je t'aime!

Puis, s'apercevant qu'elle avait le bout des oreilles un peu sale, elle sonna vite pour avoir de l'eau chaude et la nettoya, la changea de linge, de bas, de souliers, fit mille questions sur sa santé, comme au retour d'un voyage, et, enfin, la baisant encore, et pleurant un peu, elle la remit aux mains de la domestique, qui restait fort ébahie devant cet excès de tendresse.

Rodolphe, le soir, la trouva plus sérieuse que d'habitude.

— Cela se passera, jugea-t-il; c'est un caprice.

Et il manqua consécutivement à trois rendez-vous. Quand il revint, elle se montra froide et presque dédaigneuse.

— Ah! tu perds ton temps, ma mignonne...

Et il eut l'air de ne pas remarquer ses soupirs mélancoliques, ni le mouchoir qu'elle tirait.

C'est alors qu'Emma se repentit!

Elle se demanda même pourquoi donc elle exécrait Charles, et s'il n'eût pas été meilleur de le pouvoir aimer. Mais il n'offrait pas grande prise à ces retours du sentiment, si bien qu'elle demeurait fort embarrassée dans sa velléité de sacrifice, lorsque l'apothicaire vint à propos lui fournir une occasion.

Chapitre 11.

Il avait lu dernièrement l'éloge d'une nouvelle méthode pour la cure des pieds bots; et, comme il était partisan du progrès, il conçut cette idée patriotique que Yonville, pour *se mettre au niveau,* devait avoir des opérations de stréphopodie.[234]

— Car, disait-il à Emma, que risque-t-on? Examinez (et il énumérait sur ses doigts les avantages de la tentative): succès presque certain, soulagement et embellissement du malade, célébrité vite acquise à l'opérateur. Pourquoi votre mari, par exemple, ne voudrait-il pas débarrasser ce pauvre Hippolyte, du *Lion d'or?* Notez qu'il ne manquerait pas de raconter sa guérison à tous les voyageurs, et puis (Homais baissait la voix et regardait autour de lui) qui donc m'empêcherait d'envoyer au journal une petite note là-dessus? Eh! mon Dieu! un article circule..., on en parle..., cela finit par faire la boule de neige! Et qui sait? qui sait?

En effet, Bovary pouvait réussir; rien n'affirmait à Emma qu'il ne fût pas habile, et quelle satisfaction pour elle que de l'avoir engagé à une démarche d'où sa réputation et sa fortune se trouveraient accrues? Elle ne demandait qu'à s'appuyer sur quelque chose de plus solide que l'amour.

Charles, sollicité par l'apothicaire et par elle, se laissa convaincre. Il fit venir de Rouen le volume du docteur Duval, et, tous les soirs, se prenant la tête entre les mains, il s'enfonçait dans cette lecture.

Tandis qu'il étudiait les équins, les varus et les valgus, c'est-à-dire la stréphocatopodie, la stréphendopodie et la stréphexopodie (ou, pour parler mieux, les différentes déviations du pied, soit en bas, en dedans ou en dehors), avec la stréphypopodie et la stréphanopodie (autrement dit: torsion en dessous et redressement en haut), M. Homais par toute sorte de raisonnements exhortait le garçon d'auberge à se faire opérer.

— A peine sentiras-tu, peut-être, une légère douleur; c'est une simple piqûre comme une petite saignée, moins que l'extirpation de certains cors.

Hippolyte, réfléchissant, roulait des yeux stupides.

— Du reste, reprenait le pharmacien, ça ne me regarde pas! c'est pour toi! par humanité pure! Je voudrais te voir, mon ami, débarrassé de ta hideuse claudication, avec ce balancement de la région lombaire, qui, bien que tu prétendes, doit te nuire considérablement dans l'exercice de ton métier.

Alors Homais lui représentait combien il se sentirait ensuite plus gaillard et plus ingambe, et même lui donnait à entendre qu'il s'en trouverait mieux pour plaire aux femmes, et le valet d'écurie se prenait à sourire lourdement. Puis il l'attaquait par la vanité:

— N'es-tu pas un homme, saprelotte? Que serait-ce donc, s'il t'avait fallu servir, aller combattre sous les drapeaux?... Ah! Hippolyte!

Et Homais s'éloignait, déclarant qu'il ne comprenait pas cet entêtement, cet aveuglement à se refuser aux bienfaits de la science.

Le malheureux céda, car ce fut comme une conjuration. Binet, qui ne se mêlait jamais des affaires d'autrui, madame Lefrançois, Artémise, les voisins, et jusqu'au maire, M. Tuvache, tout le monde l'engagea, le sermonna, lui faisait honte; mais, ce qui acheva de le décider, *c'est que ça ne lui coûterait rien.* Bovary se chargeait même de fournir la machine pour l'opération. Emma avait eu l'idée de cette générosité; et Charles y consentit, se disant au fond du cœur que sa femme était un ange.

Avec les conseils du pharmacien, et en recommençant trois fois, il fit donc construire par le menuisier, aidé du serrurier, une manière de boîte pesant huit livres environ, et où le fer, le bois, la tôle, le cuir, les vis et les écrous ne se trouvaient point épargnés.

Cependant, pour savoir quel tendon couper à Hippolyte, il fallait connaître d'abord quelle espèce de pied bot il avait.

Il avait un pied faisant avec la jambe une ligne presque droite, ce qui ne l'empêchait pas d'être tourné en dedans, de sorte que c'était un équin mêlé d'un peu de varus, ou bien un léger varus fortement accusé d'équin. Mais, avec cet équin, large en effet comme un pied de cheval, à peau rugueuse, à tendons secs, à gros orteils, et où les ongles noirs figuraient les clous d'un fer, le stréphopode, depuis le matin jusqu'à la nuit, galopait comme un cerf. On le voyait continuellement sur la place, sautiller tout autour des charrettes, en jetant en avant son support inégal. Il semblait même plus vigoureux de cette jambe-là que de l'autre. A force d'avoir servi, elle avait contracté comme des qualités morales de patience et d'énergie, et quand on lui donnait quelque gros ouvrage, il s'écorait [235] dessus, préférablement.

Or, puisque c'était un équin, il fallait couper le tendon d'Achille, quitte à s'en prendre plus tard [236] au muscle tibial antérieur pour se débarrasser du varus: car le médecin n'osait d'un seul coup risquer deux opérations, et même il tremblait déjà, dans la peur d'attaquer quelque région importante qu'il ne connaissait pas.

Ni Ambroise Paré,[237] appliquant pour la première fois depuis Celse,[238] après quinze siècles d'intervalle, la ligature immédiate d'une artère; ni Dupuytren [239] allant ouvrir un abcès à travers une couche épaisse d'encéphale; ni Gensoul, quand il fit la première ablation de maxillaire supérieur, n'avaient certes le cœur si palpitant, la main si frémissante, l'intellect aussi tendu que M. Bovary quand il approcha d'Hippolyte, son *ténotome* entre les doigts. Et, comme dans les hôpitaux, on voyait à côté sur une table, un tas de charpie, des fils cirés, beaucoup de bandes, une pyramide de bandes, tout ce qu'il y avait de bandes chez l'apothicaire. C'était M. Homais qui avait organisé dès le matin tous ces préparatifs, autant pour éblouir la multitude que pour s'illusionner lui-même. Charles piqua la peau; on entendit un craquement sec. Le tendon était coupé, l'opération était finie. Hippolyte n'en revenait pas de surprise; il se penchait sur les mains de Bovary pour les couvrir de baisers.

— Allons, calme-toi, disait l'apothicaire, tu témoigneras plus tard ta reconnaissance envers ton bienfaiteur!

Et il descendit conter le résultat à cinq ou six curieux qui stationnaient dans la cour, et qui s'imaginaient qu'Hippolyte allait reparaître marchant droit. Puis Charles, ayant bouclé son malade dans le moteur mécanique, s'en retourna chez lui, où Emma, tout anxieuse, l'attendait sur la porte. Elle lui sauta au cou; ils se mirent à table; il mangea beaucoup, et même il voulut, au dessert, prendre une tasse de café, débauche qu'il ne se permettait que le dimanche lorsqu'il y avait du monde.

La soirée fut charmante, pleine de causeries, de rêves en commun. Ils parlèrent de leur fortune future, d'améliorations à introduire dans leur ménage; il voyait sa considération s'étendant, son bien-être augmentant, sa femme l'aimant toujours; et elle se trouvait heureuse de se rafraîchir dans un sentiment nouveau, plus sain, meilleur, enfin d'éprouver quelque tendresse pour ce pauvre garçon qui la chérissait. L'idée de Rodolphe, un moment, lui passa par la tête; mais ses yeux se reportèrent sur Charles; elle remarqua même avec surprise qu'il n'avait point les dents vilaines.

Ils étaient au lit lorsque M. Homais, malgré la cuisinière, entra tout à coup dans la chambre, en tenant à la main une feuille de papier fraîche écrite. C'était la réclame qu'il destinait au *Fanal de Rouen.* Il la leur apportait à lire.

— Lisez vous-même, dit Bovary.

Il lut:

— « Malgré les préjugés qui recouvrent encore une partie de la face de l'Europe comme un réseau, la lumière cependant commence à pénétrer dans nos campagnes. C'est ainsi que, mardi, notre petite cité d'Yonville s'est vue le théâtre d'une expérience chirurgicale qui est en même temps un acte de haute philanthropie. M. Bovary, un de nos praticiens les plus distingués... »

— Ah! c'est trop! c'est trop! disait Charles, que l'émotion suffoquait.

— Mais non, pas du tout! comment donc!... « A opéré d'un pied bot... » Je n'ai pas mis le terme scientifique, parce que, vous savez, dans un journal..., tout le monde peut-être ne comprendrait pas; il faut que les masses...

— En effet, dit Bovary. Continuez.

— Je reprends, dit le pharmacien. « M. Bovary, un de nos praticiens les plus distingués, a opéré d'un pied bot le nommé Hippolyte Tautain, garçon d'écurie depuis vingt-cinq ans à l'hôtel du *Lion d'or,* tenu par madame Lefrançois, sur la place d'Armes. La nouveauté de la tentative et l'intérêt qui s'attachait au sujet avaient attiré un tel concours de population, qu'il y avait véritablement encombrement au seuil de l'établissement. L'opération, du reste, s'est pratiquée comme par enchantement et à peine si quelques gouttes de sang sont venues sur la peau, comme pour dire que le tendon rebelle venait enfin de céder sous les efforts de l'art. Le malade, chose étrange (nous l'affirmons *de visu*), n'accusa point de douleur.[240] Son état jusqu'à présent ne laisse rien à désirer. Tout porte à croire que la convalescence sera courte, et qui sait même si, à la prochaine fête villageoise, nous ne verrons pas notre brave Hippolyte figurer dans des danses bachiques, au milieu d'un chœur de joyeux drilles,[241] et ainsi prouver à tous les yeux, par sa verve et ses entrechats, sa complète guérison? Honneur donc aux savants généreux! Honneur à ces esprits infatigables qui consacrent leurs veilles à l'amélioration ou bien au soulagement de leur espèce! Honneur! trois fois honneur! N'est-ce pas le cas de s'écrier que les aveugles verront, les sourds entendront et les boiteux marcheront? Mais ce que le fanatisme autrefois promettait à ses élus, la science maintenant l'accomplit pour tous les hommes! Nous tiendrons nos lecteurs au courant des phases successives de cette cure remarquable. »

Ce qui n'empêcha pas que, cinq jours après, la mère Lefrançois n'arrivât tout effarée en s'écriant:

— Au secours! il se meurt!... J'en perds la tête!

Charles se précipita vers le *Lion d'or*, et le pharmacien, qui l'aperçut passant sur la place, sans chapeau, abandonna la pharmacie. Il parut lui-même, haletant, rouge, inquiet, et demandant à tous ceux qui montaient l'escalier:

— Qu'a donc notre intéressant stréphopode?

Il se tordait, le stréphopode, dans des convulsions atroces, si bien que le moteur mécanique où était enfermée sa jambe frappait contre la muraille à la défoncer.

Avec beaucoup de précautions, pour ne pas déranger la position du membre, on retira donc la boîte, et l'on vit un spectacle affreux. Les formes du pied disparaissaient dans une telle bouffissure, que la peau tout entière semblait près de se rompre, et elle était couverte d'ecchymoses [242] occasionnées par la fameuse machine. Hippolyte déjà s'était plaint d'en souffrir; on n'y avait pris garde; il fallut reconnaître qu'il n'avait pas eu tort complètement et on le laissa libre quelques heures. Mais à peine l'œdème [243] eut-il un peu disparu, que les deux savants jugèrent à propos de rétablir le membre dans l'appareil, et en l'y serrant davantage, pour accélérer les choses. Enfin, trois jours après, Hippolyte n'y pouvant plus tenir, ils retirèrent encore une fois la mécanique, tout en s'étonnant beaucoup du résultat qu'ils aperçurent. Une tuméfaction livide s'étendait sur la jambe, et avec des phlyctènes [244] de place en place, par où suintait un liquide noir. Cela prenait une tournure sérieuse. Hippolyte commençait à s'ennuyer, et la mère Lefrançois l'installa dans la petite salle, près de la cuisine, pour qu'il eût au moins quelque distraction.

Mais le percepteur, qui tous les jours y dînait, se plaignit avec amertume d'un tel voisinage. Alors on transporta Hippolyte dans la salle du billard.

Il était là, geignant sous ses grosses couvertures, pâle, la barbe longue, les yeux caves, et, de temps à autre, tournant sa tête en sueur sur le sale oreiller où s'abattaient les mouches. Madame Bovary le venait voir. Elle lui apportait des linges pour ses cataplasmes, et le consolait, l'encourageait. Du reste, il ne manquait pas de compagnie, les jours de marché surtout, lorsque les paysans autour de lui poussaient les billes du billard, s'escrimaient avec les queues, fumaient, buvaient, chantaient, braillaient.

— Comment vas-tu? disaient-ils en lui frappant sur l'épaule. Ah! tu n'es pas fier, à ce qu'il paraît! Mais c'est ta faute. Il faudrait faire ceci, faire cela.

Et on lui racontait des histoires de gens qui avaient tous été guéris par d'autres remèdes que les siens; puis, en manière de consolation, ils ajoutaient:

— C'est que tu t'écoutes trop! [245] lève-toi donc! tu te dorlotes comme un roi! Ah! n'importe, vieux farceur! tu ne sens pas bon!

La gangrène, en effet, montait de plus en plus. Bovary en était malade lui-même. Il venait à chaque heure, à tout moment. Hippolyte le regardait avec des yeux pleins d'épouvante et balbutiait en sanglotant:

— Quand est-ce que je serai guéri?... Ah! sauvez-moi!... Que je suis malheureux! que je suis malheureux!

Et le médecin s'en allait toujours en lui recommandant la diète.

— Ne l'écoute point, mon garçon, reprenait la mère Lefrançois; ils t'ont déjà bien assez martyrisé! Tu vas t'affaiblir encore. Tiens, avale!

Et elle lui présentait quelque bon bouillon, quelque tranche de gigot, quelque morceau de lard, et parfois des petits verres d'eau-de-vie, qu'il n'avait pas le courage de porter à ses lèvres.

L'abbé Bournisien, apprenant qu'il empirait, fit demander à le voir. Il commença par le plaindre de son mal, tout en déclarant qu'il fallait s'en réjouir, puisque c'était la volonté du Seigneur, et profiter vite de l'occasion pour se réconcilier avec le ciel.

— Car, disait l'ecclésiastique d'un ton paternel, tu négligeais un peu tes devoirs; on te voyait rarement à l'office divin; combien y a-t-il d'années que tu ne t'es approché de la Sainte Table? Je comprends que tes occupations, que le tourbillon du monde aient pu t'écarter du soin de ton salut. Mais, à présent, c'est l'heure d'y réfléchir. Ne désespère pas, cependant; j'ai connu de grands coupables qui, près de comparaître devant Dieu (tu n'en es point encore là, je le sais bien), avaient imploré sa miséricorde, et qui certainement sont morts dans les meilleures dispositions. Espérons que, tout comme eux, tu nous donneras de bons exemples! Ainsi, par précaution, qui donc t'empêcherait de réciter matin et soir un « Je vous salue, Marie, pleine de grâce », et un « Notre Père, qui êtes aux Cieux »! Oui, fais cela, pour moi, pour m'obliger. Qu'est-ce que ça coûte?... Me le promets-tu?

Le pauvre diable promit. Le curé revint les jours suivants. Il causait avec l'aubergiste et même racontait des anecdotes entremêlées de plaisanteries, de calembours qu'Hippolyte ne comprenait pas. Puis, dès que la circonstance le permettait, il retombait sur les matières de religion, en prenant une figure convenable.

Son zèle parut réussir; car bientôt le stréphopode témoigna l'envie d'aller en pèlerinage à Bon-Secours, s'il se guérissait: à quoi M. Bournisien répondit qu'il ne voyait pas d'inconvénient; deux précautions valaient mieux qu'une. *On ne risquait rien.*

L'apothicaire s'indigna contre ce qu'il appelait les *manœuvres du prêtre;* elles nuisaient, prétendait-il, à la convalescence d'Hippolyte, et il répétait à madame Lefrançois:

—Laissez-le! laissez-le! vous lui perturbez le moral avec votre mysticisme!

Mais la bonne femme ne voulut plus l'entendre. Il était *cause de tout.* Par esprit de contradiction, elle accrocha même au chevet du malade un bénitier tout plein, avec une branche de buis.

Cependant la religion pas plus que la chirurgie ne paraissait le secourir, et l'invincible pourriture allait montant toujours des extrémités vers le ventre. On avait beau varier les potions et changer les cataplasmes, les muscles, chaque jour, se décollaient davantage, et enfin Charles répondit par un signe de tête affirmatif quand la mère Lefrançois lui demanda si elle ne pourrait point, en désespoir de cause, faire venir M. Canivet, de Neufchâtel, qui était une célébrité.

Docteur en médecine, âgé de cinquante ans, jouissant d'une bonne position et sûr de lui-même, le confrère ne se gêna pas pour rire dédaigneusement lorsqu'il découvrit cette jambe gangrenée jusqu'au genou. Puis, ayant déclaré net qu'il la fallait amputer, il s'en alla chez le pharmacien déblatérer contre les ânes qui avaient pu réduire un malheureux homme en un tel état. Secouant M. Homais par le bouton de sa redingote, il vociférait dans la pharmacie.

—Ce sont là des inventions de Paris! [246] Voilà les idées de ces messieurs de la Capitale! C'est comme le strabisme,[247] le chloroforme et la lithotritie,[248] un tas de monstruosités que le gouvernement devrait défendre! Mais on veut faire le malin, et l'on vous fourre des remèdes sans s'inquiéter des conséquences. Nous ne sommes pas si forts que cela, nous autres; nous ne sommes pas des savants, des mirliflores,[249] des jolis cœurs; [250] nous sommes des praticiens, des guérisseurs, et nous n'imaginerions pas d'opérer quelqu'un qui se porte à merveille! Redresser des pieds bots! est-ce qu'on peut redresser les pieds bots? c'est comme si l'on voulait, par exemple, rendre droit un bossu!

Homais souffrait en écoutant ce discours, et il dissimulait son malaise sous un sourire de courtisan, ayant besoin de ménager M. Canivet, dont les ordonnances quelquefois arrivaient jusqu'à Yonville; aussi ne prit-il pas la défense de Bovary, ne fit-il même aucune observation, et, abandonnant ses principes, il sacrifia sa dignité aux intérêts plus sérieux de son négoce.

Ce fut dans le village un événement considérable que cette amputation de cuisse par le docteur Canivet! Tous les habitants, ce jour-là, s'étaient levés de meilleure heure, et la Grande-Rue, bien que pleine de monde, avait quelque chose de lugubre comme s'il se fût agi d'une exécution capitale. On discutait chez l'épicier sur la maladie d'Hippolyte; les boutiques ne vendaient rien, et madame Tuvache, la femme du maire, ne bougeait pas de la fenêtre, par l'impatience où elle était de voir venir l'opérateur.

Il arriva dans son cabriolet qu'il conduisait lui-même. Mais, le ressort du côté droit s'étant à la longue affaissé sous le poids de sa corpulence, il se faisait que la voiture penchait un peu tout en allant, et l'on apercevait sur l'autre coussin, près de lui, une vaste boîte, recouverte de basane rouge, dont les trois fermoirs de cuivre brillaient magistralement.

Quand il fut entré comme un tourbillon sous le porche du *Lion d'or*, le docteur, criant très haut, ordonna de dételer son cheval, puis il alla dans l'écurie voir s'il mangeait bien l'avoine; car, en arrivant chez ses malades, il s'occupait d'abord de sa jument et de son cabriolet. On disait même à ce propos: « Ah! M. Canivet, c'est un original ! » Et on l'estimait davantage pour cet inébranlable aplomb. L'univers aurait pu crever jusqu'au dernier homme, qu'il n'eût pas failli à la moindre de ses habitudes.

Homais se présenta.

—Je compte sur vous, fit le docteur. Sommes-nous prêts? En marche!

Mais l'apothicaire, en rougissant, avoua qu'il était trop sensible pour assister à une pareille opération.

—Quand on est simple spectateur, disait-il, l'imagination, vous savez, se frappe! Et puis j'ai le système nerveux tellement...

—Ah! bah! interrompit Canivet, vous me paraissez, au contraire, porté à l'apoplexie. Et, d'ailleurs, cela ne m'étonne pas; car, vous autres, messieurs les pharmaciens, vous êtes continuellement fourrés dans votre cuisine, ce qui doit finir par altérer votre tempérament. Regardez-moi, plutôt: tous les jours, je me lève à quatre heures, je fais ma barbe à l'eau froide (je n'ai jamais froid) et je ne porte pas de flanelle, je n'attrape aucun rhume, le coffre [251] est bon! Je vis tantôt d'une manière, tantôt d'une autre, en philosophe, au hasard de la fourchette. [252] C'est pourquoi je ne suis point délicat comme vous et il m'est aussi parfaitement égal de découper un chrétien que la première volaille venue. Après ça, direz-vous, l'habitude..., l'habitude!...

Alors, sans aucun égard pour Hippolyte, qui suait d'angoisse entre ses draps, ces messieurs engagèrent une conversation où l'apothicaire compara le sang-froid d'un chirurgien à celui d'un général; et ce rapprochement fut agréable à Canivet qui se répandit en paroles sur les exigences de son art. Il le considérait comme un sacerdoce, bien que les officiers de santé le déshonorassent. Enfin, revenant au malade, il examina les bandes apportées par Homais, les mêmes qui avaient comparu lors du pied bot, et demanda quelqu'un pour lui tenir le membre. On envoya chercher Lestiboudois, et M. Canivet, ayant retroussé ses manches, passa dans la salle de billard, tandis que l'apothicaire restait avec Artémise et l'aubergiste, plus pâles toutes deux que leur tablier, et l'oreille tendue contre la porte.

Bovary, pendant ce temps-là, n'osait bouger de sa maison. Il se tenait en bas, dans la salle, assis au coin de la cheminée sans feu, le menton sur sa poitrine, les mains jointes, les yeux fixes. Quelle mésaventure! pensait-il, quel désappointement! Il avait pris pourtant toutes les précautions imaginables. La fatalité s'en était mêlée. N'importe! si Hippolyte, plus tard, venait à mourir, c'est lui qui l'aurait assassiné. Et puis, quelle raison donnerait-il dans les visites, quand on l'interrogerait? Peut-être, cependant, s'était-il trompé en quelque chose? Il cherchait, ne trouvait pas. Mais les plus fameux chirurgiens se trompaient bien. Voilà ce qu'on ne voudrait jamais croire! on allait rire, au contraire, clabauder! Cela se répandrait jusqu'à Forges! jusqu'à Neufchâtel! jusqu'à Rouen! partout! Qui sait si des confrères n'écriraient pas contre lui? Une polémique s'ensuivrait, il faudrait répondre dans les journaux. Hippolyte même pouvait lui faire un procès. Il se voyait déshonoré, ruiné, perdu! Et son imagination, assaillie par une multitude d'hypothèses, ballottait au milieu d'elles comme un tonneau vide emporté à la mer et qui roule sur les flots.

Emma, en face de lui, le regardait; elle ne partageait pas son humiliation, elle en éprouvait une autre: c'était de s'être imaginé qu'un pareil homme pût valoir quelque chose, comme si vingt fois déjà elle n'avait pas suffisamment aperçu sa médiocrité.

Charles se promenait de long en large, dans sa chambre. Ses bottes craquaient sur le parquet.

— Assieds-toi, dit-elle, tu m'agaces!

Il se rassit.

Comment donc avait-elle fait (elle qui était si intelligente!) pour se méprendre encore une fois! Du reste, par quelle déplorable manie avoir ainsi abîmé son existence en sacrifices continuels? Elle se rappela tous ses instincts de luxe, toutes les privations de son âme, les bassesses du mariage, du ménage, ses rêves tombant dans la boue comme des hirondelles blessées, tout ce qu'elle avait désiré, tout ce qu'elle s'était refusé, tout ce qu'elle aurait pu avoir! Et pourquoi? pourquoi?

Au milieu du silence qui emplissait le village, un cri déchirant traversa l'air. Bovary devint pâle à s'évanouir.

Elle fronça les sourcils d'un geste nerveux, puis continua.
C'était pour lui, cependant, pour cet être, pour cet homme
qui ne comprenait rien, qui ne sentait rien! Car il était
là, tout tranquillement, et sans même se douter que le
ridicule de son nom allait désormais la salir comme lui.
Elle avait fait des efforts pour l'aimer, et elle s'était
repentie en pleurant d'avoir cédé à un autre.

— Mais c'était peut-être un valgus? exclama soudain
Bovary, qui méditait.

Au choc imprévu de cette phrase tombant sur sa pensée
comme une balle de plomb dans un plat d'argent, Emma
tressaillant leva la tête pour deviner ce qu'il voulait dire;
et ils se regardèrent silencieusement, presque ébahis de
se voir, tant ils étaient par leur conscience éloignés l'un
de l'autre. Charles la considérait avec le regard trouble
d'un homme ivre, tout en écoutant, immobile, les derniers
cris de l'amputé qui se suivaient en modulations traînantes,
coupées de saccades aiguës, comme le hurlement lointain
de quelque bête qu'on égorge. Emma mordait ses lèvres
blêmes, et, roulant entre ses doigts un des brins du polypier
qu'elle avait cassé, elle fixait sur Charles la pointe ardente
de ses prunelles, comme deux flèches de feu prêtes à partir.
Tout en lui l'irritait maintenant, sa figure, son costume,
ce qu'il ne disait pas, sa personne entière, son existence
enfin. Elle se repentait, comme d'un crime, de sa vertu
passée, et ce qui en restait encore s'écroulait sous les coups
furieux de son orgueil. Elle se délectait dans toutes les
ironies mauvaises de l'adultère triomphant. Le souvenir
de son amant revenait à elle avec des attractions vertigineuses; elle y jetait son âme, emportée vers cette image
par un enthousiasme nouveau; et Charles lui semblait aussi
détaché de sa vie, aussi absent pour toujours, aussi impossible et anéanti, que s'il allait mourir et qu'il eût agonisé
sous ses yeux.

Il se fit un bruit de pas sur le trottoir. Charles regarda;
et, à travers la jalousie baissée, il aperçut au bord des
halles, en plein soleil, le docteur Canivet qui s'essuyait le
front avec son foulard. Homais, derrière lui, portait à la

main une grande boîte rouge, et ils se dirigeaient tous les deux du côté de la pharmacie.

Alors, par tendresse subite et découragement, Charles se tourna vers sa femme en lui disant:

— Embrasse-moi donc, ma bonne!

— Laisse-moi! fit-elle, toute rouge de colère.

— Qu'as-tu? qu'as-tu? répétait-il stupéfait. Calme-toi, reprends-toi! Tu sais bien que je t'aime!... viens!

— Assez! s'écria-t-elle d'un air terrible.

Et, s'échappant de la salle, Emma ferma la porte si fort, que le baromètre bondit de la muraille et s'écrasa par terre.

Charles s'affaissa dans son fauteuil, bouleversé, cherchant ce qu'elle pouvait avoir, imaginant une maladie nerveuse, pleurant, et sentant vaguement circuler autour de lui quelque chose de funeste et d'incompréhensible.

Quand Rodolphe, le soir, arriva dans le jardin, il trouva sa maîtresse qui l'attendait au bas du perron, sur la première marche. Ils s'étreignirent, et toute leur rancune se fondit comme une neige sous la chaleur de ce baiser.

Chapitre 12.

Ils recommencèrent à s'aimer. Souvent même, au milieu de la journée, Emma lui écrivait tout à coup; puis, à travers les carreaux, faisait signe à Justin, qui, dénouant vite sa serpillière, s'envolait à la Huchette: Rodolphe arrivait; c'était pour lui dire qu'elle s'ennuyait, que son mari était odieux et l'existence affreuse!

— Est-ce que j'y peux quelque chose? s'écria-t-il un jour, impatienté.

— Ah! si tu voulais!...

Elle était assise par terre, entre ses genoux, les bandeaux dénoués, le regard perdu.

—Quoi donc? fit Rodolphe.

Elle soupira:

—Nous irions vivre ailleurs..., quelque part...

—Tu es folle, vraiment! dit-il en riant. Est-ce possible?

Elle revint là-dessus; il eut l'air de ne pas comprendre et détourna la conversation. Ce qu'il ne comprenait pas, c'était tout ce trouble dans une chose aussi simple que l'amour. Elle avait un motif, une raison, et comme un auxiliaire à son attachement.

Cette tendresse, en effet, chaque jour s'accroissait davantage sous la répulsion du mari. Plus elle se livrait à l'un, plus elle exécrait l'autre; jamais Charles ne lui paraissait aussi désagréable, avoir les doigts aussi carrés, l'esprit aussi lourd, les façons si communes qu'après ses rendez-vous avec Rodolphe, quand ils se trouvaient ensemble. Alors, tout en faisant l'épouse et la vertueuse, elle s'enflammait à l'idée de cette tête dont les cheveux noirs se tournaient en une boucle vers le front hâlé, de cette taille à la fois si robuste et si élégante, de cet homme, enfin, qui possédait tant d'expérience dans la raison, tant d'emportement dans le désir! C'était pour lui qu'elle se limait les ongles avec un soin de ciseleur, et qu'il n'y avait jamais assez de *cold-cream* sur sa peau, ni de patchouli dans ses mouchoirs. Elle se chargeait de bracelets, de bagues, de colliers. Quand il devait venir, elle emplissait de roses ses deux grands vases de verre bleu, et disposait son appartement et sa personne comme une courtisane qui attend un prince. Il fallait que la domestique fût sans cesse à blanchir du linge; et, de toute la journée, Félicité ne bougeait de la cuisine, où le petit Justin, qui souvent lui tenait compagnie, la regardait travailler.

Le coude sur la longue planche où elle repassait, il considérait avidement toutes ces affaires de femme étalées autour de lui: les jupons de basin, les fichus, les collerettes, et les pantalons à coulisse, vastes de hanches et qui se rétrécissaient par le bas.

— A quoi cela sert-il? demandait le jeune garçon en passant sa main sur la crinoline ou les agrafes.

—Tu n'as donc jamais rien vu? répondait en riant Félicité; comme si ta patronne, madame Homais, n'en portait pas de pareils.

— Ah bien oui! madame Homais!

Et il ajoutait d'un ton méditatif:

—Est-ce que c'est une dame comme Madame?

Mais Félicité s'impatientait de le voir tourner ainsi tout autour d'elle. Elle avait six ans de plus, et Théodore, le domestique de M. Guillaumin, commençait à lui faire la cour.

—Laisse-moi tranquille! disait-elle en déplaçant son pot d'empois. Va-t'en plutôt piler des amandes; tu es toujours à fourrager du côté des femmes; attends, pour te mêler de ça, méchant mioche, que tu aies de la barbe au menton.

—Allons, ne vous fâchez pas, je m'en vais vous *faire ses bottines*.

Et aussitôt il atteignait sur le chambranle les chaussures d'Emma, tout empâtées de crotte — la crotte des rendez-vous — qui se détachait en poudre sous ses doigts, et qu'il regardait monter doucement dans un rayon de soleil.

—Comme tu as peur de les abîmer! disait la cuisinière, qui n'y mettait pas tant de façons quand elle les nettoyait elle-même, parce que Madame, dès que l'étoffe n'était plus fraîche, les lui abandonnait.

Emma en avait une quantité dans son armoire, et qu'elle gaspillait à mesure,[253] sans que jamais Charles se permît la moindre observation.

C'est ainsi qu'il débordsa trois cents francs pour une jambe de bois dont elle jugea convenable de faire cadeau à Hippolyte.

Le pilon en était garni de liège, et il avait des articulations à ressort, une mécanique compliquée recouverte d'un pantalon noir, que terminait une botte vernie. Mais Hippolyte, n'osant à tous les jours se servir d'une si belle jambe, supplia madame Bovary de lui en procurer une autre plus commode. Le médecin, bien entendu, fit encore les frais de cette acquisition.

Donc, le garçon d'écurie peu à peu recommença son métier. On le voyait comme autrefois parcourir le village, et quand Charles entendait de loin, sur les pavés, le bruit sec de son bâton, il prenait bien vite une autre route.

C'était M. Lheureux, le marchand, qui s'était chargé de la commande; cela lui fournit l'occasion de fréquenter Emma. Il causait avec elle des nouveaux déballages de Paris, de mille curiosités féminines, se montrait fort complaisant, et jamais ne réclamait d'argent. Emma s'abandonnait à cette facilité de satisfaire tous ses caprices. Ainsi elle voulut avoir, pour donner à Rodolphe, une fort belle cravache qui se trouvait à Rouen dans un magasin de parapluies. M. Lheureux, la semaine d'après, la lui posa sur sa table.

Mais le lendemain il se présenta chez elle avec une facture de deux cent soixante et dix francs sans compter les centimes. Emma fut très embarrassée: tous les tiroirs du secrétaire étaient vides; on devait plus de quinze jours à Lestiboudois, deux trimestres à la servante, quantité d'autres choses encore, et Bovary attendait impatiemment l'envoi de M. Derozerays, qui avait coutume, chaque année, de le payer vers la Saint-Pierre.[254]

Elle réussit d'abord à éconduire Lheureux; enfin il perdit patience: on le poursuivait, ses capitaux étaient absents, et, s'il ne rentrait dans quelques-uns, il serait forcé de lui reprendre toutes les marchandises qu'elle avait.

— Eh! reprenez-les! dit Emma.

— Oh! c'est pour rire! répliqua-t-il. Seulement, je ne regrette que la cravache. Ma foi, je la redemanderai à Monsieur.

— Non! non! fit-elle.

— Ah! je te tiens! pensa Lheureux.

Et, sûr de sa découverte, il sortit en répétant à demi-voix et avec son petit sifflement habituel:

— Soit! nous verrons! nous verrons.

Elle rêvait comment se tirer de là, quand la cuisinière entrant déposa sur la cheminée un petit rouleau de papier bleu, *de la part de M. Derozerays.* Emma sauta dessus, l'ouvrit. Il y avait quinze napoléons.[255] C'était le compte. Elle entendit Charles dans l'escalier; elle jeta l'or au fond de son tiroir et prit la clef.

Trois jours après, Lheureux reparut.

— J'ai un arrangement à vous proposer, dit-il; si, au lieu de la somme convenue, vous vouliez prendre...

— La voilà! fit-elle en lui plaçant dans la main quatorze napoléons.

Le marchand fut stupéfait. Alors, pour dissimuler son désappointement, il se répandit en excuses et en offres de service qu'Emma refusa toutes; puis elle resta quelques minutes palpant dans la poche de son tablier les deux pièces de cent sous qu'il lui avait rendues. Elle se promettait d'économiser, afin de rendre plus tard...

— Ah! bah! songea-t-elle, il n'y pensera plus.

Outre la cravache à pommeau de vermeil, Rodolphe avait reçu un cachet avec cette devise: *Amor nel Cor;* de plus, une écharpe pour se faire un cache-nez, et enfin un porte-cigarettes tout pareil à celui du Vicomte, que Charles avait autrefois ramassé sur la route et qu'Emma conservait. Cependant ces cadeaux l'humiliaient. Il en refusa plusieurs: elle insista, et Rodolphe finit par obéir, la trouvant tyrannique et trop envahissante.[256]

Puis elle avait d'étranges idées:

— Quand minuit sonnera, disait-elle, tu penseras à moi!

Et, s'il avouait n'y avoir pas songé, c'étaient des reproches en abondance, et qui se terminaient toujours par l'éternel mot:

— M'aimes-tu?

— Mais oui, je t'aime! répondait-il.

— Beaucoup?

— Certainement!

— Tu n'en as pas aimé d'autres, hein?

— Crois-tu m'avoir pris vierge? exclamait-il en riant.

Emma pleurait, et il s'efforçait de la consoler, enjolivant de calembours ses protestations.

— Oh! c'est que je t'aime! reprenait-elle, je t'aime à ne pouvoir me passer de toi, sais-tu bien? J'ai quelquefois des envies de te revoir où toutes les colères de l'amour me déchirent. Je me demande: « Où est-il? Peut-être il parle à d'autres femmes? Elles lui sourient, il s'approche... » Oh! non, n'est-ce pas, aucune ne te plaît? Il y en a de plus belles; mais, moi, je sais mieux aimer! Je suis ta servante et ta concubine! tu es mon roi, mon idole! tu es bon! tu es beau! tu es intelligent! tu es fort!

Il s'était tant de fois entendu dire ces choses, qu'elles n'avaient pour lui rien d'original. Emma ressemblait à toutes les maîtresses; et le charme de la nouveauté, peu à peu tombant comme un vêtement, laissait voir à nu l'éternelle monotonie de la passion, qui a toujours les mêmes formes et le même langage. Il ne distinguait pas, cet homme si plein de pratique, la dissemblance des sentiments sous la parité des expressions. Parce que des lèvres libertines ou vénales lui avaient murmuré des phrases pareilles, il ne croyait que faiblement à la candeur de celles-là; on en devait rabattre,[257] pensait-il, les discours exagérés cachant les affections médiocres: comme si la plénitude de l'âme ne débordait pas quelquefois par les métaphores les plus vides, puisque personne, jamais, ne peut donner l'exacte mesure de ses besoins, ni de ses conceptions, ni de ses douleurs, et que la parole humaine est comme un chaudron fêlé où nous battons des mélodies à faire danser les ours, quand on voudrait attendrir les étoiles.[258]

Mais, avec cette supériorité de critique appartenant à celui qui, dans n'importe quel engagement, se tient en arrière, Rodolphe aperçut en cet amour d'autres jouissances à exploiter. Il jugea toute pudeur incommode. Il la traita sans façon. Il en fit quelque chose de souple et de corrompu. C'était une sorte d'attachement idiot plein d'admiration pour lui, de volupté pour elle, une béatitude

qui l'engourdissait; et son âme s'enfonçait en cette ivresse
et s'y noyait, ratatinée, comme le duc de Clarence [259] dans
son tonneau de malvoisie.

Par l'effet seul de ses habitudes amoureuses, madame
Bovary changea d'allures. Ses regards devinrent plus hardis,
ses discours plus libres; elle eut même l'inconvenance de
se promener avec M. Rodolphe une cigarette à la bouche,
comme pour narguer le monde;[260] enfin, ceux qui doutaient
encore ne doutèrent plus quand on a la vit, un jour, descendre de l'*Hirondelle,* la taille serrée dans un gilet, à la
façon d'un homme; et madame Bovary mère, qui, après
une épouvantable scène avec son mari, était venue se réfugier chez son fils, ne fut pas la bourgeoise la moins
scandalisée. Bien d'autres choses lui déplurent: d'abord
Charles n'avait point écouté ses conseils pour l'interdiction
des romans; puis, *le genre de la maison* lui déplaisait;
elle se permit des observations et l'on se fâcha, une fois
surtout, à propos de Félicité.

Madame Bovary mère, la veille au soir, en traversant
le corridor, l'avait surprise dans la compagnie d'un homme,
un homme à collier brun, d'environ quarante ans, et qui,
au bruit de ses pas, s'était vite échappé de la cuisine.
Alors Emma se prit à rire; mais la bonne dame s'emporta,
déclarant qu'à moins de se moquer des mœurs, on devait
surveiller celles des domestiques.

— De quel monde êtes-vous? [261] dit la bru, avec un
regard tellement impertinent que madame Bovary lui demanda si elle ne défendait point sa propre cause.

— Sortez! fit la jeune femme se levant d'un bond.

— Emma!... maman!... s'écriait Charles pour les rapatrier.[262]

Mais elles s'étaient enfuies toutes les deux dans leur
exaspération. Emma trépignait en répétant:

— Ah! quel savoir-vivre! quelle paysanne! [263]

Il courut à sa mère; elle était hors des gonds, elle balbutiait:

— C'est une insolente! une évaporée! pire peut-être!

Et elle voulait partir immédiatement, si l'autre ne venait

lui faire des excuses. Charles retourna vers sa femme et la conjura de céder: il se mit à genoux; elle finit par répondre:

— Soit! j'y vais.

En effet, elle tendit la main à sa belle-mère avec une dignité de marquise, en lui disant:

— Excusez-moi, madame.

Puis, remontée chez elle, Emma se jeta tout à plat ventre sur son lit, et elle y pleura comme une enfant, la tête enfoncée dans l'oreiller.

Ils étaient convenus, elle et Rodolphe, qu'en cas d'événement extraordinaire, elle attacherait à la persienne un petit chiffon de papier blanc, afin que si, par hasard, il se trouvait à Yonville, il accourût dans la ruelle, derrière la maison. Emma fit le signal; elle attendait depuis trois quarts d'heure quand, tout à coup, elle aperçut Rodolphe au coin des halles. Elle fut tentée d'ouvrir la fenêtre, de l'appeler; mais déjà il avait disparu. Elle retomba désespérée.

Bientôt, pourtant, il lui sembla que l'on marchait sur le trottoir. C'était lui, sans doute; elle descendit l'escalier, traversa la cour. Il était là, dehors. Elle se jeta dans ses bras.

— Prends donc garde, dit-il.

— Ah! si tu savais! reprit-elle.

Et elle se mit à lui raconter tout, à la hâte, sans suite, exagérant les faits, en inventant plusieurs, et prodiguant les parenthèses si abondamment qu'il n'y comprenait rien.

— Allons, mon pauvre ange, du courage, console-toi, patience!

— Mais voilà quatre ans que je patiente et que je souffre!... Un amour comme le nôtre devrait s'avouer à la face du ciel! Ils sont à me torturer. Je n'y tiens plus! Sauve-moi!

Elle se serrait contre Rodolphe. Ses yeux, pleins de larmes, étincelaient comme des flammes sous l'onde; sa gorge haletait à coups rapides; jamais il ne l'avait tant aimée; si bien qu'il en perdit la tête et qu'il lui dit:

— Que faut-il faire? Que veux-tu?

— Emmène-moi! s'écria-t-elle. Enlève-moi...! Oh! je t'en supplie!

Et elle se précipita sur sa bouche, comme pour y saisir le consentement inattendu qui s'en exhalait dans un baiser.

— Mais..., reprit Rodolphe.

— Quoi donc?

— Et ta fille?

Elle réfléchit quelques minutes, puis répondit:

— Nous la prendrons, tant pis!

— Quelle femme! se dit-il en la regardant s'éloigner. Car elle venait de s'échapper dans le jardin. On l'appelait.

La mère Bovary, les jours suivants, fut très étonnée de la métamorphose de sa bru. En effet, Emma se montra plus docile, et même poussa la déférence jusqu'à lui demander une recette pour faire mariner des cornichons.

Etait-ce afin de les mieux duper l'un et l'autre? Ou bien voulait-elle, par une sorte de stoïcisme voluptueux, sentir plus profondément l'amertume des choses qu'elle allait abandonner? Mais elle n'y prenait garde, au contraire: elle vivait comme perdue dans la dégustation anticipée de son bonheur prochain. C'était avec Rodolphe un éternel sujet de causeries. Elle s'appuyait sur son épaule, elle murmurait:

— Hein! quand nous serons dans la malle-poste!... Y songes-tu? Est-ce possible? Il me semble qu'au moment où je sentirai la voiture s'élancer, ce sera comme si nous montions en ballon, comme si nous partions vers les nuages. Sais-tu que je compte les jours?... Et toi?

Jamais madame Bovary ne fut aussi belle qu'à cette époque; elle avait cette indéfinissable beauté qui résulte de la joie, de l'enthousiasme, du succès, et qui n'est que l'harmonie du tempérament avec les circonstances. Ses convoitises, ses chagrins, l'expérience du plaisir et ses illusions toujours jeunes, comme font aux fleurs le fumier, la pluie, les vents et le soleil, l'avaient par gradation développée, et elle s'épanouissait enfin dans la plénitude de sa

nature. Ses paupières semblaient taillées tout exprès pour
ses longs regards amoureux où la prunelle se perdait,
tandis qu'un souffle fort écartait ses narines minces et
relevait le coin charnu de ses lèvres, qu'ombrageait à la
lumière un peu de duvet noir. On eût dit qu'un artiste
habile en corruptions avait disposé sur sa nuque la torsade
de ses cheveux: ils s'enroulaient en une masse lourde
négligemment, et selon les hasards de l'adultère, qui les
dénouait tous les jours. Sa voix, maintenant, prenait des
inflexions plus molles, sa taille aussi; quelque chose de
subtil qui vous pénétrait se dégageait même des draperies
de sa robe et de la cambrure de son pied. Charles, comme
aux premiers temps de son mariage, la trouvait délicieuse
et tout irrésistible.

Quand il rentrait au milieu de la nuit, il n'osait pas la
réveiller. La veilleuse de porcelaine arrondissait au plafond
une clarté tremblante, et les rideaux fermés du petit berceau
faisaient comme une hutte blanche qui se bombait dans
l'ombre, au bord du lit. Charles les regardait. Il croyait
entendre l'haleine légère de son enfant. Elle allait grandir
maintenant; chaque saison, vite, amènerait un progrès; il
la voyait déjà revenant de l'école à la tombée du jour,
toute rieuse, avec sa brassière tachée d'encre, et portant
au bras son panier; puis il faudrait la mettre en pension,
cela coûterait beaucoup; comment faire? Alors il réfléchissait. Il pensait à louer une petite ferme aux environs, et
qu'il surveillerait lui-même, tous les matins, en allant voir
ses malades. Il en économiserait le revenu, il le placerait
à la caisse d'épargne; ensuite, il achèterait des actions,
quelque part, n'importe où; d'ailleurs la clientèle augmen-
terait; il y comptait, car il voulait que Berthe fût bien
élevée, qu'elle eût des talents, qu'elle apprît le piano.
Ah! qu'elle serait jolie, plus tard, à quinze ans, quand,
ressemblant à sa mère, elle porterait comme elle, dans
l'été, de grands chapeaux de paille! On les prendrait de
loin pour les deux sœurs. Il se la figurait travaillant le
soir auprès d'eux, sous la lumière de la lampe; elle lui

broderait des pantoufles; elle s'occuperait du ménage; elle emplirait toute la maison de sa gentillesse et de sa gaîté. Enfin, ils songeraient à son établissement: on lui trouverait quelque brave garçon ayant un état solide; il la rendrait heureuse; cela durerait toujours.

Emma ne dormait pas, elle faisait semblant d'être endormie; et, tandis qu'il s'assoupissait à ses côtés, elle se réveillait en d'autres rêves.

Au galop de quatre chevaux, elle était emportée depuis huit jours vers un pays nouveau, d'où ils ne reviendraient plus. Ils allaient, ils allaient, les bras enlacés, sans parler. Souvent, du haut d'une montagne, ils apercevaient tout à coup quelque cité splendide avec des dômes, des ponts, des navires, des forêts de citronniers et des cathédrales de marbre blanc, dont les clochers aigus portaient des nids de cigognes. On marchait au pas à cause des grandes dalles, et il y avait par terre des bouquets de fleurs que vous offraient des femmes habillées en corset rouge. On entendait sonner des cloches, hennir des mulets, avec le murmure des guitares et le bruit des fontaines, dont la vapeur s'envolant rafraîchissait des tas de fruits, disposés en pyramides au pied des statues pâles, qui souriaient sous les jets d'eau. Et puis ils arrivaient, un soir, dans un village de pêcheurs, où des filets bruns séchaient au vent, le long de la falaise et des cabanes. C'est là qu'ils s'arrêteraient pour vivre: ils habiteraient une maison basse à toit plat, ombragée d'un palmier, au fond d'un golfe, au bord de la mer. Ils se promèneraient en gondole, ils se balanceraient en hamac; et leur existence serait facile et large comme leurs vêtements de soie, toute chaude et étoilée comme les nuits douces qu'ils contempleraient. Cependant, sur l'immensité de cet avenir qu'elle se faisait apparaître, rien de particulier ne surgissait: les jours, tous magnifiques, se ressemblaient comme des flots; et cela se balançait à l'horizon infini, harmonieux, bleuâtre et couvert de soleil. Mais l'enfant se mettait à tousser dans son berceau, ou bien Bovary ronflait plus fort, et Emma ne s'endormait que le matin, quand l'aube blanchissait les carreaux et que déjà le petit Justin, sur la place, ouvrait les auvents de la pharmacie.

Elle avait fait venir M. Lheureux et lui avait dit:

— J'aurais besoin d'un manteau, un grand manteau, à long collet, doublé.

— Vous partez en voyage? demanda-t-il.

— Non! mais... qu'importe, je compte sur vous, n'est-ce pas? et vivement!

Il s'inclina.

— Il me faudrait encore, reprit-elle, une caisse..., pas trop lourde..., commode.

— Oui, oui, j'entends, de quatre-vingt-douze centimètres environ, sur cinquante, comme on les fait à présent.

— Avec un sac de nuit.

— Décidément, pensa Lheureux, il y a du grabuge là-dessous.

— Et tenez, dit madame Bovary en tirant sa montre de sa ceinture, prenez cela: vous vous paierez dessus.

Mais le marchand s'écria qu'elle avait tort; ils se connaissaient; est-ce qu'il doutait d'elle? Quel enfantillage! Elle insista cependant pour qu'il prît au moins la chaîne, et déjà Lheureux l'avait mise dans sa poche et s'en allait, quand elle le rappela.

— Vous laisserez tout chez vous. Quant au manteau — elle eut l'air de réfléchir — ne l'apportez pas non plus; seulement, vous me donnerez l'adresse de l'ouvrier et avertirez qu'on le tienne à ma disposition.

C'était le mois prochain qu'ils devaient s'enfuir. Elle partirait d'Yonville comme pour aller faire des commissions à Rouen. Rodolphe aurait retenu des places, pris des passeports, et même écrit à Paris, afin d'avoir la malle [264] entière jusqu'à Marseille, où ils achèteraient une calèche et, de là, continueraient sans s'arrêter, par la route de Gênes. Elle aurait eu soin d'envoyer chez Lheureux son bagage, qui serait directement porté à l'*Hirondelle,* de manière que personne ainsi n'aurait de soupçons; et, dans tout cela, jamais il n'était question de son enfant.

Rodolphe évitait d'en parler; peut-être qu'elle n'y pensait pas.

Il voulut avoir encore deux semaines devant lui, pour terminer quelques dispositions; puis, au bout de huit jours, il en demanda quinze autres, puis il se dit malade; ensuite il fit un voyage; le mois d'août se passa, et, après tous ces retards, ils arrêtèrent que ce serait irrévocablement pour le 4 septembre, un lundi.

Enfin le samedi, l'avant-veille, arriva.

Rodolphe vint le soir, plus tôt que de coutume.

—Tout est-il prêt? lui demanda-t-elle.

—Oui.

Alors ils firent le tour d'une plate-bande, et allèrent s'asseoir près de la terrasse, sur la margelle du mur.

—Tu es triste, dit Emma.

—Non, pourquoi?

Et cependant il la regardait singulièrement, d'une façon tendre.

—Est-ce de t'en aller? reprit-elle, de quitter tes affections, ta vie? Ah! je comprends... Mais, moi, je n'ai rien au monde! tu es tout pour moi. Aussi je serai tout pour toi, je te serai une famille, une patrie: je te soignerai, je t'aimerai.

—Que tu es charmante! dit-il en la saisissant dans ses bras.

—Vrai? fit-elle avec un rire de volupté. M'aimes-tu? Jure-le donc?

—Si je t'aime! si je t'aime! mais je t'adore, mon amour!

La lune, toute ronde et couleur de pourpre, se levait à ras de terre, au fond de la prairie. Elle montait vite entre les branches des peupliers, qui la cachaient de place en place, comme un rideau noir, troué. Puis elle parut, élégante de blancheur, dans le ciel vide qu'elle éclairait; et alors, se ralentissant, elle laissa tomber sur la rivière une grande tache, qui faisait une infinité d'étoiles, et cette lueur d'argent semblait s'y tordre jusqu'au fond à la manière d'un serpent sans tête couvert d'écailles lumineuses. Cela ressemblait aussi à quelque monstrueux candélabre, d'où ruisselaient, tout du long, des gouttes de diamant en fusion. La nuit douce s'étalait autour d'eux; des nappes d'ombre emplissaient les feuillages. Emma, les yeux à demi clos, aspirait avec de grands soupirs le vent frais qui soufflait. Ils ne se parlaient pas, trop perdus qu'ils étaient dans l'envahissement de leur rêverie. La tendresse des anciens jours leur revenait au cœur, abondante et silencieuse comme la rivière qui coulait, avec autant de mollesse qu'en apportait le parfum des seringas, et projetait dans leurs souvenirs des ombres plus démesurées et plus mélancoliques que celles des saules immobiles qui s'allongeaient sur l'herbe. Souvent quelque bête nocturne, hérisson ou belette, se mettant en chasse, dérangeait les feuilles, ou bien on entendait par moments une pêche mûre qui tombait toute seule de l'espalier.

— Ah! la belle nuit! dit Rodolphe.

— Nous en aurons d'autres! reprit Emma.

Et, comme se parlant à elle-même:

— Oui, il fera ' bon voyager... Pourquoi ai-je le cœur triste, cependant? Est-ce l'appréhension de l'inconnu..., l'effet des habitudes quittées..., ou plutôt...? Non, c'est l'excès du bonheur! Que je suis faible, n'est-ce pas? Pardonne-moi!

— Il est encore temps! s'écria-t-il. Réfléchis, tu t'en repentiras peut-être.

— Jamais! fit-elle impétueusement.

Et, en se rapprochant de lui:

— Quel malheur donc peut-il me survenir? Il n'y a pas de désert, pas de précipice ni d'océan que je ne traverserais avec toi. A mesure que nous vivrons ensemble, ce sera comme une étreinte chaque jour plus serrée, plus complète! Nous n'aurons rien qui nous trouble, pas de soucis, nul obstacle! Nous serons seuls, tout à nous, éternellement... Parle donc, réponds-moi.

Il répondait à intervalles réguliers: « Oui... Oui!... » Elle lui avait passé les mains dans ses cheveux, et elle répétait d'une voix enfantine, malgré de grosses larmes qui coulaient:

—Rodolphe! Rodolphe!... Ah! Rodolphe, cher petit Rodolphe!

Minuit sonna.

—Minuit! dit-elle. Allons, c'est demain! encore un jour!

Il se leva pour partir; et, comme si ce geste qu'il faisait eût été le signal de leur fuite, Emma, tout à coup, prenant un air gai:

—Tu as les passeports?

—Oui.

—Tu n'oublies rien?

—Non.

—Tu en es sûr?

—Certainement.

—C'est à l'hôtel *de Provence,* n'est-ce pas, que tu m'attendras?... à midi?

Il fit un signe de tête.

—A demain, donc! dit Emma dans une dernière caresse.

Et elle le regarda s'éloigner.

Il ne se détournait pas. Elle courut après lui, et, se penchant au bord de l'eau entre des broussailles:

—A demain! s'écria-t-elle.

Il était déjà de l'autre côté de la rivière et marchait vite dans la prairie.

Au bout de quelques minutes, Rodolphe s'arrêta; et, quand il la vit avec son vêtement blanc peu à peu s'évanouir dans l'ombre comme un fantôme, il fut pris d'un tel battement de cœur, qu'il s'appuya contre un arbre pour ne pas tomber.

—Quel imbécile je suis! fit-il en jurant épouvantablement. N'importe, c'était une jolie maîtresse!

Et, aussitôt, la beauté d'Emma, avec tous les plaisirs de cet amour, lui réapparurent. D'abord, il s'attendrit, puis il se révolta contre elle.

—Car, enfin, exclamait-il en gesticulant, je ne peux pas m'expatrier, avoir la charge d'une enfant.

Il se disait ces choses pour s'affermir davantage.

—Et, d'ailleurs, les embarras, la dépense... Ah! non, non, mille fois non! cela eût été trop bête!

Chapitre 13.

A peine arrivé chez lui, Rodolphe s'assit brusquement à son bureau, sous la tête de cerf faisant trophée contre la muraille. Mais, quand il eut la plume entre les doigts, il ne sut rien trouver, si bien que, s'appuyant sur les deux coudes, il se mit à réfléchir. Emma lui semblait être reculée dans un passé lointain, comme si la résolution qu'il avait prise venait de placer entre eux, tout à coup, un immense intervalle.

Afin de ressaisir quelque chose d'elle, il alla chercher dans l'armoire, au chevet de son lit, une vieille boîte à biscuits de Reims où il enfermait d'habitude ses lettres de femmes, et il s'en échappa une odeur de poussière humide et de roses flétries. D'abord il aperçut un mouchoir de poche, couvert de gouttelettes pâles. C'était un mouchoir à elle, une fois qu'elle avait saigné du nez, en promenade; il ne s'en souvenait plus. Il y avait auprès, se cognant à tous les angles, la miniature donnée par Emma; sa toilette lui parut prétentieuse et son regard *en coulisse* [265] du plus pitoyable effet; puis, à force de considérer cette image et d'évoquer le souvenir du modèle, les traits d'Emma peu à peu se confondirent en sa mémoire, comme si la figure vivante et la figure peinte, se frottant l'une contre l'autre, se fussent réciproquement effacées. Enfin il lut de ses lettres; elles étaient pleines d'explications relatives à leur voyage, courtes, techniques et pressantes comme des billets d'affaires. Il voulut revoir les longues, celles d'autrefois; pour les trouver au fond de la boîte, Rodolphe dérangea toutes les autres; et machinalement il se mit à fouiller dans ce tas de papiers et de choses, y retrouvant pêle-mêle des bouquets, une jarretière, un masque noir, des épingles et des cheveux — des cheveux! de bruns, de blonds; quelques-uns, même, s'accrochant à la ferrure de la boîte, se cassaient quand on l'ouvrait.

Ainsi flânant parmi ses souvenirs, il examinait les écritures et le style des lettres, aussi variés que leurs orthographes. Elles étaient tendres ou joviales, facétieuses, mélancoliques; il y en avait qui demandaient de l'amour et d'autres qui demandaient de l'argent. A propos d'un mot, il se rappelait des visages, de certains gestes, un son de voix; quelquefois, pourtant, il ne se rappelait rien.

En effet, ces femmes, accourant à la fois dans sa pensée, s'y gênaient les unes les autres et s'y rapetissaient, comme sous un même niveau d'amour qui les égalisait. Prenant donc à poignée les lettres confondues, il s'amusa pendant quelques minutes à les faire tomber en cascades de sa main droite dans sa main gauche. Enfin, ennuyé, assoupi, Rodolphe alla reporter la boîte dans l'armoire en se disant:

— Quel tas de blagues!...

Ce qui résumait son opinion; car les plaisirs, comme des écoliers dans la cour d'un collège, avaient tellement piétiné sur son cœur, que rien de vert n'y poussait, et ce qui passait par là, plus étourdi que les enfants, n'y laissait pas même, comme eux, son nom gravé sur la muraille.

— Allons, se dit-il, commençons!

Il écrivit:

« Du courage, Emma! du courage! Je ne veux pas faire le malheur de votre existence... »

— Après tout, c'est vrai, pensa Rodolphe; j'agis dans son intérêt; je suis honnête.

« Avez-vous mûrement pesé votre détermination? Savez-vous l'abîme où je vous entraînais, pauvre ange? Non, n'est-ce pas? Vous alliez confiante et folle, croyant au bonheur, à l'avenir... Ah! malheureux que nous sommes! insensés! »

Rodolphe s'arrêta pour trouver ici quelque bonne excuse.

— Si je lui disais que toute ma fortune est perdue?...

Ah! non, et, d'ailleurs, cela n'empêcherait rien. Ce serait à recommencer plus tard. Est-ce qu'on peut faire entendre raison à des femmes pareilles?

Il réfléchit, puis ajouta:

« Je ne vous oublierai pas, croyez-le bien, et j'aurai continuellement pour vous un dévouement profond; mais, un jour, tôt ou tard, cette ardeur (c'est là le sort des choses humaines) se fût diminuée, sans doute! Il nous serait venu des lassitudes, et qui sait même si je n'aurais pas eu l'atroce douleur d'assister à vos remords et d'y participer moi-même, puisque je les aurais causés. L'idée seule des chagrins qui vous arrivent me torture, Emma! Oubliez-moi! Pourquoi faut-il que je vous aie connue? Pourquoi étiez-vous si belle? Est-ce ma faute? O mon Dieu! non, non, n'en accusez que la fatalité! »

— Voilà un mot qui fait toujours de l'effet, se dit-il.

« Ah! si vous eussiez été une de ces femmes au cœur frivole comme on en voit, certes, j'aurais pu, par égoïsme, tenter une expérience alors sans danger pour vous. Mais cette exaltation délicieuse, qui fait à la fois votre charme et votre tourment, vous a empêchée de comprendre, adorable femme que vous êtes, la fausseté de notre position future. Moi non plus, je n'y avais pas réfléchi d'abord, et je me reposais à l'ombre de ce bonheur idéal comme à celle du mancenillier,[266] sans prévoir les conséquences. »

— Elle va peut-être croire que c'est par avarice que j'y renonce... Ah! n'importe! tant pis, il faut en finir!

« Le monde est cruel, Emma. Partout où nous eussions été, il nous aurait poursuivis. Il vous aurait fallu subir les questions indiscrètes, la calomnie, le dédain, l'outrage peut-être. L'outrage à vous! Oh!... Et moi qui voudrais vous faire asseoir sur un trône! Moi qui emporte votre pensée comme un talisman! Car je me punis par l'exil de tout le mal que je vous ai fait. Je pars. Où? Je n'en sais rien, je suis fou! Adieu! Soyez toujours bonne! Conservez le souvenir du malheureux qui vous a perdue. Apprenez mon nom à votre enfant, qu'il le redise dans ses prières. »

La mèche des deux bougies tremblait. Rodolphe se leva

pour aller fermer la fenêtre, et, quand il se fut rassis:

—Il me semble que c'est tout. Ah! encore ceci, de peur qu'elle vienne *à me relancer:* [267]

« Je serai loin quand vous lirez ces tristes lignes; car j'ai voulu m'enfuir au plus vite afin d'éviter la tentation de vous revoir. Pas de faiblesse! Je reviendrai; et peut-être que, plus tard, nous causerons ensemble très froidement de nos anciennes amours. Adieu! »

Et il y avait un dernier adieu, séparé en deux mots *A Dieu!* ce qu'il jugeait d'un excellent goût.

—Comment vais-je signer, maintenant? se dit-il. Votre tout dévoué... Non. Votre ami?... Oui, c'est cela.

« VOTRE AMI. »

Il relut sa lettre. Elle lui parut bonne.

—Pauvre petite femme! pensa-t-il avec attendrissement. Elle va me croire plus insensible qu'un roc; il eût fallu quelques larmes là-dessus; mais, moi, je ne peux pas pleurer; ce n'est pas ma faute. Alors, s'étant versé de l'eau dans un verre, Rodolphe y trempa son doigt et il laissa tomber de haut une grosse goutte, qui fit une tache pâle sur l'encre; puis, cherchant à cacheter la lettre, le cachet *Amor nel cor* se rencontra.

—Cela ne va guère à la circonstance... Ah! bah! qu'importe!

Après quoi, il fuma trois pipes, et alla se coucher.

Le lendemain, quand il fut debout (vers deux heures environ, il avait dormi tard), Rodolphe se fit cueillir une corbeille d'abricots. Il disposa la lettre dans le fond, sous des feuilles de vigne, et ordonna tout de suite à Girard, son valet de charrue, de porter cela délicatement chez madame Bovary. Il se servait de ce moyen pour correspondre avec elle, lui envoyant, selon la saison, des fruits ou du gibier.

—Si elle te demande de mes nouvelles, dit-il, tu répondras que je suis parti en voyage. Il faut remettre le panier à elle-même, en mains propres... Va, et prends garde!

Girard passa sa blouse neuve, noua son mouchoir autour des abricots, et, marchant à grands pas lourds dans ses grosses galoches ferrées, prit tranquillement le chemin d'Yonville.

Madame Bovary, quand il arriva chez elle, arrangeait avec Félicité, sur la table de cuisine, un paquet de linge.

— Voilà, dit le valet, ce que notre maître vous envoie.

Elle fut saisie d'une appréhension, et, tout en cherchant quelque monnaie dans sa poche, elle considérait le paysan d'un œil hagard, tandis qu'il la regardait lui-même avec ébahissement, ne comprenant pas qu'un pareil cadeau pût tant émouvoir quelqu'un. Enfin il sortit. Félicité restait. Elle n'y tenait plus; elle courut dans la salle comme pour y porter les abricots, renversa le panier, arracha les feuilles, trouva la lettre, l'ouvrit, et, comme s'il y avait eu derrière elle un effroyable incendie, Emma se mit à fuir vers sa chambre, tout épouvantée.

Charles y était, elle l'aperçut; il lui parla, elle n'entendit rien, et elle continua vivement à monter les marches, haletante, éperdue, ivre, et toujours tenant cette horrible feuille de papier, qui lui claquait dans les doigts comme une plaque de tôle. Au second étage, elle s'arrêta devant la porte du grenier, qui était fermée.

Alors elle voulut se calmer; elle se rappela la lettre; il fallait la finir, elle n'osait pas. D'ailleurs, où? comment? On la verrait.

— Ah! non, ici, pensa-t-elle, je serai bien.

Emma poussa la porte et entra.

Les ardoises laissaient tomber d'aplomb une chaleur lourde, qui lui serrait les tempes et l'étouffait; elle se traîna jusqu'à la mansarde close, dont elle tira le verrou, et la lumière éblouissante jaillit d'un bond.

En face, par-dessus les toits, la pleine campagne s'étalait à perte de vue. En bas, sous elle, la place du village était vide; les cailloux du trottoir scintillaient, les girouettes des maisons se tenaient immobiles; au coin de la rue, il partit d'un étage inférieur une sorte de ronflement à modulations stridentes. C'était Binet qui tournait.[268]

Elle s'était appuyée contre l'embrasure de la mansarde et elle relisait la lettre avec des ricanements de colère. Mais plus elle y fixait d'attention, plus ses idées se confondaient. Elle le revoyait, elle l'entendait, elle l'entourait de ses deux bras; et des battements de cœur, qui la frappaient sous la poitrine comme à grands coups de bélier, s'accéléraient l'un après l'autre, à intermittences inégales. Elle jetait les yeux tout autour d'elle avec l'envie que la terre croulât. Pourquoi n'en pas finir? Qui la retenait donc? Elle était libre. Et elle s'avança, elle regarda les pavés en se disant:

— Allons! allons!

Le rayon lumineux qui montait d'en bas directement tirait vers l'abîme le poids de son corps. Il lui semblait que le sol de la place oscillante s'élevait le long des murs, et que le plancher s'inclinait par le bout, à la manière d'un vaisseau qui tangue. Elle se tenait tout au bord, presque suspendue, entourée d'un grand espace. Le bleu du ciel l'envahissait, l'air circulait dans sa tête creuse, elle n'avait qu'à céder, qu'à se laisser prendre; et le ronflement du tour ne discontinuait pas, comme une voix furieuse qui l'appelait.

— Ma femme! ma femme! cria Charles.

Elle s'arrêta.

— Où es-tu donc? Arrive!

L'idée qu'elle venait d'échapper à la mort faillit la faire s'évanouir de terreur; elle ferma les yeux; puis elle tressaillit au contact d'une main sur sa manche: c'était Félicité.

— Monsieur vous attend, madame; la soupe est servie.

Et il fallut descendre! il fallut se mettre à table!

Elle essaya de manger. Les morceaux l'étouffaient. Alors elle déplia sa serviette comme pour en examiner les reprises et voulut réellement s'appliquer à ce travail, compter les fils de la toile. Tout à coup, le souvenir de la lettre lui revint. L'avait-elle donc perdue? Où la retrouver? Mais elle éprouvait une telle lassitude dans l'esprit, que jamais elle ne put inventer un prétexte à sortir de table. Puis elle était devenue lâche; elle avait peur de Charles; il savait

tout, c'était sûr! En effet, il prononça ces mots, singulièrement:

— Nous ne sommes pas près, à ce qu'il paraît, de voir
M. Rodolphe.

— Qui te l'a dit? fit-elle en tressaillant.

— Qui me l'a dit? répliqua-t-il, un peu surpris de ce
ton brusque; c'est Girard que j'ai rencontré tout à l'heure
à la porte du *Café Français*. Il est parti en voyage, ou il
doit partir.

Elle eut un sanglot.

— Quoi donc t'étonne? Il s'absente ainsi de temps à
autre pour se distraire, et, ma foi! je l'approuve. Quand
on a de la fortune et que l'on est garçon... Du reste, il
s'amuse joliment, notre ami! c'est un farceur. M. Langlois
m'a conté...

Il se tut, par convenance, à cause de la domestique qui
entrait.

Celle-ci replaça dans la corbeille les abricots répandus
sur l'étagère; Charles, sans remarquer la rougeur de sa
femme, se les fit apporter, en prit un et mordit à même.[269]

— Oh! parfait, disait-il. Tiens, goûte.

Et il tendit la corbeille, qu'elle repoussa doucement.

— Sens donc: quelle odeur! fit-il en la lui passant sous
le nez à plusieurs reprises.

— J'étouffe! s'écria-t-elle en se levant d'un bond.

Mais, par un effort de volonté, ce spasme disparut; puis:

— Ce n'est rien! dit-elle, ce n'est rien! c'est nerveux!
Assieds-toi, mange!

Car elle redoutait qu'on ne fût à la questionner, à la
soigner, qu'on ne la quittât plus.

Charles, pour lui obéir, s'était rassis, et il crachait dans
sa main les noyaux des abricots, qu'il déposait ensuite
dans son assiette.

Tout à coup, un tilbury bleu passa au grand trot sur la
place. Emma poussa un cri et tomba roide par terre, à la
renverse.

En effet, Rodolphe, après bien des réflexions, s'était
décidé à partir pour Rouen. Or, comme il n'y a, de la

Huchette à Buchy, pas d'autre chemin que celui d'Yonville, il lui avait fallu traverser le village, et Emma l'avait
reconnu à la lueur des lanternes qui coupaient comme un
éclair le crépuscule.

Le pharmacien, au tumulte qui se faisait dans la maison,
s'y précipita. La table, avec toutes les assiettes, était renversée; de la sauce, de la viande, les couteaux, la salière
et l'huilier jonchaient l'appartement; Charles appelait au
secours; Berthe, effarée, criait; et Félicité, dont les mains
tremblaient, délaçait Madame, qui avait le long du corps
des mouvements convulsifs.

— Je cours, dit l'apothicaire, chercher dans mon laboratoire un peu de vinaigre aromatique.

Puis, comme elle rouvrait les yeux en respirant le flacon:

— J'en étais sûr, fit-il; cela vous réveillerait un mort.

— Parle-nous! disait Charles, parle-nous! Remets-toi!
C'est moi, ton Charles qui t'aime! Me reconnais-tu? Tiens,
voilà ta petite fille: embrasse-la donc!

L'enfant avançait les bras vers sa mère pour se pendre
à son cou. Mais, détournant la tête, Emma dit d'une voix
saccadée:

— Non, non... personne!

Elle s'évanouit encore. On la porta sur son lit.

Elle restait étendue, la bouche ouverte, les paupières
fermées, les mains à plat, immobile, et blanche comme
une statue de cire. Il sortait de ses yeux deux ruisseaux
de larmes qui coulaient lentement sur l'oreiller.

Charles, debout, se tenait au fond de l'alcôve, et le
pharmacien, près de lui, gardait ce silence méditatif qu'il
est convenable d'avoir dans les occasions sérieuses de la vie.

— Rassurez-vous, dit-il en lui poussant le coude, je crois
que le paroxysme est passé.

— Oui, elle repose un peu maintenant! répondit Charles,
qui la regardait dormir. Pauvre femme!... pauvre femme!...
la voilà retombée!

Alors Homais demanda comment cet accident était
survenu. Charles répondit que cela l'avait saisie tout à
coup pendant qu'elle mangeait des abricots.

— Extraordinaire!... reprit le pharmacien. Mais il se pourrait que les abricots eussent occasionné la syncope! Il y a des natures si impressionnables à l'encontre de certaines odeurs! et ce serait même une belle question à étudier, tant sous le rapport pathologique que sous le rapport physiologique. Les prêtres en connaissaient l'importance, eux qui ont toujours mêlé des aromates à leurs cérémonies. C'est pour vous stupéfier l'entendement et provoquer des extases, chose d'ailleurs facile à obtenir chez les personnes du sexe, qui sont plus délicates que les autres. On en cite qui s'évanouissent à l'odeur de la corne brûlée, du pain tendre...

— Prenez garde de l'éveiller! dit à voix basse Bovary.

— Et non seulement, continua l'apothicaire, les humains sont en butte à ces anomalies, mais encore les animaux. Ainsi, vous n'êtes pas sans savoir l'effet singulièrement aphrodisiaque que produit le *nepeta cataria*, vulgairement appelé herbe-au-chat, sur la gent féline; et, d'autre part, pour citer un exemple que je garantis authentique, Bridoux (un de mes anciens camarades, actuellement établi rue Malpalu) possède un chien qui tombe en convulsions dès qu'on lui présente une tabatière. Souvent même il en fait l'expérience devant ses amis, à son pavillon du bois Guillaume. Croirait-on qu'un simple sternutatoire pût exercer de tels ravages dans l'organisme d'un quadrupède? C'est extrêmement curieux, n'est-il pas vrai?

— Oui, dit Charles, qui n'écoutait pas.

— Cela nous prouve, reprit l'autre en souriant avec un air de suffisance bénigne, les irrégularités sans nombre du système nerveux. Pour ce qui est de Madame, elle m'a toujours paru, je l'avoue, une vraie sensitive. Aussi ne vous conseillerai-je point, mon bon ami, aucun de ces prétendus remèdes qui, sous prétexte d'attaquer les symptômes, attaquent le tempérament. Non, pas de médicamentation oiseuse! du régime, voilà tout! des sédatifs, des émollients, des dulcifiants. Puis, ne pensez-vous pas qu'il faudrait peut-être frapper l'imagination?

— En quoi? comment? dit Bovary.

— Ah! c'est là la question! Telle est effectivement la question: *That is the question!* [270] comme je lisais dernièrement dans le journal.

Mais Emma, se réveillant, s'écria:

— Et la lettre? Et la lettre?

On crut qu'elle avait le délire; elle l'eut à partir de minuit: une fièvre cérébrale s'était déclarée.

Pendant quarante-trois jours Charles ne la quitta pas. Il abandonna tous ses malades; il ne se couchait plus, il était continuellement à lui tâter le pouls, à lui poser des sinapismes, des compresses d'eau froide. Il envoyait Justin jusqu'à Neufchâtel chercher de la glace; la glace se fondait en route; il le renvoyait. Il appela M. Canivet en consultation; il fit venir de Rouen le docteur Larivière, son ancien maître; il était désespéré. Ce qui l'effrayait le plus, c'était l'abattement d'Emma; car elle ne parlait pas, n'entendait rien et même semblait ne point souffrir, — comme si son corps et son âme se fussent ensemble reposés de toutes leurs agitations.

Vers le milieu d'octobre, elle put se tenir assise dans son lit, avec des oreillers derrière elle. Charles pleura quand il la vit manger sa première tartine de confitures. Les forces lui revinrent; elle se levait quelques heures pendant l'aprèsmidi, et, un jour qu'elle se sentait mieux, il essaya de lui faire faire, à son bras, un tour de promenade dans le jardin. Le sable des allées disparaissait sous les feuilles mortes; elle marchait pas à pas, en traînant ses pantoufles, et, s'appuyant de l'épaule contre Charles, elle continuait à sourire.

Ils allèrent ainsi jusqu'au fond, près de la terrasse. Elle se redressa lentement, se mit la main devant ses yeux, pour regarder: elle regarda au loin, tout au loin; mais il n'y avait à l'horizon que de grands feux d'herbe, qui fumaient sur les collines.

— Tu vas te fatiguer, ma chérie, dit Bovary.

Et, la poussant doucement pour la faire entrer sous la tonnelle:

— Assieds-toi donc sur ce banc: tu seras bien.

—Oh! non, pas là, pas là! fit-elle d'une voix défaillante.

Elle eut un étourdissement, et, dès le soir, sa maladie recommença avec une allure plus incertaine, il est vrai, et des caractères plus complexes. Tantôt elle souffrait au cœur, puis dans la poitrine, dans le cerveau, dans les membres; il lui survint des vomissements où Charles crut apercevoir les premiers symptômes d'un cancer.

Et le pauvre garçon, par là-dessus, avait des inquiétudes d'argent!

Chapitre 14.

D'abord, il ne savait comment faire pour dédommager M. Homais de tous les médicaments pris chez lui; et, quoiqu'il eût pu, comme médecin, ne pas les payer, néanmoins il rougissait un peu de cette obligation. Puis la dépense du ménage, à présent que la cuisinière était maîtresse, devenait effrayante; les notes pleuvaient dans la maison; les fournisseurs murmuraient; M. Lheureux surtout le harcelait. En effet, au plus fort de la maladie d'Emma, celui-ci, profitant de la circonstance pour exagérer sa facture, avait vite apporté le manteau, le sac de nuit, deux caisses au lieu d'une, quantité d'autres choses encore. Charles eut beau dire qu'il n'en avait pas besoin, le marchand répondit arrogamment qu'on lui avait commandé tous ces articles et qu'il ne les reprendrait pas; d'ailleurs, ce serait contrarier Madame dans sa convalescence; Monsieur réfléchirait; bref, il était résolu à le poursuivre en justice plutôt que d'abandonner ses droits et que d'emporter ses marchandises. Charles ordonna par la suite de les renvoyer à son magasin; Félicité oublia; il avait d'autres soucis;

on n'y pensa plus; M. Lheureux revint à la charge, et, tour à tour menaçant et gémissant, manœuvra de telle façon que Bovary finit par souscrire un billet à six mois d'échéance. Mais à peine eut-il signé ce billet, qu'une idée audacieuse lui surgit: c'était d'emprunter mille francs à M. Lheureux. Donc, il demanda, d'un air embarrassé, s'il n'y avait pas moyen de les avoir, ajoutant que ce serait pour un an et au taux que l'on voudrait. Lheureux courut à sa boutique, en rapporta les écus et dicta un autre billet, par lequel Bovary déclarait devoir payer à son ordre, le 1er septembre prochain, la somme de mille soixante et dix francs; ce qui, avec les cent quatre-vingts déjà stipulés, faisait juste douze cent cinquante. Ainsi, prêtant à six pour cent, augmenté d'un quart de commission, et les fournitures lui rapportant un bon tiers pour le moins, cela devait, en douze mois, donner cent trente francs de bénéfice; et il espérait que l'affaire ne s'arrêterait pas là, qu'on ne pourrait payer les billets, qu'on les renouvellerait, et que son pauvre argent, s'étant nourri chez le médecin comme dans une maison de santé, lui reviendrait, un jour, considérablement plus dodu, et gros à faire craquer le sac.

Tout, d'ailleurs, lui réussissait. Il était adjudicataire d'une fourniture [271] de cidre pour l'hôpital de Neufchâtel; M. Guillaumin lui promettait des actions dans les tourbières de Grumesnil, et il rêvait d'établir un nouveau service de diligences entre Arcueil et Rouen, qui ne tarderait pas, sans doute, à ruiner la guimbarde du *Lion d'or,* et qui, marchant plus vite, étant à prix plus bas et portant plus de bagages, lui mettrait ainsi dans les mains tout le commerce d'Yonville.

Charles se demanda plusieurs fois par quel moyen, l'année prochaine, pouvoir rembourser tant d'argent; et il cherchait, imaginait des expédients, comme de recourir à son père ou de vendre quelque chose. Mais son père serait sourd, et il n'avait, lui, rien à vendre. Alors il découvrait de tels embarras, qu'il écartait vite de sa conscience un sujet de méditation aussi désagréable. Il se reprochait

d'en oublier Emma; comme si, toutes ses pensées appartenant à cette femme, c'eût été lui dérober quelque chose
que de n'y pas continuellement réfléchir.

L'hiver fut rude. La convalescence de Madame fut
longue. Quand il faisait beau, on la poussait dans son
fauteuil auprès de la fenêtre, celle qui regardait la place,
car elle avait maintenant le jardin en antipathie, et la
persienne de ce côté restait constamment fermée. Elle
voulut que l'on vendît le cheval; ce qu'elle aimait autrefois,
à présent lui déplaisait. Toutes ses idées paraissaient se
borner au soin d'elle-même. Elle restait dans son lit à faire
de petites collations, sonnait sa domestique pour s'informer
de ses tisanes ou pour causer avec elle. Cependant, la
neige sur le toit des halles jetait dans la chambre un reflet
blanc, immobile; ensuite, ce fut la pluie qui tombait. Et
Emma quotidiennement attendait, avec une sorte d'anxiété,
l'infaillible retour d'événements minimes, qui pourtant ne
lui importaient guère. Le plus considérable était, le soir,
l'arrivée de l'*Hirondelle*. Alors l'aubergiste criait et d'autres
voix répondaient, tandis que le falot d'Hippolyte, qui cherchait des coffres sur la bâche, faisait comme une étoile
dans l'obscurité. A midi, Charles rentrait; ensuite, il sortait;
puis elle prenait un bouillon, et, vers cinq heures, à la
tombée du jour, les enfants qui s'en revenaient de la classe,
traînant leurs sabots sur le trottoir, frappaient tous avec
leurs règles la cliquette des auvents, les uns après les autres.

C'était à cette heure-là que M. Bournisien venait la voir.
Il s'enquérait de sa santé, lui apportait des nouvelles et
l'exhortait à la religion dans un petit bavardage câlin qui
ne manquait pas d'agrément. La vue seule de sa soutane la
réconfortait.

Un jour qu'au plus fort de sa maladie elle s'était crue
agonisante, elle avait demandé la communion; et, à mesure
que l'on faisait dans sa chambre les préparatifs pour le
sacrement, que l'on disposait en autel la commode encombrée de sirops et que Félicité semait par terre des fleurs
de dahlia, Emma sentait quelque chose de fort passant sur
elle, qui la débarrassait de ses douleurs, de toute perception,

de tout sentiment. Sa chair allégée ne pensait plus, une
autre vie commençait; il lui sembla que son être, montant
vers Dieu, allait s'anéantir dans cet amour comme un
encens allumé qui se dissipe en vapeur. On aspergea d'eau
bénite les draps du lit; le prêtre retira du saint ciboire la
blanche hostie; et ce fut en défaillant d'une joie céleste
qu'elle avança les lèvres pour accepter le corps du Sauveur
qui se présentait. Les rideaux de son alcôve se gonflaient
mollement, autour d'elle, en façon de nuées, et les rayons
des deux cierges brûlant sur la commode lui parurent être
des gloires éblouissantes. Alors elle laissa retomber sa tête,
croyant entendre dans les espaces le chant des harpes
séraphiques et apercevoir en un ciel d'azur, sur un trône
d'or, au milieu des saints tenant des palmes vertes, Dieu
le Père tout éclatant de majesté, et qui d'un signe faisait
descendre vers la terre des anges aux ailes de flamme pour
l'emporter dans leurs bras.

Cette vision splendide demeura dans sa mémoire comme
la chose la plus belle qu'il fût possible de rêver; si bien
qu'à présent elle s'efforçait d'en ressaisir la sensation, qui
continuait cependant, mais d'une manière moins exclusive
et avec une douceur aussi profonde. Son âme, courbatue
d'orgueil, se reposait enfin dans l'humilité chrétienne; et,
savourant le plaisir d'être faible, Emma contemplait en
elle-même la destruction de sa volonté, qui devait faire
aux envahissements de la grâce une large entrée. Il existait
donc à la place du bonheur des félicités plus grandes, un
autre amour au-dessus de tous les autres amours, sans
intermittence ni fin, et qui s'accroîtrait éternellement! Elle
entrevit, parmi les illusions de son espoir, un état de pureté
flottant au-dessus de la terre, se confondant avec le ciel,
et où elle aspira d'être. Elle voulut devenir une sainte.
Elle acheta des chapelets, elle porta des amulettes; elle
souhaitait avoir dans sa chambre, au chevet de sa couche,
un reliquaire enchâssé d'émeraudes, pour le baiser tous
les soirs.

Le curé s'émerveillait de ces dispositions, bien que la
religion d'Emma, trouvait-il, pût, à force de ferveur, finir

par friser l'hérésie et même l'extravagance. Mais, n'étant
pas très versé dans ces matières, sitôt qu'elles dépassaient
une certain mesure, il écrivit à M. Boulard, libraire de
Monseigneur, de lui envoyer *quelque chose de fameux
pour une personne du sexe, qui était pleine d'esprit*. Le
libraire, avec autant d'indifférence que s'il eût expédié de
la quincaillerie à des nègres, vous emballa pêle-mêle tout
ce qui avait cours pour lors dans le négoce des livres pieux.
C'étaient de petits manuels par demandes et par réponses,
des pamphlets d'un ton rogue dans la manière de M. de
Maistre,[272] et des espèces de romans à cartonnage rose et
à style douceâtre, fabriqués par des séminaristes trouba-
dours ou des bas-bleus repentis. Il y avait le *Pensez-y bien;
l'Homme du monde aux pieds de Marie, par M. de***,
décoré de plusieurs ordres; des Erreurs de Voltaire, à
l'usage des jeunes gens*, etc.

Madame Bovary n'avait pas encore l'intelligence assez
nette pour s'appliquer sérieusement à n'importe quoi;
d'ailleurs, elle entreprit ces lectures avec trop de précipitation. Elle s'irrita contre les prescriptions du culte; l'ar-
rogance des écrits polémiques lui déplut par leur acharne-
ment à poursuivre des gens qu'elle ne connaissait pas; et
les contes profanes relevés de religion lui parurent écrits
dans une telle ignorance du monde, qu'ils l'écartèrent
insensiblement des vérités dont elle attendait la preuve.
Elle persista pourtant, et, lorsque le volume lui tombait
des mains, elle se croyait prise par la plus fine mélancolie
catholique qu'une âme éthérée pût concevoir.

Quant au souvenir de Rodolphe, elle l'avait descendu
tout au fond de son cœur; et il restait là, plus solennel et
plus immobile qu'une momie de roi dans un souterrain.
Une exhalaison s'échappait de ce grand amour embaumé
et qui, passant à travers tout, parfumait de tendresse
l'atmosphère d'immaculation où elle voulait vivre. Quand
elle se mettait à genoux sur son prie-Dieu gothique, elle
adressait au Seigneur les mêmes paroles de suavité qu'elle
murmurait jadis à son amant, dans les épanchements de
l'adultère. C'était pour faire venir la croyance; mais aucune

délectation ne descendait des cieux; et elle se relevait, les membres fatigués, avec le sentiment vague d'une immense duperie. Cette recherche, pensait-elle, n'était qu'un mérite de plus; et, dans l'orgueil de sa dévotion, Emma se comparait à ces grandes dames d'autrefois, dont elle avait rêvé la gloire sur un portrait de La Vallière, et qui, traînant avec tant de majesté la queue chamarrée de leurs longues robes, se retiraient en des solitudes pour y répandre aux pieds du Christ toutes les larmes d'un cœur que l'existence blessait.

Alors, elle se livra à des charités excessives.[273] Elle cousait des habits pour les pauvres; elle envoyait du bois aux femmes en couches; et Charles, un jour, en rentrant, trouva dans la cuisine trois vauriens attablés qui mangeaient un potage. Elle fit revenir à la maison sa petite fille, que son mari, durant sa maladie, avait renvoyée chez la nourrice. Elle voulut lui apprendre à lire; Berthe avait beau pleurer,[274] elle ne s'irritait plus. C'était un parti pris de résignation, une indulgence universelle. Son langage à propos de tout était plein d'expressions idéales. Elle disait à son enfant:

— Ta colique est-elle passée, mon ange?

Madame Bovary mère ne trouvait rien à blâmer, sauf peut-être cette manie de tricoter des camisoles pour les orphelins, au lieu de raccommoder ses torchons. Mais, harassée de querelles domestiques, la bonne femme se plaisait en cette maison tranquille, et même elle y demeura jusques après Pâques, afin d'éviter les sarcasmes du père Bovary, qui ne manquait pas, tous les vendredis saints, de se commander une andouille.

Outre la compagnie de sa belle-mère, qui la raffermissait un peu par sa rectitude de jugement et ses façons graves, Emma, presque tous les jours, avait encore d'autres sociétés. C'était madame Langlois, madame Caron, madame Dubreuil, madame Tuvache et, régulièrement de deux à cinq heures, l'excellente madame Homais, qui n'avait jamais voulu croire, celle-là, à aucun des cancans que l'on débitait sur sa voisine. Les petits Homais aussi venaient la voir; Justin les accompagnait. Il montait avec eux dans la chambre, et il restait debout près de la porte, immobile, sans parler. Souvent même madame Bovary, n'y prenant garde, se mettait à sa toilette. Elle commençait par retirer son peigne, en secouant sa tête d'un mouvement brusque; et, quand il aperçut la première fois cette chevelure entière qui descendait jusqu'aux jarrets en déroulant ses anneaux noirs, ce fut pour lui, le pauvre enfant, comme l'entrée subite dans quelque chose d'extraordinaire et de nouveau dont la splendeur l'effraya.

Emma, sans doute, ne remarquait pas ses empressements silencieux ni ses timidités. Elle ne se doutait point que l'amour, disparu de sa vie, palpitait là, près d'elle, sous cette chemise de grosse toile, dans ce cœur d'adolescent ouvert aux émanations de sa beauté. Du reste, elle enveloppait tout maintenant d'une telle indifférence, elle avait des paroles si affectueuses et des regards si hautains, des façons si diverses, que l'on ne distinguait plus l'égoïsme de la charité, ni la corruption de la vertu. Un soir, par exemple, elle s'emporta contre sa domestique, qui lui demandait à sortir et balbutiait en cherchant un prétexte, puis tout à coup:

—Tu l'aimes donc? dit-elle.

Et, sans attendre la réponse de Félicité, qui rougissait, elle ajouta d'un air triste:

—Allons, cours-y! amuse-toi!

Elle fit, au commencement du printemps, bouleverser le jardin d'un bout à l'autre, malgré les observations de Bovary; il fut heureux, cependant, de lui voir enfin manifester une volonté quelconque. Elle en témoigna davantage à mesure qu'elle se rétablissait. D'abord, elle trouva moyen d'expulser la mère Rollet, la nourrice, qui avait pris l'habitude, pendant sa convalescence, de venir trop souvent à la cuisine avec ses deux nourrissons et son pensionnaire, plus endenté qu'un cannibale. Puis elle se dégagea de la famille Homais, congédia successivement toutes les autres visites et même fréquenta l'église avec moins d'assiduité, à la grande approbation de l'apothicaire, qui lui dit alors amicalement:

— Vous donniez un peu dans la calotte! [275]

M. Bournisien, comme autrefois, survenait tous les jours, en sortant du catéchisme. Il préférait rester dehors à prendre l'air *au milieu du bocage;* il appelait ainsi la tonnelle. C'était l'heure où Charles rentrait. Ils avaient chaud; on apportait du cidre doux, et ils buvaient ensemble au complet rétablissement de Madame.

Binet se trouvait là, c'est-à-dire un peu plus bas, contre le mur de la terrasse, à pêcher des écrevisses. Bovary l'invitait à se rafraîchir, et il s'entendait parfaitement à déboucher les cruchons.

— Il faut, disait-il en promenant autour de lui et jusqu'aux extrémités du paysage un regard satisfait, tenir ainsi la bouteille d'aplomb sur la table, et après que les ficelles sont coupées, pousser le liège à petits coups, doucement, doucement, comme on fait, d'ailleurs, à l'eau de Seltz, dans les restaurants.

Mais le cidre, pendant sa démonstration, souvent leur jaillissait en plein visage, et alors l'ecclésiastique, avec un rire opaque, ne manquait jamais cette plaisanterie:

— Sa bonté saute aux yeux!

Il était brave homme, en effet, et même, un jour, ne fut point scandalisé du pharmacien, qui conseillait à Charles, pour distraire Madame, de la mener au théâtre de Rouen voir l'illustre ténor Lagardy. Homais, s'étonnant de ce silence, voulut savoir son opinion, et le prêtre déclara qu'il regardait la musique comme moins dangereuse pour les mœurs que la littérature.

Mais le pharmacien prit la défense des lettres. Le théâtre, prétendait-il, servait à fronder les préjugés, et, sous le masque du plaisir, enseignait la vertu.

— *Castigat ridendo mores,* [276] monsieur Bournisien! Ainsi, regardez la plupart des tragédies de Voltaire; elles sont semées habilement de réflexions philosophiques qui en font pour le peuple une véritable école de morale et de diplomatie.

— Moi, dit Binet, j'ai vu autrefois une pièce intitulée *le Gamin de Paris,* [277] où l'on remarque le caractère d'un vieux général qui est vraiment tapé! Il rembarre un fils de famille qui avait séduit une ouvrière, qui à la fin...

—Certainement! continuait Homais, il y a la mauvaise littérature comme il y a la mauvaise pharmacie; mais condamner en bloc le plus important des beaux-arts me paraît une balourdise, une idée gothique,[278] digne de ces temps abominables où l'on enfermait Galilée.

—Je sais bien, objecta le curé, qu'il existe de bons ouvrages, de bons auteurs; cependant, ne serait-ce que ces personnes de sexe différent réunies dans un appartement enchanteur, orné de pompes mondaines, et puis ces déguisements païens, ce fard, ces flambeaux, ces voix efféminées, tout cela doit finir par engendrer un certain libertinage d'esprit et vous donner des pensées déshonnêtes, des tentations impures. Telle est du moins l'opinion de tous les Pères. Enfin, ajouta-t-il en prenant subitement un ton de voix mystique, tandis qu'il roulait sur son pouce une prise de tabac, si l'Eglise a condamné les spectacles, c'est qu'elle avait raison; il faut nous soumettre à ses décrets.

—Pourquoi, demanda l'apothicaire, excommunie-t-elle les comédiens?[279] car, autrefois, ils concouraient ouvertement aux cérémonies du culte. Oui, on jouait, on représentait au milieu du chœur des espèces de farces appelées mystères, dans lesquelles les lois de la décence souvent se trouvaient offensées.

L'ecclésiastique se contenta de pousser un gémissement, et le pharmacien poursuivit:

—C'est comme dans la Bible; il y a..., savez-vous..., plus d'un détail... piquant, des choses... vraiment..., gaillardes!

Et, sur un geste d'irritation que faisait M. Bournisien:

—Ah! vous conviendrez que ce n'est pas un livre à mettre entre les mains d'une jeune personne, et je serais fâché qu'Athalie...

—Mais ce sont les protestants, et non pas nous, s'écria l'autre impatienté, qui recommandent la Bible!

—N'importe! dit Homais, je m'étonne que, de nos jours, en un siècle de lumières, on s'obstine encore à proscrire un délassement intellectuel qui est inoffensif, moralisant et même hygiénique quelquefois, n'est-ce pas, docteur?

— Sans doute, répondit le médecin nonchalamment, soit que, ayant les mêmes idées, il voulût n'offenser personne, ou bien qu'il n'eût pas d'idées.

La conversation semblait finie, quand le pharmacien jugea convenable de pousser une dernière botte.[280]

— J'en ai connu, des prêtres, qui s'habillaient en bourgeois, pour aller voir gigoter des danseuses.

— Allons donc! fit le curé.

— Ah! j'en ai connu!

Et, séparant les syllabes de sa phrase, Homais répéta:

— J'en-ai-connu.

— Eh bien! ils avaient tort, dit Bournisien, résigné à tout entendre.

— Parbleu, ils en font bien d'autres! exclama l'apothicaire.

— Monsieur!... reprit l'ecclésiastique avec des yeux si farouches, que le pharmacien en fut intimidé.

— Je veux seulement dire, répliqua-t-il alors d'un ton moins brutal, que la tolérance est le plus sûr moyen d'attirer les âmes à la religion.

— C'est vrai! c'est vrai! concéda le bonhomme en se rasseyant sur sa chaise.

Mais il n'y resta que deux minutes. Puis, dès qu'il fut parti, M. Homais dit au médecin:

— Voilà ce qui s'appelle une prise de bec! Je l'ai roulé, vous avez vu, d'une manière!...[281] Enfin, croyez-moi, conduisez Madame au spectacle, ne serait-ce que pour faire une fois dans votre vie enrager un de ces corbeaux-là, sapristi! Si quelqu'un pouvait me remplacer, je vous accompagnerais moi-même. Dépêchez-vous! Lagardy ne donnera qu'une seule représentation; il est engagé en Angleterre à des appointements considérables. C'est, à ce qu'on assure, un fameux lapin! Il roule sur l'or! il mène avec lui trois maîtresses et son cuisinier! Tous ces grands artistes brûlent la chandelle par les deux bouts; il leur faut une existence dévergondée qui excite un peu l'imagination.

Mais ils meurent à l'hôpital, parce qu'ils n'ont pas eu l'esprit, étant jeunes, de faire des économies. Allons, bon appétit; à demain!

Cette idée de spectacle germa vite dans la tête de Bovary; car aussitôt il en fit part à sa femme, qui refusa tout d'abord, alléguant la fatigue, le dérangement, la dépense; mais, par extraordinaire, Charles ne céda pas, tant il jugeait cette récréation lui devoir être profitable. Il n'y voyait aucun empêchement; sa mère leur avait expédié trois cents francs sur lesquels il ne comptait plus, les dettes courantes n'avaient rien d'énorme, et l'échéance des billets à payer au sieur Lheureux était encore si longue qu'il n'y fallait pas songer. D'ailleurs, imaginant qu'elle y mettait de la délicatesse, Charles insista davantage; si bien qu'elle finit, à force d'obsessions,²⁸² par se décider. Et, le lendemain, à huit heures, ils s'emballèrent ²⁸³ dans l'*Hirondelle*.

L'apothicaire, que rien ne retenait à Yonville, mais qui se croyait contraint de n'en pas bouger, soupira en les voyant partir.

—Allons, bon voyage! leur dit-il, heureux mortels que vous êtes!

Puis, s'adressant à Emma, qui portait une robe de soie bleue à quatre falbalas:

—Je vous trouve jolie comme un Amour! Vous allez *faire florès* ²⁸⁴ à Rouen.

La diligence descendait à l'hôtel de la *Croix Rouge*, sur la place Beauvoisine. C'était une de ces auberges comme il y en a dans tous les faubourgs de province, avec de grandes écuries et de petites chambres à coucher, où l'on voit au milieu de la cour des poules picorant l'avoine sous les cabriolets crottés des commis-voyageurs; — bons vieux gîtes à balcon de bois vermoulu qui craquent au vent dans les nuits d'hiver, continuellement pleins de monde, de vacarme et de mangeaille, dont les tables noires sont poissées par les *glorias,* les vitres épaisses jaunies par les mouches, les serviettes humides tachées par le vin bleu;²⁸⁵ et qui, sentant toujours le village, comme des valets de ferme habillés en bourgeois, ont un café sur la rue, et du

côté de la campagne un jardin à légumes. Charles, immédiatement, se mit en courses. Il confondit l'avant-scène
avec les galeries, le *parquet*²⁸⁶ avec les loges, demanda des
explications, ne les comprit pas, fut renvoyé du contrôleur
au directeur, revint à l'auberge, retourna au bureau, et,
plusieurs fois ainsi, arpenta toute la longueur de la ville,
depuis le théâtre jusqu'au boulevard.

Madame s'acheta un chapeau, des gants, un bouquet.
Monsieur craignait beaucoup de manquer le commencement; et, sans avoir eu le temps d'avaler le bouillon, ils
se présentèrent devant les portes du théâtre, qui étaient
encore fermées.

Chapitre 15.

La foule stationnait contre le mur, parquée symétriquement
entre des balustrades. A l'angle des rues voisines, de gigantesques affiches répétaient en caractères baroques: « *Lucie
de Lammermoor*...²⁸⁷ Lagardy... Opéra... etc. » Il faisait
beau; on avait chaud; la sueur coulait dans les frisures,
tous les mouchoirs tirés épongeaient des fronts rouges; et
parfois un vent tiède, qui soufflait de la rivière, agitait
mollement la bordure des tentes en coutil suspendues à
la porte des estaminets. Un peu plus bas, cependant, on
était rafraîchi par un courant d'air glacial qui sentait le
suif, le cuir et l'huile. C'était l'exhalaison de la rue des
Charrettes, pleine de grands magasins noirs où l'on roule
des barriques.

De peur de paraître ridicule, Emma voulut, avant d'entrer, faire un tour de promenade sur le port, et Bovary,
par prudence, garda les billets à sa main, dans la poche
de son pantalon, qu'il appuyait contre son ventre.

Un battement de cœur la prit dès le vestibule. Elle sourit involontairement de vanité, en voyant la foule qui se précipitait à droite par l'autre corridor, tandis qu'elle montait l'escalier des *premières*. Elle eut plaisir comme un enfant à pousser de son doigt les larges portes tapissées; elle aspira de toute sa poitrine l'odeur poussiéreuse des couloirs, et, quand elle fut assise dans sa loge, elle se cambra la taille avec une désinvolture de duchesse.

La salle commençait à se remplir, on tirait les lorgnettes de leurs étuis, et les abonnés, s'apercevant de loin, se faisaient des salutations. Ils venaient se délasser dans les beaux-arts des inquiétudes de la vente; mais n'oubliant point *les affaires,* ils causaient encore cotons, trois-six [288] ou indigo. On voyait là des têtes de vieux, inexpressives et pacifiques, et qui, blanchâtres de chevelure et de teint, ressemblaient à des médailles d'argent ternies par une vapeur de plomb. Les jeunes beaux se pavanaient au *parquet,* étalant, dans l'ouverture de leur gilet, leur cravate rose ou vert-pomme; et madame Bovary les admirait d'en haut appuyant sur des badines à pomme d'or la paume tendue de leurs gants jaunes.

Cependant, les bougies de l'orchestre s'allumèrent; le lustre descendit du plafond, versant, avec le rayonnement de ses facettes, une gaieté subite dans la salle; puis les musiciens entrèrent les uns après les autres, et ce fut d'abord un long charivari de basses ronflant, de violons grinçant, de pistons [289] trompettant, de flûtes et de flageolets qui piaulaient. Mais on entendit trois coups sur la scène; [290] un roulement de timbales commença, les instruments de cuivre plaquèrent des accords, et le rideau, se levant, découvrit un paysage.

C'était le carrefour d'un bois, avec une fontaine, à gauche, ombragée par un chêne. Des paysans et des seigneurs, le plaid sur l'épaule, chantaient tous ensemble une chanson de chasse; puis il survint un capitaine qui invoquait l'ange du mal en levant au ciel ses deux bras; un autre parut; ils s'en allèrent, et les chasseurs reprirent.

Elle se retrouvait dans les lectures de sa jeunesse, en

plein Walter Scott. Il lui semblait entendre, à travers le
brouillard, le son des cornemuses écossaises se répéter sur
les bruyères. D'ailleurs, le souvenir du roman facilitant
l'intelligence du libretto, elle suivait l'intrigue phrase à
phrase, tandis que d'insaisissables pensées qui lui revenaient
se dispersaient aussitôt sous les rafales de la musique. Elle
se laissait aller au bercement des mélodies et se sentait
elle-même vibrer de tout son être comme si les archets des
violons se fussent promenés sur ses nerfs. Elle n'avait pas
assez d'yeux pour contempler les costumes, les décors, les
personnages, les arbres peints qui tremblaient quand on
marchait, et les toques de velours, les manteaux, les épées,
toutes ces imaginations qui s'agitaient dans l'harmonie
comme dans l'atmosphère d'un autre monde. Mais une
jeune femme s'avança en jetant une bourse à un écuyer
vert. Elle resta seule, et alors on entendit une flûte qui
faisait comme un murmure de fontaine ou comme des
gazouillements d'oiseau. Lucie entama d'un air grave sa
cavatine en *sol* majeur; elle se plaignait d'amour, elle
demandait des ailes. Emma, de même, aurait voulu, fuyant
la vie, s'envoler dans une étreinte. Tout à coup, Edgar
Lagardy parut.

Il avait une de ces pâleurs splendides qui donnent
quelque chose de la majesté des marbres aux races ardentes
du Midi. Sa taille vigoureuse était prise dans un pourpoint
de couleur brune; un petit poignard ciselé lui battait sur
la cuisse gauche, et il roulait des regards langoureusement
en découvrant ses dents blanches. On disait qu'une prin-
cesse polonaise, l'écoutant un soir chanter sur la plage de
Biarritz, où il radoubait des chaloupes, en était devenue
amoureuse. Elle s'était ruinée à cause de lui. Il l'avait
plantée là pour d'autres femmes, et cette célébrité sentimentale ne laissait pas que de servir à sa réputation artis-
tique. Le cabotin diplomate avait même soin de faire
toujours glisser dans les réclames une phrase poétique sur
la fascination de sa personne et la sensibilité de son âme.
Un bel organe,[291] un imperturbable aplomb, plus de tempérament que d'intelligence et plus d'emphase que de lyrisme,

achevaient de rehausser cette admirable nature de char-
latan, où il y avait du coiffeur et du toréador.

Dès la première scène, il enthousiasma. Il pressait Lucie
dans ses bras, il la quittait, il revenait, il semblait désespéré: il avait des éclats de colère, puis des râles élégiaques
d'une douceur infinie, et les notes s'échappaient de son cou
nu, pleines de sanglots et de baisers. Emma se penchait
pour le voir, égratignant avec ses ongles le velours de sa
loge. Elle s'emplissait le cœur de ces lamentations mélo-
dieuses qui se traînaient à l'accompagnement des contre-
basses, comme des cris de naufragés dans le tumulte d'une
tempête. Elle reconnaissait tous les enivrements et les
angoisses dont elle avait manqué mourir. La voix de la
chanteuse ne lui semblait être que le retentissement de sa
conscience, et cette illusion qui la charmait quelque chose
même de sa vie. Mais personne sur la terre ne l'avait
aimée d'un pareil amour. Il ne pleurait pas comme Edgar,
le dernier soir, au clair de lune, lorsqu'ils se disaient: « A
demain, à demain!... » La salle craquait sous les bravos;
on recommença la strette entière; les amoureux parlaient
des fleurs de leur tombe, de serments, d'exil, de fatalité,
d'espérances, et, quand ils poussèrent l'adieu final, Emma
jeta un cri aigu, qui se confondit avec la vibration des
derniers accords.

— Pourquoi donc, demanda Bovary, ce seigneur est-il à
la persécuter?

— Mais non, répondit-elle; c'est son amant.

— Pourtant il jure de se venger sur sa famille, tandis
que l'autre, celui qui est venu tout à l'heure, disait: « J'aime
Lucie et je m'en crois aimé. » D'ailleurs, il est parti avec
son père, bras dessus, bras dessous. Car c'est bien son
père, n'est-ce pas, le petit laid qui porte une plume de
coq à son chapeau?

Malgré les explications d'Emma, dès le duo récitatif
où Gilbert expose à son maître Ashton ses abominables
manœuvres, Charles, en voyant le faux anneau de fian-
çailles qui doit abuser Lucie, crut que c'était un souvenir
d'amour envoyé par Edgar. Il avouait, du reste, ne pas

comprendre l'histoire — à cause de la musique, qui nuisait beaucoup aux paroles.

— Qu'importe? dit Emma; tais-toi!

— C'est que j'aime, reprit-il en se penchant sur son épaule, à me rendre compte, tu sais bien.

— Tais-toi! tais-toi! fit-elle impatientée.

Lucie s'avançait, à demi soutenue par ses femmes, une couronne d'oranger dans les cheveux, et plus pâle que le satin blanc de sa robe. Emma rêvait au jour de son mariage; et elle se revoyait là-bas, au milieu des blés, sur le petit sentier, quand on marchait vers l'église. Pourquoi donc n'avait-elle pas, comme celle-là, résisté, supplié? Elle était joyeuse, au contraire, sans s'apercevoir de l'abîme où elle se précipitait... Ah! si, dans la fraîcheur de sa beauté, avant les souillures du mariage et la désillusion de l'adultère, elle avait pu placer sa vie sur quelque grand cœur solide, alors, la vertu, la tendresse, les voluptés et le devoir se confondant, jamais elle ne serait descendue d'une félicité si haute. Mais ce bonheur-là, sans doute, était un mensonge imaginé pour le désespoir de tout désir. Elle connaissait à présent la petitesse des passions que l'art exagérait. S'efforçant donc d'en détourner sa pensée, Emma voulait ne plus voir dans cette reproduction de ses douleurs qu'une fantaisie plastique bonne à abuser les yeux et même elle souriait intérieurement d'une pitié dédaigneuse quand, au fond du théâtre, sous la portière de velours, un homme apparut en manteau noir.

Son grand chapeau à l'espagnole tomba dans un geste qu'il fit; et aussitôt les instruments et les chanteurs entonnèrent le sextuor. Edgar, étincelant de furie, dominait tous les autres de sa voix plus claire; Ashton lui lançait en notes graves des provocations homicides; Lucie poussait sa plainte aiguë; Arthur modulait à l'écart des sons moyens, et la basse-taille du ministre ronflait comme un orgue tandis que les voix de femmes, répétant ses paroles, reprenaient en chœur, délicieusement. Ils étaient tous sur la même ligne à gesticuler; et la colère, la vengeance, la jalousie, la terreur, la miséricorde et la stupéfaction s'exhalaient à la fois de leurs bouches entr'ouvertes. L'amoureux outragé brandissait son épée nue: sa collerette de guipure se levait par saccades, selon les mouvements de sa poitrine, et il allait de droite et de gauche, à grands pas, faisant sonner contre les planches les éperons vermeils de ses bottes molles, qui s'évasaient à la cheville. Il devait avoir, pensait-elle, un intarissable amour, pour en déverser sur la foule à si larges effluves. Toutes ses velléités de dénigrement s'évanouissaient sous la poésie du rôle qui l'envahissait, et, entraînée vers l'homme par l'illusion du personnage, elle tâcha de se figurer sa vie, cette vie retentissante, extra-ordinaire, splendide, et qu'elle aurait pu mener, cependant, si le hasard l'avait voulu. Ils se seraient connus, ils se seraient aimés! Avec lui, par tous les royaumes de l'Europe, elle aurait voyagé de capitale en capitale, partageant ses fatigues et son orgueil, ramassant les fleurs qu'on lui jetait, brodant elle-même ses costumes; puis, chaque soir, au fond d'une loge, derrière la grille à treillis d'or, elle eût recueilli, béante, les expansions de cette âme qui n'aurait chanté que pour elle seule; de la scène, tout en jouant, il l'aurait regardée. Mais une folie la saisit: il la regardait, c'est sûr! Elle eut envie de courir dans ses bras pour se réfugier en sa force, comme dans l'incarnation de l'amour même, et de lui dire, de s'écrier: « Enlève-moi, emmène-moi, par-tons! A toi, à toi! toutes mes ardeurs et tous mes rêves! »

Le rideau se baissa.

L'odeur du gaz se mêlait aux haleines; le vent des éventails rendait l'atmosphère plus étouffante. Emma voulut sortir; la foule encombrait les corridors, et elle retomba dans son fauteuil avec des palpitations qui la suffoquaient. Charles, ayant peur de la voir s'évanouir, courut à la buvette lui chercher un verre d'orgeat.

Il eut grand'peine à regagner sa place; car on lui heurtait les coudes à tous les pas, à cause du verre qu'il tenait entre ses mains, et même il en versa trois quarts sur les épaules d'une Rouennaise en manches courtes, qui, sentant le liquide froid lui couler dans les reins, jeta des cris de paon, comme si on l'eût assassinée. Son mari, qui était un filateur, s'emporta contre le maladroit; et, tandis qu'avec son mouchoir elle épongeait les taches sur sa belle robe de taffetas cerise, il murmurait d'un ton bourru les mots d'indemnité, de frais, de remboursement. Enfin, Charles arriva près de sa femme, et lui disant tout essoufflé:

— J'ai cru, ma foi, que j'y resterais! Il y a un monde!... un monde!...

Il ajouta:

— Devine un peu qui j'ai rencontré là-haut? M. Léon!

— Léon?

— Lui-même! Il va venir te présenter ses civilités.

Et, comme il achevait ces mots, l'ancien clerc d'Yonville entra dans la loge.

Il tendit sa main avec un sans-façon de gentilhomme: et madame Bovary, machinalement, avança la sienne, sans doute obéissant à l'attraction d'une volonté plus forte. Elle ne l'avait pas sentie depuis ce soir de printemps où il pleuvait sur les feuilles vertes, quand ils se dirent adieu, debout au bord de la fenêtre. Mais, vite, se rappelant à la convenance de la situation, elle secoua dans un effort cette torpeur de ses souvenirs et se mit à balbutier des phrases rapides.

— Ah! bonjour... Comment! vous voilà?

— Silence! cria une voix de parterre, car le troisième acte commençait.

— Vous êtes donc à Rouen?

— Oui.

— Et depuis quand?

— A la porte! à la porte!

On se tournait vers eux; ils se turent.

Mais, à partir de ce moment, elle n'écouta plus; et le chœur des conviés, la scène d'Ashton et de son valet, grand duo en *ré* majeur, tout passa pour elle dans l'éloignement, comme si les instruments fussent devenus moins sonores et les personnages plus reculés: elle se rappelait les parties de cartes chez le pharmacien et la promenade chez la nourrice, les lectures sous la tonnelle, les tête-à-tête au coin du feu, tout ce pauvre amour si calme et si long,

si discret, si tendre, et qu'elle avait oublié cependant.
Pourquoi donc revenait-il? Quelle combinaison d'aventures
le replaçait dans sa vie? Il se tenait derrière elle, s'appuyant
de l'épaule contre la cloison; et, de temps à autre, elle se
sentait frissonner sous le souffle tiède de ses narines qui
lui descendait dans la chevelure.

— Est-ce que cela vous amuse? dit-il en se penchant sur
elle de si près, que la pointe de sa moustache lui effleura
la joue.

Elle répondit nonchalamment:

— Oh! mon Dieu, non! pas beaucoup.

Alors il fit la proposition de sortir du théâtre, pour aller
prendre des glaces quelque part.

— Ah! pas encore! restons! dit Bovary. Elle a les cheveux
dénoués: cela promet d'être tragique.

Mais la scène de la folie n'intéressait point Emma, et
le jeu de la chanteuse lui parut exagéré.

— Elle crie trop fort, dit-elle en se tournant vers Charles,
qui écoutait.

— Oui... peut-être...un peu, répliqua-t-il, indécis entre
la franchise de son plaisir et le respect qu'il portait aux
opinions de sa femme.

Puis Léon dit en soupirant:

— Il fait une chaleur...

— Insupportable! c'est vrai.

— Es-tu gênée? demanda Bovary.

— Oui, j'étouffe: partons.

M. Léon posa délicatement sur ses épaules son long
châle de dentelles, et ils allèrent tous les trois s'asseoir sur
le port, en plein air, devant le vitrage d'un café. Il fut
d'abord question de sa maladie, bien qu'Emma interrompît
Charles de temps à autre, par crainte, disait-elle, d'ennuyer
M. Léon; et celui-ci leur raconta qu'il venait à Rouen
passer deux ans dans une forte étude, afin de se rompre
aux affaires, qui étaient différentes en Normandie de celles
que l'on traitait à Paris. Puis il s'informa de Berthe, de la
famille Homais, de la mère Lefrançois; et, comme ils

n'avaient, en présence du mari, rien de plus à se dire, bientôt la conversation s'arrêta.

Des gens qui sortaient du spectacle passèrent sur le trottoir, tout en fredonnant ou braillant à plein gosier: *O bel ange, ma Lucie!* Alors Léon, pour faire le dilettante, se mit à parler musique. Il avait vu Tamburini, Rubini, Persiani, Grisi; et à côté d'eux, Lagardy, malgré ses grands éclats, ne valait rien.

— Pourtant, interrompit Charles qui mordait à petits coups son sorbet au rhum, on prétend qu'au dernier acte il est admirable tout à fait; je regrette d'être parti avant la fin, car ça commençait à m'amuser.

— Au reste, reprit le clerc, il donnera bientôt une autre représentation.

Mais Charles répondit qu'ils s'en allaient dès le lendemain.

— A moins, ajouta-t-il en se tournant vers sa femme, que tu ne veuilles rester seule, mon petit chat?

Et, changeant de manœuvre devant cette occasion inattendue qui s'offrait à son espoir, le jeune homme entama l'éloge de Lagardy dans le morceau final. C'était quelque chose de superbe, de sublime! Alors Charles insista.

— Tu reviendras dimanche. Voyons, décide-toi! tu as tort, si tu sens le moins du monde que cela te fait du bien.

Cependant les tables, alentour, se dégarnissaient; un garçon vint discrètement se poster près d'eux; Charles, qui comprit, tira sa bourse; le clerc le retint par le bras, et même n'oublia point de laisser, en plus, deux pièces blanches, qu'il fit sonner contre le marbre.

— Je suis fâché, vraiment, murmura Bovary, de l'argent que vous...

L'autre eut un geste dédaigneux plein de cordialité, et, prenant son chapeau:

— C'est convenu, n'est-ce pas, demain à six heures?

Charles se récria encore une fois qu'il ne pouvait s'absenter plus longtemps; mais rien n'empêchait Emma...

— C'est que..., balbutiait-elle avec un singulier sourire, je ne sais pas trop...

— Eh bien! tu réfléchiras, nous verrons, la nuit porte conseil...

Puis, à Léon, qui les accompagnait:

— Maintenant que vous voilà dans nos contrées, vous viendrez, j'espère, de temps à autre, nous demander à dîner?

Le clerc affirma qu'il n'y manquerait pas, ayant d'ailleurs besoin de se rendre à Yonville pour une affaire de son étude. Et l'on se sépara devant le passage Saint-Herbland, au moment où onze heures et demie sonnaient à la cathédrale.

Partie 3

Chapitre 1.

Monsieur Léon, tout en étudiant son droit, avait passablement fréquenté la *Chaumière*,[292] où il obtint même de fort jolis succès près des grisettes, qui lui trouvaient l'*air distingué*. C'était le plus convenable des étudiants: il ne portait les cheveux ni trop longs ni trop courts, ne mangeait pas le 1er du mois l'argent de son trimestre, et se maintenait en de bons termes avec ses professeurs. Quant à faire des excès, il s'en était toujours abstenu, autant par pusillanimité que par délicatesse.

Souvent, lorsqu'il restait à lire dans sa chambre, ou bien assis le soir sous les tilleuls du Luxembourg, il laissait tomber son Code par terre, et le souvenir d'Emma lui revenait. Mais, peu à peu, ce sentiment s'affaiblit, et d'autres convoitises s'accumulèrent par-dessus, bien qu'il persistât cependant à travers elles; car Léon ne perdait pas toute espérance, et il y avait pour lui comme une promesse incertaine qui se balançait dans l'avenir, tel un fruit d'or suspendu à quelque feuillage fantastique.

Puis, en la revoyant après trois années d'absence, sa passion se réveilla. Il fallait, pensait-il, se résoudre enfin à la vouloir posséder. D'ailleurs, sa timidité s'était usée au contact des compagnies folâtres, et il revenait en province, méprisant tout ce qui ne foulait pas d'un pied verni l'asphalte du boulevard. Auprès d'une Parisienne en dentelles, dans le salon de quelque docteur illustre, personnage à décorations et à voiture, le pauvre clerc, sans doute, eût tremblé comme un enfant; mais ici, à Rouen, sur le port, devant la femme de ce petit médecin, il se sentait à l'aise,

sûr d'avance qu'il éblouirait. L'aplomb dépend des milieux
où il se pose: on ne parle pas à l'entresol comme au
quatrième étage, et la femme riche semble avoir autour
d'elle, pour garder sa vertu, tous ses billets de banque,
comme une cuirasse, dans la doublure de son corset.

En quittant, la veille au soir, monsieur et madame
Bovary, Léon, de loin, les avait suivis dans la rue; puis
les ayant vus s'arrêter à la *Croix Rouge,* il avait tourné
les talons et passé toute la nuit à méditer un plan.

Le lendemain donc, vers cinq heures, il entra dans la
cuisine de l'auberge, la gorge serrée, les joues pâles, et avec
cette résolution des poltrons que rien n'arrête.

— Monsieur n'y est point, répondit un domestique.

Cela lui parut de bon augure. Il monta.

Elle ne fut pas troublée à son abord; elle lui fit, au
contraire, des excuses pour avoir oublié de lui dire où ils
étaient descendus.

— Oh! je l'ai deviné, reprit Léon.

— Comment?

Il prétendit avoir été guidé vers elle au hasard, par un
instinct. Elle se mit à sourire, et aussitôt, pour réparer
sa sottise, Léon raconta qu'il avait passé sa matinée à la
chercher successivement dans tous les hôtels de la ville.

— Vous vous êtes donc décidée à rester? ajouta-t-il.

— Oui, dit-elle, et j'ai eu tort. Il ne faut pas s'accoutumer à des plaisirs impraticables, quand on a autour de
soi mille exigences...

— Oh! je m'imagine...

— Eh! non, car vous n'êtes pas une femme, vous.

Mais les hommes avaient aussi leurs chagrins, et la
conversation s'engagea par quelques réflexions philosophiques. Emma s'étendit beaucoup sur la misère des
affections terrestres et l'éternel isolement où le cœur reste
enseveli.

Pour se faire valoir, ou par une imitation naïve de
cette mélancolie qui provoquait la sienne, le jeune homme
déclara s'être ennuyé prodigieusement tout le temps de

ses études. La procédure l'irritait, d'autres vocations l'attiraient et sa mère ne cessait, dans chaque lettre, de le tourmenter. Car ils précisaient de plus en plus les motifs de leur douleur, chacun, à mesure qu'il parlait, s'exaltant un peu de cette confidence progressive. Mais ils s'arrêtaient quelquefois devant l'exposition complète de leur idée, et cherchaient alors à imaginer une phrase qui pût la traduire cependant. Elle ne confessa point sa passion pour un autre; il ne dit pas qu'il l'avait oubliée.

Peut-être ne se rappelait-il plus ses soupers après le bal, avec des débardeuses;[293] et elle ne se souvenait pas sans doute des rendez-vous d'autrefois, quand elle courait le matin dans les herbes vers le château de son amant. Les bruits de la ville arrivaient à peine jusqu'à eux; et la chambre semblait petite, tout exprès pour resserrer davantage leur solitude. Emma, vêtue d'un peignoir en basin, appuyait son chignon contre le dossier du vieux fauteuil; le papier jaune de la muraille faisait comme un fond d'or derrière elle: et sa tête nue se répétait dans la glace avec la raie blanche au milieu, et le bout de ses oreilles dépassant sous ses bandeaux.

— Mais, pardon, dit-elle, j'ai tort! je vous ennuie avec mes éternelles plaintes!

— Non, jamais! jamais!

— Si vous saviez, reprit-elle, en levant au plafond ses beaux yeux qui roulaient une larme, tout ce que j'avais rêvé!

— Et moi, donc! Oh! j'ai bien souffert! Souvent je sortais, je m'en allais, je me traînais le long des quais, m'étourdissant au bruit de la foule sans pouvoir bannir l'obsession qui me poursuivait. Il y a sur le boulevard, chez un marchand d'estampes, une gravure italienne qui représente une Muse. Elle est drapée d'une tunique et elle regarde la lune, avec des myosotis sur sa chevelure dénouée. Quelque chose incessamment me poussait là; j'y suis resté des heures entières.

Puis, d'une voix tremblante:

—Elle vous ressemblait un peu.

Madame Bovary détourna la tête, pour qu'il ne vît pas sur ses lèvres l'irrésistible sourire qu'elle y sentait monter.

—Souvent, reprit-il, je vous écrivais des lettres qu'ensuite je déchirais.

Elle ne répondait pas. Il continua:

—Je m'imaginais quelquefois qu'un hasard vous amènerait. J'ai cru vous reconnaître au coin des rues: et je courais après tous les fiacres où flottait à la portière un châle, un voile pareil au vôtre...

Elle semblait déterminée à le laisser parler sans l'interrompre. Croisant les bras et baissant la figure, elle considérait la rosette de ses pantoufles, et elle faisait dans leur satin de petits mouvements, par intervalles, avec les doigts de son pied.

Cependant, elle soupira:

—Ce qu'il y a de plus lamentable, n'est-ce pas? c'est de traîner, comme moi, une existence inutile. Si nos douleurs pouvaient servir à quelqu'un, on se consolerait dans la pensée du sacrifice!

Il se mit à vanter la vertu, le devoir et les immolations silencieuses, ayant lui-même un incroyable besoin de dévouement qu'il ne pouvait assouvir.

—J'aimerais beaucoup, dit-elle, à être une religieuse d'hôpital.

—Hélas! répliqua-t-il, les hommes n'ont point de ces missions saintes, et je ne vois nulle part aucun métier..., à moins peut-être que celui de médecin...

Avec un haussement léger de ses épaules, Emma l'interrompit pour se plaindre de sa maladie où elle avait manqué mourir; quel dommage! elle ne souffrirait plus maintenant. Léon tout de suite envia *le calme du tombeau* et même, un soir, il avait écrit son testament en recommandant qu'on l'ensevelît dans ce beau couvre-pied, à bandes de velours, qu'il tenait d'elle; car c'est ainsi qu'ils auraient voulu avoir été, l'un et l'autre se faisant un idéal sur lequel ils ajustaient à présent leur vie passée. D'ailleurs, la parole est un laminoir qui allonge toujours les sentiments.

Mais à cette invention du couvre-pied:

— Pourquoi donc? demanda-t-elle.

— Pourquoi?

Il hésitait.

— Parce que je vous ai bien aimée!

Et, s'applaudissant d'avoir franchi la difficulté, Léon, du coin de l'œil, épia sa physionomie.

Ce fut comme le ciel, quand un coup de vent chasse les nuages. L'amas de pensées tristes qui les assombrissaient parut se retirer de ses yeux bleus; tout son visage rayonna.

Il attendait. Enfin elle répondit:

— Je m'en étais toujours doutée...

Alors, ils se racontèrent les petits événements de cette existence lointaine, dont ils venaient de résumer, par un seul mot, les plaisirs et les mélancolies. Il se rappelait le berceau de clématite, les robes qu'elle avait portées, les meubles de sa chambre, toute sa maison.

— Et nos pauvres cactus, où sont-ils?

— Le froid les a tués cet hiver.

— Ah! que j'ai pensé à eux, savez-vous? Souvent je les revoyais comme autrefois, quand, par les matins d'été, le soleil frappait sur les jalousies... et j'apercevais vos deux bras nus qui passaient entre les fleurs.

— Pauvre ami! fit-elle en lui tendant la main.

Léon, bien vite, y colla ses lèvres. Puis, quand il eut largement respiré:

— Vous étiez, dans ce temps-là, pour moi, je ne sais quelle force incompréhensible qui captivait ma vie. Une fois, par exemple, je suis venu chez vous; mais vous ne vous en souvenez pas, sans doute?

— Si, dit-elle. Continuez.

— Vous étiez en bas, dans l'antichambre, prête à sortir, sur la dernière marche; — vous aviez même un chapeau à petites fleurs bleues; et, sans nulle invitation de votre part, malgré moi, je vous ai accompagnée. A chaque minute, cependant, j'avais de plus en plus conscience de ma sottise, et je continuai à marcher près de vous, n'osant vous suivre tout à fait, et ne voulant pas vous quitter.

Quand vous entriez dans une boutique, je restais dans la rue, je vous regardais par le carreau défaire vos gants et compter la monnaie sur le comptoir. Ensuite vous avez sonné chez madame Tuvache, on vous a ouvert, et je suis resté comme un idiot devant la grande porte lourde, qui était retombée sur vous.

Madame Bovary, en l'écoutant, s'étonnait d'être si vieille; toutes ces choses qui réapparaissaient lui semblaient élargir son existence; cela faisait comme des immensités sentimentales où elle se reportait; et elle disait de temps à autre, à voix basse et les paupières à demi fermées:

— Oui, c'est vrai!... c'est vrai!... c'est vrai...

Ils entendirent huit heures sonner aux différentes horloges du quartier Beauvoisine, qui est plein de pensionnats, d'églises et de grands hôtels abandonnés. Ils ne se parlaient plus; mais ils sentaient, en se regardant, un bruissement dans leurs têtes, comme si quelque chose de sonore se fût réciproquement échappé de leurs prunelles fixes. Ils venaient de se joindre les mains; et le passé, l'avenir, les réminiscences et les rêves, tout se trouvait confondu dans la douceur de cette extase. La nuit s'épaississait sur les murs, où brillaient encore, à demi perdues dans l'ombre, les grosses couleurs de quatre estampes représentant quatre scènes de la *Tour de Nesle*,[294] avec une légende au bas, en espagnol et en français. Par la fenêtre à guillotine,[295] on voyait un coin de ciel noir, entre des toits pointus.

Elle se leva pour allumer deux bougies sur la commode, puis elle vint se rasseoir.

— Eh bien?... fit Léon.

— Eh bien?... répondit-elle.

Et il cherchait comment renouer le dialogue interrompu, quand elle lui dit:

— D'où vient que personne jusqu'à présent, ne m'a jamais exprimé des sentiments pareils?

Le clerc se récria que les natures idéales étaient difficiles à comprendre. Lui, du premier coup d'œil, il l'avait aimée; et il se désespérait en pensant au bonheur qu'ils auraient eu si, par une grâce du hasard, se rencontrant plus tôt, ils se fussent attachés l'un à l'autre d'une manière indissoluble.

—J'y ai songé quelquefois, reprit-elle.

—Quel rêve! murmura Léon.

Et, maniant délicatement le liséré bleu de sa longue ceinture blanche, il ajouta:

—Qui nous empêche donc de recommencer?...

—Non, mon ami, répondit-elle. Je suis trop vieille... vous êtes trop jeune..., oubliez-moi! D'autres vous aimeront..., vous les aimerez.

—Pas comme vous! s'écria-t-il.

—Enfant que vous êtes! Allons, soyons sage! je le veux!

Elle lui représenta les impossibilités de leur amour, et qu'ils devaient se tenir, comme autrefois, dans les simples termes d'une amitié fraternelle.

Etait-ce sérieusement qu'elle parlait ainsi? Sans doute qu'Emma n'en savait rien elle-même, tout occupée par le charme de la séduction et la nécessité de s'en défendre; et, contemplant le jeune homme d'un regard attendri, elle repoussait doucement les timides caresses que ses mains frémissantes essayaient.

—Ah! pardon, dit-il en se reculant.

Et Emma fut prise d'un vague effroi, devant cette timidité, plus dangereuse pour elle que la hardiesse de Rodolphe quand il s'avançait les bras ouverts. Jamais aucun homme ne lui avait paru si beau. Une exquise candeur s'échappait de son maintien. Il baissait ses longs cils fins qui se recourbaient. Sa joue à l'épiderme suave rougissait — pensait-elle — du désir de sa personne, et Emma sentait une invincible envie d'y porter ses lèvres. Alors se penchant vers la pendule comme pour regarder l'heure:

—Qu'il est tard, mon Dieu! dit-elle; que nous bavardons!

Il comprit l'allusion et chercha son chapeau.

—J'en ai même oublié le spectacle! Ce pauvre Bovary qui m'avait laissée tout exprès! M. Lormeaux, de la rue

Grand-Pont, devait m'y conduire avec sa femme.

Et l'occasion était perdue, car elle partait dès le lendemain.

— Vrai? fit Léon.

— Oui.

— Il faut pourtant que je vous voie encore, reprit-il, j'avais à vous dire...

— Quoi?

— Une chose... grave, sérieuse. Eh! non, d'ailleurs, vous ne partirez pas, c'est impossible! Si vous saviez... Ecoutez-moi... Vous ne m'avez donc pas compris? vous n'avez donc pas deviné?...

— Cependant vous parlez bien, dit Emma.

— Ah! des plaisanteries! Assez, assez! Faites, par pitié, que je vous revoie..., une fois..., une seule.

— Eh bien!...

Elle s'arrêta; puis, comme se ravisant:

— Oh! pas ici!

— Où vous voudrez.

— Voulez-vous...

Elle parut réfléchir, et, d'un ton bref:

— Demain, à onze heures, dans la cathédrale.

— J'y serai! s'écria-t-il en saisissant ses mains, qu'elle dégagea.

Et, comme ils se tenaient debout tous les deux, lui placé derrière elle et Emma baissant la tête, il se pencha vers son cou et la baisa longuement à la nuque.

— Mais vous êtes fou! ah! vous êtes fou! disait-elle avec de petits rires sonores, tandis que les baisers se multipliaient.

Alors, avançant la tête par-dessus son épaule, il sembla chercher le consentement de ses yeux. Ils tombèrent sur lui, pleins d'une majesté glaciale.

Léon fit trois pas en arrière, pour sortir. Il resta sur le seuil. Puis il chuchota d'une voix tremblante:

— A demain.

Elle répondit par un signe de tête, et disparut comme un oiseau dans la pièce à côté.

Emma, le soir, écrivit au clerc une interminable lettre où elle se dégageait du rendez-vous; tout maintenant était fini, et ils ne devaient plus, pour leur bonheur, se rencontrer. Mais, quand la lettre fut close, comme elle ne savait pas l'adresse de Léon, elle se trouva fort embarrassée.

—Je la lui donnerait moi-même, se dit-elle; il viendra.

Léon, le lendemain, fenêtre ouverte et chantonnant sur le balcon, vernit lui-même ses escarpins, et à plusieurs couches. Il passa un pantalon blanc, des chaussettes fines, un habit vert, répandit dans son mouchoir tout ce qu'il possédait de senteurs, puis, s'étant fait friser, se défrisa, pour donner à sa chevelure plus d'élégance naturelle.

—Il est encore trop tôt! pensa-t-il en regardant le coucou du perruquier, qui marquait neuf heures.

Il lut un vieux journal de modes, sortit, fuma un cigare, remonta trois rues, songea qu'il était temps et se dirigea lentement vers le parvis Notre-Dame.

C'était par un beau matin d'été. Des argenteries reluisaient aux boutiques des orfèvres, et la lumière qui arrivait obliquement sur la cathédrale posait des miroitements à la cassure des pierres grises; une compagnie d'oiseaux tourbillonnait dans le ciel bleu, autour des clochetons à trèfles; la place, retentissante de cris, sentait des fleurs qui bordaient son pavé, roses, jasmins, œillets, narcisses et tubéreuses, espacés inégalement par des verdures humides, de l'herbe-au-chat et du mouron pour les oiseaux; la fontaine, au milieu, gargouillait, et sous de larges parapluies, parmi des cantaloups s'étageant en pyramides, des marchandes, nu-tête, tournaient dans du papier des bouquets de violettes.

Le jeune homme en prit un. C'était la première fois qu'il achetait de fleurs pour une femme; et sa poitrine, en les respirant, se gonfla d'orgueil, comme si cet hommage qu'il destinait à une autre se fût retourné vers lui.

Cependant il avait peur d'être aperçu; il entra résolument dans l'église.

Le suisse, alors, se tenait sur le seuil, au milieu du portail à gauche, au-dessous de la *Marianne dansant*,[296] plumet en tête, rapière au mollet, canne au poing, plus majestueux qu'un cardinal et reluisant comme un saint ciboire.

Il s'avança vers Léon, et, avec ce sourire de bénignité pateline que prennent les ecclésiastiques lorsqu'ils interrogent les enfants:

— Monsieur, sans doute, n'est pas d'ici? Monsieur désire voir les curiosités de l'église?

— Non, dit l'autre.

Et il fit d'abord le tour des bas-côtés. Puis il vint regarder sur la place. Emma n'arrivait pas. Il remonta jusqu'au chœur.

La nef se mirait dans les bénitiers pleins, avec le commencement des ogives et quelques portions de vitrail. Mais le reflet des peintures, se brisant au bord du marbre, continuait plus loin, sur les dalles, comme un tapis bariolé. Le grand jour du dehors s'allongeait dans l'église en trois rayons énormes, par les trois portails ouverts. De temps à autre, au fond, un sacristain passait en faisant devant l'autel l'oblique génuflexion des dévots pressés. Les lustres de cristal pendaient immobiles. Dans le chœur une lampe d'argent brûlait; et, des chapelles latérales, des parties sombres de l'église, il s'échappait quelquefois comme des exhalaisons de soupirs, avec le son d'une grille qui retombait, en répercutant son écho sous les hautes voûtes.

Léon, à pas sérieux, marchait auprès des murs. Jamais la vie ne lui avait paru si bonne. Elle allait venir tout à l'heure, charmante, agitée, épiant derrière elle les regards qui la suivaient, — et avec sa robe à volants, son lorgnon d'or, ses bottines minces, dans toutes sortes d'élégances dont il n'avait pas goûté, et dans l'ineffable séduction de la vertu qui succombe. L'église, comme un boudoir gigantesque, se disposait autour d'elle; les voûtes s'inclinaient pour recueillir dans l'ombre la confession de son amour; les vitraux resplendissaient pour illuminer son visage, et les encensoirs allaient brûler pour qu'elle apparût comme un ange, dans la fumée des parfums.

Cependant elle ne venait pas. Il se plaça sur une chaise et ses yeux rencontrèrent un vitrage bleu où l'on voit des bateliers qui portent des corbeilles. Il le regarda longtemps, attentivement, et il comptait les écailles des poissons et les boutonnières des pourpoints, tandis que sa pensée vagabondait à la recherche d'Emma.

Le suisse, à l'écart, s'indignait intérieurement contre cet individu, qui se permettait d'admirer seul la cathédrale. Il lui semblait se conduire d'une façon monstrueuse, le voler en quelque sorte, et presque commettre un sacrilège.

Mais un froufrou de soie sur les dalles, la bordure d'un chapeau, un camail noir... C'était elle! Léon se leva, courut à sa rencontre.

Emma était pâle. Elle marchait vite.

—Lisez! dit-elle en lui tendant un papier... Oh! non.

Et brusquement elle retira sa main, pour entrer dans la chapelle de la Vierge, où, s'agenouillant contre une chaise, elle se mit en prière.

Le jeune homme fut irrité de cette fantaisie bigote; puis il éprouva pourtant un certain charme à la voir, au milieu du rendez-vous, ainsi perdue dans les oraisons comme une marquise andalouse; puis il ne tarda pas à s'ennuyer, car elle n'en finissait pas.

Emma priait, ou plutôt s'efforçait de prier, espérant qu'il allait lui descendre du ciel quelque résolution subite; et, pour attirer le secours divin, elle s'emplissait les yeux des splendeurs du tabernacle, elle aspirait le parfum des juliennes blanches épanouies dans les grands vases, et prêtait l'oreille au silence de l'église, qui ne faisait qu'accroître le tumulte de son cœur.

Elle se relevait, et ils allaient partir, quand le suisse s'approcha vivement, en disant:

—Madame, sans doute, n'est pas d'ici? Madame désire voir les curiosités de l'église?

—Eh non! s'écria le clerc.

—Pourquoi pas? reprit-elle.

Car elle se raccrochait de sa vertu chancelante à la Vierge, aux sculptures, aux tombeaux, à toutes les occasions.

Alors, afin de procéder *dans l'ordre*, le suisse les conduisit jusqu'à l'entrée, près de la place, où, leur montrant avec sa canne un grand cercle de pavés noirs, sans inscriptions ni ciselures.

—Voilà, fit-il majestueusement, la circonférence de la belle cloche d'Amboise. Elle pesait quarante mille livres. Il n'y avait pas sa pareille dans toute l'Europe. L'ouvrier qui l'a fondue en est mort de joie...

—Partons, dit Léon.

Le bonhomme se remit en marche; puis, revenu à la chapelle de la Vierge, il étendit les bras dans un geste synthétique de démonstration, et, plus orgueilleux qu'un propriétaire campagnard vous montrant ses espaliers:

—Cette simple dalle recouvre Pierre de Brézé, seigneur de la Varenne et de Brissac, grand maréchal de Poitou et gouverneur de Normandie, mort à la bataille de Montlhéry, 16 juillet 1465.

Léon, se mordant les lèvres, trépignait.

—Et, à droite, ce gentilhomme tout bardé de fer, sur un cheval qui se cabre, est son petit-fils Louis de Brézé, seigneur de Breval et de Montchauvet, comte de Maulevrier, baron de Mauny, chambellan du roi, chevalier de l'Ordre et pareillement gouverneur de Normandie, mort le 23 juillet 1531, un dimanche, comme l'inscription porte; et au-dessous, cet homme prêt à descendre au tombeau vous figure exactement le même. Il n'est point possible, n'est-ce pas, de voir une plus parfaite représentation du néant?

Madame Bovary prit son lorgnon. Léon, immobile, la regardait, n'essayant même plus de dire un seul mot, de faire un seul geste, tant il se sentait découragé devant ce double parti pris de bavardage et d'indifférence.

L'éternel guide continuait:

—Près de lui, cette femme à genoux qui pleure est son épouse, Diane de Poitiers, comtesse de Brézé, duchesse de Valentinois, née en 1499, morte en 1566; et, à gauche, celle qui porte un enfant, la sainte Vierge. Maintenant, tournez-vous de ce côté: voici les tombeaux d'Amboise. Ils ont été tous les deux cardinaux et archevêques de

Rouen. Celui-ci était un ministre du roi Louis XII. Il a fait beaucoup de bien à la cathédrale. On a trouvé dans son testament trente mille écus d'or pour les pauvres.

Et, sans s'arrêter, tout en parlant, il les poussa dans une chapelle encombrée par des balustrades, en dérangea quelques-unes, et découvrit une sorte de bloc, qui pouvait bien avoir été une statue mal faite.

— Elle décorait autrefois, dit-il avec un long gémissement, la tombe de Richard Cœur de Lion, roi d'Angleterre et duc de Normandie. Ce sont les calvinistes, monsieur, qui vous l'ont réduite en cet état. Ils l'avaient, par méchanceté, ensevelie dans la terre, sous le siège épiscopal de Monseigneur. Tenez, voici la porte par où il se rend à son habitation, Monseigneur. Passons voir les vitraux de la Gargouille.

Mais Léon tira vivement une pièce blanche de sa poche et saisit Emma par le bras. Le suisse demeura tout stupéfait, ne comprenant point cette munificence intempestive, lorsqu'il restait encore à l'étranger tant de choses à voir. Aussi, le rappelant:

— Eh! monsieur. La flèche! la flèche!...

— Merci, fit Léon.

— Monsieur a tort! Elle aura [297] quatre cent quarante pieds, neuf de moins que la grande pyramide d'Egypte. Elle est toute en fonte, elle...

Léon fuyait; car il lui semblait que son amour, qui, depuis deux heures bientôt, s'était immobilisé dans l'église, comme les pierres, allait maintenant s'évaporer telle qu'une fumée, par cette espèce de tuyau tronqué, de cage oblongue, de cheminée à jour, qui se hasarde si grotesquement sur la cathédrale, comme la tentative extravagante de quelque chaudronnier fantaisiste.

— Où allons-nous donc? disait-elle.

Sans répondre, il continuait à marcher d'un pas rapide, et déjà madame Bovary trempait son doigt dans l'eau bénite, quand ils entendirent derrière eux un grand souffle haletant, entrecoupé régulièrement par le rebondissement d'une canne. Léon se détourna.

—Monsieur!

—Quoi?

Et il reconnut le suisse, portant sous son bras et maintenant en équilibre contre son ventre une vingtaine environ de forts volumes brochés. C'étaient les ouvrages *qui traitaient de la cathédrale.*

—Imbécile! grommela Léon s'élançant hors de l'église.

Un gamin polissonnait sur le parvis:

—Va me chercher un fiacre!

L'enfant partit comme une balle, par la rue des Quatre-Vents; alors ils restèrent seuls quelques minutes, face à face et un peu embarrassés.

—Ah! Léon!... Vraiment... je ne sais... si je dois...

Elle minaudait. Puis, d'un air sérieux:

—C'est très inconvenant, savez-vous?

—En quoi? répliqua le clerc. Cela se fait à Paris!

Et cette parole, comme un irrésistible argument, la détermina.

Cependant, le fiacre n'arrivait pas. Léon avait peur qu'elle ne rentrât dans l'église. Enfin le fiacre parut.

—Sortez du moins par le portail du nord! leur cria le suisse, qui était resté sur le seuil, pour voir la *Résurrection,* le *Jugement dernier,* le *Paradis,* le *Roi David* et les *Réprouvés* dans les flammes d'enfer.

—Où Monsieur va-t-il? demanda le cocher.

—Où vous voudrez! dit Léon poussant Emma dans la voiture.

Et la lourde machine se mit en route.[298]

Elle descendit la rue Grand-Pont, traversa la place des Arts, le quai Napoléon, le pont Neuf et s'arrêta court devant la statue de Pierre Corneille.

—Continuez! fit une voix qui sortait de l'intérieur. La voiture repartit, et, se laissant, dès le carrefour La Fayette, emporter vers la descente, elle entra au grand galop dans la gare du chemin de fer.

—Non, tout droit! cria la même voix.

Le fiacre sortit des grilles, et bientôt, arrivé sur le cours, trotta doucement, au milieu des grands ormes. Le cocher s'essuya le front, mit son chapeau de cuir entre ses jambes et poussa la voiture en dehors des contre-allées, au bord de l'eau, près du gazon.

Elle alla le long de la rivière, sur le chemin de halage pavé de cailloux secs, et, longtemps, du côté d'Oyssel, au delà des îles.

Mais, tout à coup, elle s'élança d'un bond à travers Quatremares, Sotteville, la Grande-Chaussée, la rue d'Elbeuf, et elle fit sa troisième halte devant le Jardin des Plantes.

—Marchez donc! s'écria la voix plus furieusement.

Et aussitôt, reprenant sa course, elle passa par Saint-Sever, par le quai des Curandiers, par le quai aux Meules, encore une fois par le pont, par la place du Champ-de-Mars et derrière les jardins de l'hôpital, où des vieillards en veste noire se promènent au soleil, le long d'une terrasse toute verdie par des lierres. Elle remonta le boulevard Bouvreuil, parcourut le boulevard Cauchoise, puis tout le Mont-Riboudet jusqu'à la côte de Deville.

Elle revint; et alors, sans parti pris ni direction, au hasard, elle vagabonda. On la vit à Saint-Pol, à Lescure, au mont Gargan, à la Rouge-Mare et place du Gaillardbois; rue Maladrerie, rue Dinanderie, devant Saint-Romain, Saint-Vivien, Saint-Maclou, Saint-Nicaise,—devant la Douane,—à la Basse-Vieille-Tour, aux Trois-Pipes et au Cimetière Monumental. De temps à autre, le cocher, sur son siège, jetait aux cabarets des regards désespérés. Il ne comprenait pas quelle fureur de la locomotion poussait ces individus à ne vouloir point s'arrêter. Il essayait quelquefois, et aussitôt il entendait derrière lui partir des exclamations de colère. Alors il cinglait de plus belle ses deux rosses tout en sueur, mais sans prendre garde aux cahots, accrochant par-ci par-là, ne s'en souciant, démoralisé, et presque pleurant de soif, de fatigue et de tristesse.

Et sur le port, au milieu des camions et des barriques, et dans les rues, au coin des bornes, les bourgeois ouvraient de grands yeux ébahis devant cette chose si extraordinaire en province, une voiture à stores tendus, et qui apparaissait ainsi continuellement, plus close qu'un tombeau et ballottée comme un navire.

Une fois, au milieu du jour, en pleine campagne au moment où le soleil dardait le plus fort contre les vieilles lanternes argentées, une main nue passa sous les petits rideaux de toile jaune et jeta des déchirures de papier, qui se dispersèrent au vent et s'abattirent plus loin, comme des papillons blancs, sur un champ de trèfles rouges tout en fleur.

Puis, vers six heures, la voiture s'arrêta dans une ruelle du quartier Beauvoisine, et une femme en descendit qui marchait le voile baissé, sans détourner la tête.

Chapitre 2.

En arrivant à l'auberge, madame Bovary fut étonnée de ne pas apercevoir la diligence. Hivert, qui l'avait attendue cinquante-trois minutes, avait fini par s'en aller.

Rien pourtant ne la forçait à partir; mais elle avait donné sa parole qu'elle reviendrait le soir même. D'ailleurs, Charles l'attendait; et déjà elle se sentait au cœur cette lâche docilité qui est, pour bien des femmes, comme le châtiment tout à la fois et la rançon de l'adultère.

Vivement elle fit sa malle, paya la note, prit dans la cour un cabriolet, et, pressant le palefrenier, l'encourageant, s'informant à toute minute de l'heure et des kilomètres parcourus, parvint à rattraper l'*Hirondelle* vers les premières maisons de Quincampoix.

A peine assise dans son coin, elle ferma les yeux et les rouvrit au bas de la côte, où elle reconnut de loin Félicité, qui se tenait en vedette devant la maison du maréchal. Hivert retint ses chevaux, et la cuisinière, se haussant jusqu'au vasistas, dit mystérieusement:

— Madame, il faut que vous alliez tout de suite chez M. Homais. C'est pour quelque chose de pressé.

Le village était silencieux comme d'habitude. Au coin des rues, il y avait de petits tas roses qui fumaient à l'air, car c'était le moment des confitures, et tout le monde, à Yonville, confectionnait sa provision le même jour. Mais on admirait devant la boutique du pharmacien un tas beaucoup plus large, et qui dépassait les autres de la supériorité qu'une officine doit avoir sur les fourneaux bourgeois, un besoin général sur des fantaisies individuelles.

Elle entra. Le grand fauteuil était renversé, et même le *Fanal de Rouen* gisait par terre, étendu entre les deux pilons. Elle poussa la porte du couloir; et, au milieu de la cuisine, parmi les jarres brunes pleines de groseilles égrenées, du sucre râpé, du sucre en morceaux, des balances sur la table, des bassines sur le feu, elle aperçut tous les Homais, grands et petits, avec des tabliers qui leur montaient jusqu'au menton et tenant des fourchettes à la main. Justin, debout, baissait la tête, et le pharmacien criait:

— Qui t'avait dit de l'aller chercher dans le capharnaüm? [299]

— Qu'est-ce donc? Qu'y a-t-il?

— Ce qu'il y a? répondit l'apothicaire. On fait des confitures: elles cuisent; mais elles allaient déborder à cause du bouillon [300] trop fort, et je commande une autre bassine. Alors, lui, par mollesse, par paresse, a été prendre suspendue à son clou, dans mon laboratoire, la clef du capharnaüm!

L'apothicaire appelait ainsi un cabinet sous les toits, plein des ustensiles et des marchandises de sa profession. Souvent, il y passait seul de longues heures à étiqueter, à transvaser, à reficeler; et il le considérait non comme un simple magasin, mais comme un véritable sanctuaire, d'où s'échappaient ensuite, élaborés par ses mains, toutes sortes de pilules, bols,[301] tisanes, lotions et potions, qui allaient répandre aux alentours sa célébrité. Personne au monde n'y mettait les pieds; et il le respectait si fort, qu'il le balayait lui-même. Enfin, si la pharmacie, ouverte à tout venant, était l'endroit où il étalait son orgueil, le capharnaüm était le refuge où, se concentrant [302] égoïstement, Homais se délectait dans l'exercice de ses prédilections; aussi l'étourderie de Justin lui paraissait-elle monstrueuse d'irrévérence; et, plus rubicond que les groseilles, il répétait:

— Oui, du capharnaüm! la clef qui enferme les acides avec les alcalis caustiques! Avoir été prendre une bassine de réserve! une bassine à couvercle! et dont jamais peut-être je ne me servirai! Tout a son importance dans les opérations délicates de notre art! Mais, que diable! il faut établir des distinctions et ne pas employer à des usages presque domestiques ce qui est destiné pour les pharmaceutiques! C'est comme si on découpait une poularde avec un scalpel, comme si un magistrat...

— Mais calme-toi! disait madame Homais.

Et Athalie, le tirant par sa redingote:

— Papa! papa!

— Non, laissez-moi! reprenait l'apothicaire, laissez-moi! fichtre! Autant s'établir épicier, ma parole d'honneur! Allons, va! ne respecte rien! casse! brise! lâche les sangsues! brûle la guimauve! marine des cornichons [303] dans les bocaux, lacère les bandages!

— Vous aviez pourtant..., dit Emma.

— Tout à l'heure! — Sais-tu à quoi tu t'exposais?... N'as-tu rien vu, dans le coin, à gauche, sur la troisième tablette? Parle, réponds, articule quelque chose?

— Je ne... sais pas, balbutia le jeune garçon.

— Ah! tu ne sais pas! Eh bien! je sais, moi! Tu as vu une bouteille, en verre bleu, cachetée avec de la cire jaune, qui contient une poudre blanche, sur laquelle même j'avais écrit: *Dangereux!* Et sais-tu ce qu'il y avait dedans? De l'arsenic! Et tu vas toucher à cela! prendre une bassine qui est à côté!

—A côté! s'écria madame Homais en joignant les mains. De l'arsenic? Tu pouvais nous empoisonner tous!

Et les enfants se mirent à pousser des cris, comme s'ils avaient déjà senti dans leurs entrailles d'atroces douleurs.

—Ou bien empoisonner un malade! continua l'apothicaire. Tu voulais donc que j'allasse sur le banc des criminels, en cour d'assises? me voir traîner à l'échafaud? Ignores-tu le soin que j'observe dans les manutentions,[304] quoique j'en aie cependant une furieuse habitude. Souvent je m'épouvante moi-même, lorsque je pense à ma responsabilité! Car le gouvernement nous persécute, et l'absurde législation qui nous régit est comme une véritable épée de Damoclès suspendue sur notre tête!

Emma ne songeait plus à demander ce qu'on lui voulait, et le pharmacien poursuivait en phrases haletantes:

—Voilà comment tu reconnais les bontés qu'on a pour toi! voilà comme tu me récompenses des soins tout paternels que je te prodigue! Car, sans moi, où serais-tu? Que ferais-tu? Qui te fournit la nourriture, l'éducation, l'habillement, et tous les moyens de figurer un jour, avec honneur, dans les rangs de la société? Mais il faut pour cela suer ferme sur l'aviron, et acquérir, comme on dit, du cal aux mains. *Fabricando fit faber, age quod agis.*[305]

Il citait du latin, tant il était exaspéré. Il eût cité du chinois et du groenlandais, s'il eût connu ces deux langues; car il se trouvait dans une de ces crises où l'âme entière montre indistinctement ce qu'elle enferme, comme l'Océan, qui, dans les tempêtes, s'entr'ouvre depuis les fucus de son rivage jusqu'au sable de ses abîmes.

Et il reprit:

—Je commence à terriblement me repentir de m'être chargé de ta personne! J'aurais certes mieux fait de te laisser autrefois croupir dans ta misère et dans la crasse où tu es né! Tu ne seras jamais bon qu'à être un gardeur de bêtes à cornes! Tu n'as nulle aptitude pour les sciences! A peine si tu sais coller une étiquette! Et tu vis là, chez moi, comme un chanoine, comme un coq en pâte,[306] à te goberger!

Mais Emma, se tournant vers madame Homais:

—On m'avait fait venir...

—Ah! mon Dieu, interrompit d'un air triste la bonne dame, comment vous dirais-je bien?... C'est un malheur!

Elle n'acheva pas. L'apothicaire tonnait:

—Vide-la! écure-la! reporte-la! dépêche-toi donc! Et, secouant Justin par le collet de son bourgeron, il fit tomber un livre de sa poche.

L'enfant se baissa. Homais fut plus prompt, et, ayant ramassé le volume, il le contemplait, les yeux écarquillés, la mâchoire ouverte.

—*L'amour... conjugal!* dit-il en séparant lentement ces deux mots. Ah! très bien! très bien! très joli! Et des gravures!... Ah! c'est trop fort!

Madame Homais s'avança.

—Non, n'y touche pas!

Les enfants voulurent voir les images.

—Sortez! fit-il impérieusement.

Et ils sortirent.

Il marcha d'abord de long en large, à grands pas, gardant le volume ouvert entre ses doigts, roulant les yeux, suffoqué, tuméfié, apoplectique. Puis il vint droit à son élève, et, se plantant devant lui les bras croisés:

—Mais tu as donc tous les vices, petit malheureux?... Prends garde, tu es sur une pente!... Tu n'as donc pas réfléchi qu'il pouvait, ce livre infâme, tomber entre les mains de mes enfants, mettre l'étincelle dans leur cerveau, ternir la pureté d'Athalie, corrompre Napoléon! Il est déjà formé comme un homme. Es-tu bien sûr, au moins, qu'ils ne l'aient pas lu? Peux-tu me certifier...?

—Mais, enfin, monsieur, fit Emma, vous aviez à me dire...?

—C'est vrai, madame... Votre beau-père est mort!

En effet le sieur Bovary père venait de décéder l'avant-veille, tout à coup, d'une attaque d'apoplexie, au sortir de table; et, par excès de précaution pour la sensibilité d'Emma, Charles avait prié M. Homais de lui apprendre avec ménagement cette horrible nouvelle.

Il avait médité sa phrase, il l'avait arrondie, polie, rythmée; c'était un chef-d'œuvre de prudence et de transition, de tournures fines et de délicatesse; mais la colère avait emporté la rhétorique.

Emma, renonçant à avoir aucun détail, quitta donc la pharmacie; car M. Homais avait repris le cours de ses vitupérations. Il se calmait cependant, et, à présent, il grommelait d'un ton paterne, tout en s'éventant avec son bonnet grec.

—Ce n'est pas que je désapprouve entièrement l'ouvrage! L'auteur était médecin. Il y a là-dedans certains côtés scientifiques qu'il n'est pas mal à un homme de connaître et, j'oserai dire, qu'il faut qu'un homme connaisse. Mais plus tard, plus tard! Attends du moins que tu sois homme toi-même et que ton tempérament soit fait.

Au coup de marteau d'Emma, Charles, qui l'attendait, s'avança les bras ouverts et lui dit avec des larmes dans la voix:

—Ah! ma chère amie...

Et il s'inclina doucement pour l'embrasser. Mais, au contact de ses lèvres, le souvenir de l'autre la saisit; et elle se passa la main sur son visage en frissonnant.

Cependant, elle répondit:

—Oui, je sais..., je sais...

Il lui montra la lettre où sa mère narrait l'événement, sans aucune hypocrisie sentimentale. Seulement, elle regrettait que son mari n'eût pas reçu les secours de la religion, étant mort à Doudeville, dans la rue, sur le seuil d'un café, après un repas patriotique avec d'anciens officiers.

Emma rendit la lettre; puis, au dîner, par savoir-vivre, elle affecta quelque répugnance. Mais, comme il la reforçait,[307] elle se mit résolument à manger, tandis que Charles, en face d'elle, demeurait immobile, dans une posture accablée.

De temps à autre, relevant la tête, il lui envoyait un long regard tout plein de détresse. Une fois il soupira:

—J'aurais voulu le revoir encore!

Elle se taisait. Enfin, comprenant qu'il fallait parler:

—Quel âge avait-il, ton père?

—Cinquante-huit ans!

—Ah!

Et ce fut tout.

Un quart d'heure après, il ajouta:

—Ma pauvre mère!... que va-t-elle devenir, à présent?

Elle fit un geste d'ignorance.

A la voir si taciturne, Charles la supposait affligée et il se contraignait à ne rien dire, pour ne pas aviver cette douleur qui l'attendrissait. Cependant, secouant la sienne:

—T'es-tu bien amusée, hier? demanda-t-il.

—Oui.

Quand la nappe fut ôtée, Bovary ne se leva pas. Emma non plus; et, à mesure qu'elle l'envisageait, la monotonie de ce spectacle bannissait peu à peu tout apitoiement de son cœur. Il lui semblait chétif, faible, nul, enfin être un pauvre homme, de toutes les façons. Comment se débarrasser de lui? Quelle interminable soirée! Quelque chose de stupéfiant comme une vapeur d'opium l'engourdissait.

Ils entendirent dans le vestibule le bruit sec d'un bâton sur les planches. C'était Hippolyte qui apportait les bagages de Madame.

Pour les déposer, il décrivit péniblement un quart de cercle avec son pilon.

—Il n'y pense même plus! se disait-elle en regardant le pauvre diable, dont la grosse chevelure rousse dégouttait de sueur.

Bovary cherchait un patard au fond de sa bourse; et, sans paraître comprendre tout ce qu'il y avait pour lui d'humiliation dans la seule présence de cet homme qui se tenait là, comme le reproche personnifié de son incurable ineptie:

—Tiens! tu as un joli bouquet! dit-il en remarquant sur la cheminée les violettes de Léon.

—Oui, fit-elle avec indifférence; c'est un bouquet que j'ai acheté tantôt... à une mendiante.

Charles prit les violettes, et, rafraîchissant dessus ses yeux tout rouges de larmes, il les humait délicatement.

Elle les retira vite de sa main, et alla les porter dans un verre d'eau.

Le lendemain, madame Bovary mère arriva. Elle et son fils pleurèrent beaucoup. Emma, sous prétexte d'ordres à donner, disparut.

Le jour d'après, il fallut aviser ensemble aux affaires de deuil. On alla s'asseoir, avec les boîtes à ouvrage, au bord de l'eau, sous la tonnelle.

Charles pensait à son père, et il s'étonnait de sentir tant d'affection pour cet homme qu'il avait cru jusqu'alors n'aimer que très médiocrement. Madame Bovary mère pensait à son mari. Les pires jours d'autrefois lui réapparaissaient enviables. Tout s'effaçait sous le regret instinctif d'une si longue habitude; et, de temps à autre, tandis qu'elle poussait son aiguille, une grosse larme descendait le long de son nez et s'y tenait un moment suspendue.

Emma pensait qu'il y avait quarante-huit heures à peine, ils étaient ensemble, loin du monde, tout en ivresse et n'ayant pas assez d'yeux pour se contempler. Elle tâchait de ressaisir les plus imperceptibles détails de cette journée disparue. Mais la présence de la belle-mère et du mari la gênait. Elle aurait voulu ne rien entendre, ne rien voir, afin de ne pas déranger le recueillement de son amour qui allait se perdant, quoi qu'elle fît, sous les sensations extérieures.

Elle décousait la doublure d'une robe, dont les bribes s'éparpillaient autour d'elle; la mère Bovary, sans lever les yeux, faisait crier ses ciseaux, et Charles, avec ses pantoufles de lisière et sa vieille redingote brune qui lui servait de robe de chambre, restait les deux mains dans ses poches et ne parlait pas non plus; près d'eux, Berthe, en petit tablier blanc, raclait avec sa pelle le sable des allées.

Tout à coup, ils virent entrer par la barrière M. Lheureux, le marchand d'étoffes.

Il venait offrir ses services, *eu égard à la fatale circonstance*. Emma répondit qu'elle croyait pouvoir s'en passer. Le marchand ne se tint pas pour battu.

—Mille excuses, dit-il; je désirerais avoir un entretien particulier.

Puis d'une voix basse:

— C'est relativement à cette affaire..., vous savez?

Charles devint cramoisi jusqu'aux oreilles:

— Ah! oui..., effectivement.

Et, dans son trouble, se tournant vers sa femme:

— Ne pourrais-tu pas..., ma chérie...?

Elle parut le comprendre, car elle se leva, et Charles dit à sa mère:

— Ce n'est rien! sans doute quelque bagatelle de ménage.

Il ne voulait point qu'elle connût l'histoire du billet, redoutant ses observations.

Dès qu'ils furent seuls, M. Lheureux se mit, en termes assez nets, à féliciter Emma sur la succession, puis à causer de choses indifférentes, des espaliers, de la récolte et de sa santé à lui, qui allait toujours *couci-couci, entre le zist et le zest.*[308] En effet, il se donnait un mal de cinq cents diables, bien qu'il ne fît pas, malgré les propos du monde, de quoi avoir seulement du beurre sur son pain.

Emma le laissait parler. Elle s'ennuyait si prodigieusement depuis deux jours!

— Et vous voilà tout à fait rétablie? continuait-il. Ma foi, j'ai vu votre pauvre mari dans de beaux états! C'est un brave garçon, quoique nous ayons eu ensemble des difficultés.

Elle demanda lesquelles, car Charles lui avait caché la contestation des fournitures.

— Mais vous le savez bien! fit Lheureux. C'était pour vos fantaisies, les boîtes de voyage.

Il avait baissé son chapeau sur ses yeux, et les deux mains derrière le dos, souriant et sifflotant, il la regardait en face, d'une manière insupportable. Soupçonnait-il quelque chose? Elle demeurait perdue dans toutes sortes d'appréhensions. A la fin, pourtant, il reprit:

— Nous nous sommes rapatriés, et je venais encore lui proposer un arrangement.

C'était de renouveler le billet signé par Bovary. Monsieur, du reste, agirait à sa guise; il ne devait point se tourmenter, maintenant surtout qu'il allait avoir une foule d'embarras.

— Et même il ferait mieux de s'en décharger sur quelqu'un, sur vous, par exemple; avec une procuration,[309] ce serait commode, et alors nous aurions ensemble de petites affaires...

Elle ne comprenait pas. Il se tut. Ensuite, passant à son négoce, Lheureux déclara que Madame ne pouvait se dispenser de lui prendre quelque chose. Il lui enverrait un barège noir, douze mètres, de quoi faire une robe.

— Celle que vous avez là est bonne pour la maison. Il vous en faut une autre pour les visites. J'ai vu ça, moi, du premier coup, en entrant. J'ai l'œil américain.[310]

Il n'envoya point l'étoffe, il l'apporta. Puis il revint pour l'aunage; il revint sous d'autres prétextes, tâchant chaque fois de se rendre aimable, serviable, s'inféodant, comme eût dit Homais, et toujours glissant à Emma quelques conseils sur la procuration. Il ne parlait point du billet. Elle n'y songeait pas; Charles, au début de sa convalescence, lui en avait bien conté quelque chose; mais tant d'agitations avaient passé dans sa tête, qu'elle ne s'en souvenait plus. D'ailleurs, elle se garda d'ouvrir aucune discussion d'intérêt; la mère Bovary en fut surprise, et attribua son changement d'humeur aux sentiments religieux qu'elle avait contractés étant malade.

Mais, dès qu'elle fut partie, Emma ne tarda pas à émerveiller Bovary par son bon sens pratique. Il allait falloir prendre des informations, vérifier les hypothèques, voir s'il y avait lieu à une licitation[311] ou à une liquidation.

Elle citait des termes techniques, au hasard, prononçait les grands mots d'ordre, d'avenir, de prévoyance, et continuellement exagérait les embarras de la succession: si bien qu'un jour elle lui montra le modèle d'une autorisation générale pour « gérer et administrer ses affaires, faire tous emprunts, signer et endosser tous billets, payer toutes sommes, etc. » Elle avait profité des leçons de Lheureux.

Charles, naïvement, lui demanda d'où venait ce papier.

—De M. Guillaumin.

Et, avec le plus grand sang-froid du monde, elle ajouta:

—Je ne m'y fie pas trop. Les notaires ont si mauvaise réputation! Il faudrait peut-être consulter... Nous ne connaissons que... Oh! personne.

—A moins que Léon..., répliqua Charles, qui réfléchissait.

Mais il était difficile de s'entendre par correspondance. Alors elle s'offrit à faire ce voyage. Il la remercia.[312] Elle insista. Ce fut un assaut de prévenances.[313] Enfin, elle s'écria d'un ton de mutinerie factice:

—Non, je t'en prie, j'irai.

—Comme tu es bonne! dit-il en la baisant au front.

Dès le lendemain, elle s'embarqua dans l'*Hirondelle* pour aller à Rouen consulter M. Léon: et elle y resta trois jours.

Chapitre 3.

Ce furent trois jours pleins, exquis, splendides, une vraie lune de miel.

Ils étaient à l'*hôtel de Boulogne*, sur le port. Et ils vivaient là, volets fermés, portes closes, avec des fleurs par terre et des sirops à la glace, qu'on leur apportait dès le matin.

Vers le soir, ils prenaient une barque couverte et allaient dîner dans une île.

C'était l'heure où l'on entend, au bord des chantiers, retentir le maillet des calfats, contre la coque des vaisseaux. La fumée du goudron s'échappait d'entre les arbres, et l'on voyait sur la rivière de larges gouttes grasses, ondulant inégalement sous la couleur pourpre du soleil, comme des plaques de bronze florentin, qui flottaient.

Ils descendaient au milieu des barques amarrées, dont les longs câbles obliques frôlaient un peu le dessus de la barque.

Les bruits de la ville insensiblement s'éloignaient, le roulement des charrettes, le tumulte des voix, le jappement des chiens sur le pont des navires. Elle dénouait son chapeau et ils abordaient à leur île.

Ils se plaçaient dans la salle basse d'un cabaret, qui avait à sa porte des filets noirs suspendus. Ils mangeaient de la friture d'éperlans, de la crème et des cerises. Ils se couchaient sur l'herbe; ils s'embrassaient à l'écart sous les peupliers; et ils auraient voulu, comme deux Robinsons, vivre perpétuellement dans ce petit endroit, qui leur semblait, en leur béatitude, le plus magnifique de la terre. Ce n'était pas la première fois qu'ils apercevaient des arbres, du ciel bleu, du gazon, qu'ils entendaient l'eau couler et la brise soufflant dans le feuillage; mais ils n'avaient sans doute jamais admiré tout cela, comme si la nature n'existait pas auparavant, ou qu'elle n'eût commencé à être belle que depuis l'assouvissance [314] de leurs désirs.

A la nuit, ils repartaient. La barque suivait le bord des îles. Ils restaient au fond, tous les deux cachés par l'ombre sans parler. Les avirons carrés sonnaient entre les tolets [315] de fer; et cela marquait dans le silence comme un battement de métronome, tandis qu'à l'arrière la bauce [316] qui traînait ne discontinuait pas son petit clapotement doux dans l'eau.

Une fois, la lune parut; alors ils ne manquèrent pas à faire des phrases, trouvant l'astre mélancolique et plein de poésie; même elle se mit à chanter:

Un soir, t'en souvient-il? nous voguions, etc.[317]

Sa voix harmonieuse et faible se perdait sur les flots; et

le vent emportait les roulades que Léon écoutait passer,
comme des battements d'ailes, autour de lui.

Elle se tenait en face, appuyée contre la cloison de la
chaloupe, où la lune entrait par un des volets ouverts. Sa
robe noire, dont les draperies s'élargissaient en éventail,
l'amincissait, la rendait plus grande. Elle avait la tête
levée, les mains jointes, et les deux yeux vers le ciel.
Parfois l'ombre des saules la cachait en entier, puis elle
réapparaissait tout à coup, comme une vision, dans la
lumière de la lune.

Léon, par terre, à côté d'elle, rencontra sous sa main
un ruban de soie ponceau.

Le batelier l'examina et finit par dire:

—Ah! c'est peut-être à une compagnie que j'ai pro-
menée l'autre jour. Ils sont venus un tas de farceurs,
messieurs et dames, avec des gâteaux, du champagne, des
cornets à pistons, tout le tremblement![318] Il y en avait un
surtout, un grand bel homme, à petites moustaches, qui
était joliment amusant! et ils disaient comme ça: «Allons
conte-nous quelque chose..., Adolphe..., Dodolphe...», je
crois.

Elle frissonna.

—Tu souffres? fit Léon en se rapprochant d'elle.

—Oh! ce n'est rien. Sans doute la fraîcheur de la nuit.

—Et qui ne doit pas manquer de femmes, non plus,
ajouta doucement le vieux matelot, croyant dire une politesse à l'étranger.

Puis, crachant dans ses mains, il reprit ses avirons.

Il fallut pourtant se séparer! Les adieux furent tristes.
C'était chez la mère Rollet qu'il devait envoyer ses lettres
et elle lui fit des recommandations si précises à propos
de la double enveloppe, qu'il admira grandement son
astuce amoureuse.

—Ainsi, tu m'affirmes que tout est bien, dit-elle dans
le dernier baiser.

—Oui, certes! —Mais pourquoi donc, songea-t-il après,
en s'en revenant seul par les rues, tient-elle si fort à cette
procuration?

Chapitre 4.

Léon, bientôt, prit devant ses camarades un air de supériorité, s'abstint de leur compagnie, et négligea complètement
les dossiers.

Il attendait ses lettres; il les relisait. Il lui écrivait. Il
l'évoquait de toute la force de son désir et de ses souvenirs.
Au lieu de diminuer par l'absence, cette envie de la revoir
s'accrut, si bien qu'un samedi matin il s'échappa de son
étude.

Lorsque, du haut de la côte, il aperçut dans la vallée
le clocher de l'église avec son drapeau de fer-blanc qui
tournait au vent, il sentit cette délectation mêlée de vanité
triomphante et d'attendrissement égoïste que doivent avoir
les millionnaires, quand ils reviennent visiter leur village.

Il alla rôder autour de sa maison. Une lumière brillait
dans la cuisine. Il guetta son ombre derrière les rideaux.
Rien ne parut.

La mère Lefrançois, en le voyant, fit de grandes exclamations, et elle le trouva « grandi et minci », tandis qu'Artémise, au contraire, le trouva « forci et bruni ».

Il dîna dans la petite salle, comme autrefois, mais seul,
sans le percepteur; car Binet, *fatigué* d'attendre l'*Hirondelle,* avait définitivement avancé son repas d'une heure,
et, maintenant, il dînait à cinq heures juste, encore prétendait-il le plus souvent que la *vieille patraque retardait.*

Léon pourtant se décida; il alla frapper à la porte du
médecin. Madame était dans sa chambre, d'où elle ne
descendit qu'un quart d'heure après. Monsieur parut en-
chanté de le revoir; mais il ne bougea de la soirée, ni
de tout le jour suivant.

Il la vit seule, le soir, très tard, derrière le jardin, dans la ruelle; — dans la ruelle, comme avec l'autre! Il faisait de l'orage, et ils causaient sous un parapluie, à la lueur des éclairs.

Leur séparation devenait intolérable.

— Plutôt mourir! disait Emma.

Elle se tordait sur son bras, tout en pleurant.

— Adieu!... adieu!... Quand te reverrai-je?

Ils revinrent sur leurs pas pour s'embrasser encore; et ce fut là qu'elle lui fit la promesse de trouver bientôt, par n'importe quel moyen, l'occasion permanente de se voir en liberté, au moins une fois par semaine, Emma n'en doutait pas. Elle était, d'ailleurs, pleine d'espoir. Il allait lui venir de l'argent.

Aussi, elle acheta pour sa chambre une paire de rideaux jaunes à larges raies, dont M. Lheureux lui avait vanté le bon marché; elle rêva un tapis, et Lheureux, affirmant « que ce n'était pas la mer à boire », s'engagea poliment à lui en fournir un. Elle ne pouvait plus se passer de ses services. Vingt fois dans la journée elle l'envoyait chercher, et aussitôt il plantait là ses affaires, sans se permettre un murmure. On ne comprenait point davantage pourquoi la mère Rollet déjeunait chez elle tous les jours, et même lui faisait des visites en particulier.

Ce fut vers cette époque, c'est-à-dire le commencement de l'hiver, qu'elle parut prise d'une grande ardeur musicale.

Un soir que Charles l'écoutait, elle recommença quatre fois de suite le même morceau, et toujours en se dépitant, tandis que, sans y remarquer la différence, il s'écriait:

— Bravo!... très bien!... tu as tort! va donc!

— Eh! non! c'est exécrable! j'ai les doigts rouillés.

Le lendemain, il la pria *de lui jouer encore quelque chose*.

— Soit, pour te faire plaisir!

Et Charles avoua qu'elle avait un peu perdu. Elle se trompait de portée,[319] barbouillait; puis, s'arrêtant court:

— Ah! c'est fini! il faudrait que je prisse des leçons; mais...

Elle se mordit les lèvres, et ajouta:

— Vingt francs par cachet,[320] c'est trop cher!

— Oui, en effet... un peu..., dit Charles tout en ricanant niaisement. Pourtant, il me semble que l'on pourrait peut-être à moins; car il y a des artistes sans réputation qui souvent valent mieux que les célébrités.

— Cherche-les, dit Emma.

Le lendemain, en rentrant, il la contempla d'un œil finaud, et ne put à la fin retenir cette phrase:

— Quel entêtement tu as quelquefois! J'ai été à Bar-feuchères aujourd'hui. Et bien! madame Liégeard m'a certifié que ses trois demoiselles, qui sont à la Miséricorde, prenaient des leçons moyennant cinquante sous la séance, et d'une fameuse maîtresse encore!

Elle haussa les épaules, et ne rouvrit plus son instrument.

Mais lorsqu'elle passait auprès (si Bovary se trouvait là), elle soupirait:

— Ah! mon pauvre piano!

Et quand on venait la voir, elle ne manquait pas de vous apprendre qu'elle avait abandonné la musique et ne pouvait maintenant s'y remettre, pour des raisons majeures. Alors on la plaignait. C'était dommage! elle qui avait un si beau talent! On en parla même à Bovary. On lui faisait honte, et surtout le pharmacien:

— Vous avez tort! Il ne faut jamais laisser en friche les facultés de la nature. D'ailleurs, songez, mon bon ami, qu'en engageant Madame à étudier, vous économisez plus tard sur l'éducation musicale de votre enfant! Moi, je trouve que les mères doivent instruire elles-mêmes leurs enfants. C'est une idée de Rousseau, peut-être un peu neuve encore, mais qui finira par triompher, j'en suis sûr, comme l'allaitement maternel et la vaccination.

Charles revint donc encore une fois sur cette question du piano. Emma répondit avec aigreur qu'il valait mieux le vendre. Ce pauvre piano, qui lui avait causé tant de vani-teuses satisfactions, le voir s'en aller, c'était pour Bovary comme l'indéfinissable suicide d'une partie d'elle-même.

— Si tu voulais..., disait-il, de temps à autre, une leçon,

cela ne serait pas, après tout, extrêmement ruineux.

— Mais les leçons, répliquait-elle, ne sont profitables que suivies.

Et voilà comment elle s'y prit pour obtenir de son époux la permission d'aller à la ville, une fois la semaine, voir son amant. On trouva même, au bout d'un mois, qu'elle avait fait des progrès considérables.[321]

Chapitre 5.

C'était le jeudi. Elle se levait, et elle s'habillait silencieusement pour ne point éveiller Charles, qui lui aurait fait des observations sur ce qu'elle s'apprêtait de trop bonne heure. Ensuite elle marchait de long en large; elle se mettait devant les fenêtres et regardait la Place. Le petit jour circulait entre les piliers des halles, et la maison du pharmacien, dont les volets étaient fermés, laissait apercevoir dans la couleur pâle de l'aurore les majuscules de son enseigne.

Quand la pendule marquait sept heures et un quart, elle s'en allait au *Lion d'or*, dont Artémise, en bâillant, venait lui ouvrir la porte. Celle-ci déterrait pour Madame les charbons enfouis sous les cendres. Emma restait seule dans la cuisine. De temps à autre, elle sortait. Hivert attelait sans se dépêcher, et en écoutant, d'ailleurs, la mère Lefrançois, qui, passant par un guichet sa tête en bonnet de coton, le chargeait de commissions et lui donnait des explications à troubler un tout autre homme. Emma battait la semelle de ses bottines contre les pavés de la cour.

Enfin, lorsqu'il avait mangé sa soupe, endossé sa limousine, allumé sa pipe et empoigné son fouet, il s'installait tranquillement sur le siège.

L'*Hirondelle* partait au petit trot, et, durant trois quarts de lieue, s'arrêtait de place en place pour prendre des voyageurs, qui la guettaient debout, au bord du chemin, devant la barrière des cours. Ceux qui avaient prévenu la veille se faisaient attendre; quelques-uns même étaient encore au lit dans leur maison; Hivert appelait, criait, sacrait, puis il descendait de son siège et allait frapper de grands coups contre les portes. Le vent soufflait par les vasistas fêlés.

Cependant les quatre banquettes se garnissaient, la voiture roulait, les pommiers à la file se succédaient; et la route, entre ses deux longs fossés pleins d'eau jaune, allait continuellement se rétrécissant vers l'horizon.

Emma la connaissait d'un bout à l'autre; elle savait qu'après un herbage il y avait un poteau, ensuite un orme, une grange ou une cahute de cantonnier; quelquefois même, afin de se faire des surprises, elle fermait les yeux. Mais elle ne perdait jamais le sentiment net de la distance à parcourir.

Enfin, les maisons de briques se rapprochaient, la terre résonnait sous les roues, l'*Hirondelle* glissait entre des jardins, où l'on apercevait, par une claire-voie, des statues, un vignot,[322] des ifs taillés et une escarpolette. Puis, d'un seul coup d'œil, la ville apparaissait.[323]

Descendant tout en amphithéâtre et noyée dans le brouillard, elle s'élargissait au delà des ponts, confusément. La pleine campagne remontait ensuite d'un mouvement monotone, jusqu'à toucher au loin la base indécise du ciel pâle. Ainsi vu d'en haut, le paysage tout entier avait l'air immobile comme une peinture; les navires à l'ancre se tassaient dans un coin; le fleuve arrondissait sa courbe au pied des collines vertes, et les îles, de forme oblongue, semblaient sur l'eau de grands poissons noirs arrêtés. Les cheminées des usines poussaient d'immenses panaches bruns qui s'envolaient par le bout. On entendait le ronflement des fonderies avec le carillon clair des églises qui se dressaient dans la brume. Les arbres des boulevards, sans feuilles, faisaient des broussailles violettes au milieu

des maisons, et les toits, tout reluisants de pluie, miroitaient
inégalement, selon la hauteur des quartiers. Parfois un
coup de vent emportait les nuages vers la côte Sainte-
Catherine, comme des flots aériens qui se brisaient en
silence contre une falaise.

Quelque chose de vertigineux se dégageait pour elle de
ces existences amassées, et son cœur s'en gonflait abondamment, comme si les cent vingt mille âmes qui palpitaient
là eussent envoyé toutes à la fois la vapeur des passions
qu'elle leur supposait. Son amour s'agrandissait devant
l'espace, et s'emplissait de tumulte aux bourdonnements
vagues qui montaient. Elle le reversait au dehors, sur les
places, sur les promenades, sur les rues, et la vieille cité
normande s'étalait à ses yeux comme une capitale démesurée, comme une Babylone où elle entrait. Elle se penchait
des deux mains par le vasistas, en humant la brise; les
trois chevaux galopaient. Les pierres grinçaient dans la
boue, la diligence se balançait, et Hivert, de loin, hélait
les carrioles sur la route, tandis que les bourgeois qui
avaient passé la nuit au Bois-Guillaume descendaient la
côte tranquillement dans leur petite voiture de famille.

On s'arrêtait à la barrière; Emma débouclait ses socques,
mettait d'autres gants, rajustait son châle, et, vingt pas
plus loin, elle sortait de l'*Hirondelle*.

La ville alors s'éveillait. Des commis, en bonnet grec,
frottaient la devanture des boutiques, et des femmes qui
tenaient des paniers sur la hanche poussaient par intervalles
un cri sonore, au coin des rues. Elle marchait les yeux à
terre, frôlant les murs, et souriant de plaisir sous son voile
noir baissé.

Par peur d'être vue, elle ne prenait pas ordinairement
le chemin le plus court. Elle s'engouffrait dans les ruelles
sombres, et elle arrivait tout en sueur vers le bas de la rue
Nationale, près de la fontaine qui est là. C'est le quartier
du théâtre, des estaminets et des filles. Souvent une charrette
passait près d'elle, portant quelque décor qui tremblait.
Des garçons en tablier versaient du sable sur les dalles,

entre des arbustes verts. On sentait l'absinthe, le cigare et les huîtres.

Elle tournait une rue; elle le reconnaissait à sa chevelure frisée qui s'échappait de son chapeau.

Léon, sur le trottoir, continuait à marcher. Elle le suivait jusqu'à son hôtel; il montait, il ouvrait la porte, il entrait... Quelle étreinte!

Puis les paroles, après les baisers, se précipitaient. On se racontait les chagrins de la semaine, les pressentiments, les inquiétudes pour les lettres; mais à présent tout s'oubliait, et ils se regardaient face à face, avec des rires de volupté et des appellations de tendresse.

Le lit était un grand lit d'acajou en forme de nacelle. Les rideaux de levantine rouge, qui descendaient du plafond, se cintraient trop bas près du chevet évasé; — et rien au monde n'était beau comme sa tête brune et sa peau blanche se détachant sur cette couleur pourpre, quand, par un geste de pudeur, elle fermait ses deux bras nus, en se cachant la figure dans les mains.

Le tiède appartement, avec son tapis discret, ses ornements folâtres et sa lumière tranquille, semblait tout commode pour les intimités de la passion. Les bâtons[324] se terminant en flèche, les patères de cuivre et les grosses boules de chenets reluisaient tout à coup, si le soleil entrait. Il y avait sur la cheminée, entre les candélabres, deux de ces grandes coquilles roses où l'on entend le bruit de la mer quand on les applique à son oreille.

Comme ils aimaient cette bonne chambre pleine de gaieté, malgré sa splendeur un peu fanée! Ils retrouvaient toujours les meubles à leur place, et parfois des épingles à cheveux qu'elle avait oubliées, l'autre jeudi, sous le socle de la pendule. Ils déjeunaient au coin du feu, sur un petit guéridon incrusté de palissandre. Emma découpait, lui mettait les morceaux dans son assiette en débitant toutes sortes de chatteries; et elle riait d'un rire sonore et libertin quand la mousse du vin de Champagne débordait du verre léger sur les bagues de ses doigts. Ils étaient si complètement perdus en la possession d'eux-mêmes, qu'ils se croyaient là dans leur maison particulière, et devant y vivre jusqu'à la mort, comme deux éternels jeunes époux. Ils disaient notre chambre, notre tapis, nos fauteuils, même elle disait mes pantoufles,[325] un cadeau de Léon, une fantaisie qu'elle avait eue. C'étaient des pantoufles en satin rose, bordées de cygne. Quand elle s'asseyait sur ses genoux, sa jambe, alors trop courte, pendait en l'air; et la mignarde chaussure, qui n'avait pas de quartier, tenait seulement par les orteils à son pied nu.

Il savourait pour la première fois l'inexprimable délicatesse des élégances féminines. Jamais il n'avait rencontré cette grâce de langage, cette réserve du vêtement, ces poses de colombe assoupie. Il admirait l'exaltation de son âme et les dentelles de sa jupe. D'ailleurs, n'était-ce pas *une femme du monde,* et une femme mariée! une vraie maîtresse enfin?

Par la diversité de son humeur, tour à tour mystique ou joyeuse, babillarde, taciturne, emportée, nonchalante, elle allait rappelant en lui mille désirs, évoquant des instincts ou des réminiscences. Elle était l'amoureuse de tous les romans, l'héroïne de tous les drames, le vague *elle* de tous les volumes de vers. Il retrouvait sur ses épaules la couleur ambrée de l'*odalisque au bain;*[326] elle avait le corsage long des châtelaines féodales; elle ressemblait aussi à la *femme pâle de Barcelone,* mais elle était par-dessus tout Ange!

Souvent, en la regardant, il lui semblait que son âme, s'échappant vers elle, se répandait comme une onde sur le contour de sa tête, et descendait entraînée dans la blancheur de sa poitrine.

Il se mettait par terre, devant elle; et, les deux coudes sur les genoux, il la considérait avec un sourire et le front tendu.

Elle se penchait vers lui et murmurait, comme suffoquée d'enivrement:

— Oh! ne bouge pas! ne parle pas! regarde-moi! Il sort de tes yeux quelque chose de si doux, qui me fait tant de bien!

Elle l'appelait enfant:

— Enfant, m'aimes-tu?

Et elle n'entendait guère sa réponse, dans la précipitation de ses lèvres qui lui montaient à la bouche.

Il y avait sur la pendule un petit Cupidon de bronze, qui minaudait en arrondissant les bras sous une guirlande dorée. Ils en rirent bien des fois; mais, quand il fallait se séparer, tout leur semblait sérieux.

Immobiles l'un devant l'autre, ils se répétaient:

— A jeudi!... A jeudi!

Tout à coup elle lui prenait la tête dans les deux mains, le baisait vite au front en s'écriant: « Adieu! » et s'élançait dans l'escalier.

Elle allait rue de la Comédie, chez un coiffeur, se faire arranger ses bandeaux. La nuit tombait; on allumait le gaz dans la boutique.

Elle entendait la clochette du théâtre qui appelait les cabotins à la représentation; et elle voyait, en face, passer des hommes à figure blanche et des femmes en toilette fanée, qui entraient par la porte des coulisses.

Il faisait chaud dans ce petit appartement trop bas, où le poêle bourdonnait au milieu des perruques et des pommades. L'odeur des fers, avec ces mains grasses qui lui maniaient la tête, ne tardait pas à l'étourdir, et elle s'endormait un peu sous son peignoir. Souvent le garçon en la coiffant, lui proposait des billets pour le bal masqué.

Puis elle s'en allait! Elle remontait les rues; elle arrivait à la *Croix Rouge;* elle reprenait ses socques, qu'elle avait cachés le matin sous une banquette, et se tassait à sa place, parmi les voyageurs impatientés. Quelques-uns descendaient au bas de la côte. Elle restait seule dans la voiture.

A chaque tournant, on apercevait de plus en plus tous les éclairages de la ville qui faisaient une large vapeur lumineuse au-dessus des maisons confondues. Emma se mettait à genoux sur les coussins, et elle égarait ses yeux dans cet éblouissement. Elle sanglotait, appelait Léon, et lui envoyait des paroles tendres, et des baisers qui se perdaient au vent.

Il y avait dans la côte un pauvre diable vagabondant

avec son bâton, tout au milieu des diligences. Un amas de guenilles lui recouvrait les épaules, et un vieux castor défoncé, s'arrondissant en cuvette, lui cachait la figure; mais, quand il le retirait, il découvrait, à la place des paupières, deux orbites béantes tout ensanglantées. La chair s'effiloquait par lambeaux rouges; et il en coulait des liquides qui se figeaient en gales vertes jusqu'au nez, dont les narines noires reniflaient convulsivement. Pour vous parler, il se renversait la tête avec un rire idiot; — alors ses prunelles bleuâtres, roulant d'un mouvement continu, allaient se cogner, vers les tempes, sur le bord de la plaie vive.

Il chantait une petite chanson en suivant les voitures:

> Souvent la chaleur d'un beau jour
> Fait rêver fillette à l'amour.[327]

Et il y avait dans tout le reste des oiseaux, du soleil et du feuillage.

Quelquefois, il apparaissait tout à coup derrière Emma, tête nue. Elle se retirait avec un cri. Hivert venait le plaisanter. Il l'engageait à prendre une baraque à la foire Saint-Romain, ou bien lui demandait, en riant, comment se portait sa bonne amie.

Souvent, on était en marche, lorsque son chapeau, d'un mouvement brusque, entrait dans la diligence par le vasistas, tandis qu'il se cramponnait, de l'autre bras, sur le marchepied, entre l'éclaboussure des roues. Sa voix, faible d'abord et vagissante, devenait aiguë. Elle se traînait dans la nuit, comme l'indistincte lamentation d'une vague détresse; et, à travers la sonnerie des grelots, le murmure des arbres et le ronflement de la boîte creuse, elle avait quelque chose de lointain qui bouleversait Emma. Cela lui descendait au fond de l'âme comme un tourbillon dans un abîme, et l'emportait parmi les espaces d'une mélancolie sans bornes. Mais Hivert, qui s'apercevait d'un contrepoids, allongeait à l'aveugle de grands coups avec son fouet. La mèche le cinglait sur ses plaies, et il tombait dans la boue en poussant un hurlement.

Puis les voyageurs de l'*Hirondelle* finissaient par s'endormir, les uns la bouche ouverte, les autres le menton baissé, s'appuyant sur l'épaule de leur voisin, ou bien le bras passé dans la courroie, tout en oscillant régulièrement au branle de la voiture; et le reflet de la lanterne qui se balançait en dehors, sur la croupe des limoniers, pénétrant dans l'intérieur par les rideaux de calicot chocolat, posait des ombres sanguinolentes sur tous ces individus immobiles. Emma, ivre de tristesse, grelottait sous ses vêtements et se sentait de plus en plus froid aux pieds, avec la mort dans l'âme.

Charles, à la maison, l'attendait; l'*Hirondelle* était toujours en retard le jeudi. Madame arrivait enfin! A peine si elle embrassait la petite. Le dîner n'était pas prêt, n'importe! Elle excusait la cuisinière. Tout maintenant semblait permis à cette fille.

Souvent son mari, remarquant sa pâleur, lui demandait si elle ne se trouvait point malade.

— Non, disait Emma.

— Mais, répliquait-il, tu es toute drôle ce soir?

— Eh! ce n'est rien! ce n'est rien!

Il y avait même des jours où, à peine rentrée, elle montait dans sa chambre; et Justin, qui se trouvait là, circulait à pas muets, plus ingénieux à la servir qu'une excellente camériste. Il plaçait les allumettes, le bougeoir, un livre, disposait sa camisole, ouvrait les draps.

— Allons, disait-elle, c'est bien, va-t'en!

Car il restait debout, les mains pendantes, et les yeux ouverts, comme enlacé dans les fils innombrables d'une rêverie soudaine.

La journée du lendemain était affreuse, et les suivantes étaient plus intolérables encore par l'impatience qu'avait Emma de ressaisir son bonheur, — convoitise âpre, enflammée d'images connues, et qui, le septième jour, éclatait tout à l'aise dans les caresses de Léon. Ses ardeurs, à lui, se cachaient sous des expansions d'émerveillement et de reconnaissance. Emma goûtait cet amour d'une façon discrète et absorbée, l'entretenait par tous les artifices de sa tendresse, et tremblait un peu qu'il ne se perdît plus tard.

Souvent elle lui disait, avec des douceurs de voix mélancoliques:

— Ah! tu me quitteras, toi!... tu te marieras!... tu seras comme les autres.

Il demandait:

— Quels autres?

— Mais les hommes, enfin, répondait-elle.

Puis elle ajoutait, en le repoussant d'un geste langoureux:

— Vous êtes tous des infâmes!

Un jour qu'ils causaient philosophiquement des désillusions terrestres, elle vint à dire (pour expérimenter sa jalousie ou cédant peut-être à un besoin d'épanchement trop fort) qu'autrefois, avant lui, elle avait aimé quelqu'un, « pas comme toi! » reprit-elle vite, protestant sur la tête de sa fille *qu'il ne s'était rien passé*.

Le jeune homme la crut, et néanmoins la questionna pour savoir ce qu'il faisait.

— Il était capitaine de vaisseau, mon ami.

N'était-ce pas prévenir toute recherche, et en même temps se poser très haut par cette prétendue fascination exercée sur un homme qui devait être de nature belliqueuse et accoutumé à des hommages?

Le clerc sentit alors l'infimité de sa position; il envia des épaulettes, des croix, des titres. Tout cela devait lui plaire; il s'en doutait à ses habitudes dispendieuses.

Cependant Emma taisait quantité de ses extravagances, telle que l'envie d'avoir, pour l'amener à Rouen, un tilbury bleu, attelé d'un cheval anglais, et conduit par un groom en bottes à revers. C'était Justin qui lui en avait inspiré le caprice, en la suppliant de le prendre chez elle comme valet de chambre; et, si cette privation n'atténuait pas à chaque rendez-vous le plaisir de l'arrivée, elle augmentait certainement l'amertume du retour.

Souvent, lorsqu'ils parlaient ensemble de Paris, elle finissait par murmurer:

— Ah! que nous serions bien là pour vivre!

— Ne sommes-nous pas heureux? reprenait doucement le jeune homme, en lui passant la main sur ses bandeaux.

— Oui, c'est vrai, disait-elle, je suis folle: embrasse-moi!

Elle était pour son mari plus charmante que jamais, lui faisait des crèmes à la pistache et jouait des valses après dîner. Il se trouvait donc le plus fortuné des mortels, et Emma vivait sans inquiétude, lorsqu'un soir, tout à coup:

— C'est mademoiselle Lempereur, n'est-ce pas, qui te donne des leçons?

— Oui.

— Eh bien! je l'aie vue tantôt, reprit Charles, chez madame Liégeard. Je lui ai parlé de toi: elle ne te connaît pas.

Ce fut comme un coup de foudre. Cependant elle répliqua d'un air naturel:

— Ah! sans doute, elle aura oublié mon nom!

— Mais il y a peut-être à Rouen, dit le médecin, plusieurs demoiselles Lempereur qui sont maîtresses de piano?

— C'est possible!

Puis vivement:

— J'ai pourtant ses reçus, tiens! regarde.

Et elle alla au secrétaire, fouilla tous les tiroirs, confondit les papiers et finit si bien par perdre la tête, que Charles l'engagea fort à ne point se donner tant de mal pour ces misérables quittances.

— Oh! je les trouverai, dit-elle.

En effet, dès le vendredi suivant, Charles, en passant une de ses bottes dans le cabinet noir où l'on serrait ses habits, sentit une feuille de papier entre le cuir et sa chaussette, il la prit et lut:

« Reçu, pour trois mois de leçons, plus diverses fournitures, la somme de soixante-cinq francs. FÉLICIE LEMPEREUR, professeur de musique. »

—Comment diable est-ce dans mes bottes?

—Ce sera, sans doute, répondit-elle, tombé du vieux carton aux factures, qui est sur le bord de la planche.

A partir de ce moment, son existence ne fut plus qu'un assemblage de mensonges, où elle enveloppait son amour comme dans des voiles, pour le cacher.

C'était un besoin, une manie, un plaisir, au point que, si elle disait avoir passé, hier, par le côté droit d'une rue, il fallait croire qu'elle avait pris par le côté gauche.

Un matin qu'elle venait de partir, selon sa coutume, assez légèrement vêtue, il tomba de la neige tout à coup; et comme Charles regardait le temps à la fenêtre, il aperçut M. Bournisien dans le boc du sieur Tuvache qui le conduisait à Rouen. Alors il descendit confier à l'ecclésiastique un gros châle pour qu'il le remît à Madame, sitôt qu'il arriverait à la *Croix Rouge*. A peine fut-il à l'auberge que Bournisien demanda où était la femme du médecin d'Yonville. L'hôtelière répondit qu'elle fréquentait fort peu son établissement. Aussi, le soir, en reconnaissant madame Bovary dans l'*Hirondelle*, le curé lui conta son embarras, sans paraître, du reste, y attacher de l'importance; car il entama l'éloge d'un prédicateur qui pour lors faisait merveilles à la cathédrale, et que toutes les dames couraient entendre.

N'importe, s'il n'avait point demandé d'explications, d'autres, plus tard, pourraient se montrer moins discrets. Aussi jugea-t-elle utile de descendre chaque fois à la *Croix Rouge*, de sorte que les bonnes gens de son village qui la voyaient dans l'escalier ne se doutaient de rien.

Un jour, pourtant, M. Lheureux la rencontra qui sortait de l'*hôtel de Boulogne* au bras de Léon; et elle eut peur, s'imaginant qu'il bavarderait. Il n'était pas si bête.

Mais, trois jours après, il entra dans sa chambre, ferma la porte et dit:

—J'aurais besoin d'argent.[328]

Elle déclara ne pouvoir lui en donner. Lheureux se répandit en gémissements, et rappela toutes les complaisances qu'il avait eues.

En effet, des deux billets souscrits par Charles, Emma jusqu'à présent n'en avait payé qu'un seul. Quant au second, le marchand, sur sa prière, avait consenti à le remplacer par deux autres, qui même avaient été renouvelés à une fort longue échéance. Puis il tira de sa poche une liste de fournitures non soldées, à savoir: les rideaux, le tapis, l'étoffe pour les fauteuils, plusieurs robes et divers articles de toilette, dont la valeur se montait à la somme de deux mille francs environ.

Ella baissa la tête; il reprit:

— Mais, si vous n'avez pas d'espèces, vous avez *du bien*.

Et il indiqua une méchante masure sise [329] à Barneville, près d'Aumale, qui ne rapportait pas grand'chose. Cela dépendait autrefois d'une petite ferme vendue par M. Bovary père, car Lheureux savait tout, jusqu'à la contenance d'hectares, avec le nom des voisins.

— Moi, à votre place, disait-il, je me libérerais,[330] et j'aurais encore le surplus de l'argent.

Elle objecta la difficulté d'un acquéreur; il donna l'espoir d'en trouver; mais elle demanda comment faire pour qu'elle pût vendre.

— N'avez-vous pas la procuration? répondit-il.

Ce mot lui arriva comme une bouffée d'air frais.

— Laissez-moi la note! dit Emma.

— Oh! ce n'est pas la peine! reprit Lheureux.

Il revint la semaine suivante, et se vanta d'avoir, après force démarches, fini par découvrir un certain Langlois qui, depuis longtemps, guignait la propriété sans faire connaître son prix.

— N'importe le prix! s'écria-t-elle.

Il fallait attendre, au contraire, tâter ce gaillard-là. La chose valait la peine d'un voyage, et, comme elle ne pouvait faire ce voyage, il offrit de se rendre sur les lieux, pour s'aboucher avec Langlois. Une fois revenu, il annonça que l'acquéreur proposait quatre mille francs.

Emma s'épanouit à cette nouvelle.

— Franchement, ajouta-t-il, c'est bien payé.

Elle toucha la moitié de la somme immédiatement, et,

quand elle fut pour solder son mémoire, le marchand
lui dit:

— Cela me fait de la peine, parole d'honneur, de vous
voir vous dessaisir tout d'un coup d'une somme aussi
conséquente [331] que celle-là.

Alors elle regarda les billets de banque; et, rêvant au
nombre illimité de rendez-vous que ces deux mille francs
représentaient:

— Comment! comment! balbutia-t-elle.

— Oh! reprit-il en riant d'un air bonhomme, on met
tout ce que l'on veut sur les factures. Est-ce que je ne
connais pas les ménages?

Et il la considérait fixement, tout en tenant à sa main
deux longs papiers qu'il faisait glisser entre ses ongles.
Enfin, ouvrant son portefeuille, il étala sur la table quatre
billets à ordre, [332] de mille francs chacun.

— Signez-moi cela, dit-il, et gardez tout.

Elle se récria, scandalisée.

— Mais, si je vous donne le surplus, répondit effron-
tément M. Lheureux, n'est-ce pas vous rendre service,
à vous?

Et, prenant une plume, il écrivit au bas du mémoire:
« Reçu de madame Bovary quatre mille francs. »

— Qui vous inquiète, puisque vous toucherez dans six
mois l'arriéré de votre baraque, et que je vous place
l'échéance du dernier billet pour après le payement?

Emma s'embarrassait un peu dans ses calculs, et les
oreilles lui tintaient comme si des pièces d'or, s'éventrant
de leurs sacs, eussent sonné tout autour d'elle sur le
parquet. Enfin Lheureux expliqua qu'il avait un sien ami
Vinçart, banquier à Rouen, lequel allait escompter ces
quatre billets, puis il remettrait lui-même à Madame le
surplus de la dette réelle.

Mais, au lieu de deux mille francs, il n'en apporta que
dix-huit cents, car l'ami Vinçart (comme *de juste*) en avait
prélevé deux cents, pour frais de commission et d'escompte.

Puis il réclama négligemment une quittance.

— Vous comprenez..., dans le commerce..., quelquefois... Et avec la date, s'il vous plaît, la date.

Un horizon de fantaisies réalisables s'ouvrit alors devant Emma. Elle eut assez de prudence pour mettre en réserve mille écus, avec quoi furent payés, lorsqu'ils échurent, les trois premiers billets; mais le quatrième, par hasard, tomba dans la maison un jeudi, et Charles, bouleversé, attendit patiemment le retour de sa femme pour avoir des explications.

Si elle ne l'avait point instruit de ce billet, c'était afin de lui épargner des tracas domestiques; elle s'assit sur ses genoux, le caressa, roucoula, fit une longue énumération de toutes les choses indispensables prises à crédit.

— Enfin, tu conviendras que, vu la quantité, ce n'est pas trop cher.

Charles, à bout d'idées, bientôt eut recours à l'éternel Lheureux, qui jura de calmer les choses, si Monsieur lui signait deux billets, dont l'un de sept cents francs, payable dans trois mois. Pour se mettre en mesure, il écrivit à sa mère une lettre pathétique. Au lieu d'envoyer la réponse, elle vint elle-même; et, quand Emma voulut savoir s'il en avait tiré quelque chose:

— Oui, répondit-il. Mais elle demande à connaître la facture.

Le lendemain, au point du jour, Emma courut chez M. Lheureux le prier de refaire une autre note, qui ne dépassât point mille francs; car, pour montrer celle de quatre mille, il eût fallu dire qu'elle en avait payé les deux tiers, avouer conséquemment la vente de l'immeuble, négociation bien conduite par le marchand, et qui ne fut effectivement connue que plus tard.

Malgré le prix très bas de chaque article, madame Bovary mère ne manqua point de trouver la dépense exagérée.

— Ne pouvait-on se passer d'un tapis? Pourquoi avoir renouvelé l'étoffe des fauteuils? De mon temps, on avait dans une maison un seul fauteuil, pour les personnes âgées,

—du moins, c'était comme cela chez ma mère, qui était une honnête femme, je vous assure. — Tout le monde ne peut être riche! Aucune fortune ne tient contre le coulage![333] Je rougirais de me dorloter comme vous faites! et pourtant, moi, je suis vieille, j'ai besoin de soins... En voilà! en voilà, des ajustements, des flaflas![334] Comment! de la soie pour doublure à deux francs!... tandis qu'on trouve du jaconas à dix sous, et même à huit sous, qui fait parfaitement l'affaire!

Emma, renversée sur la causeuse, répliquait le plus tranquillement possible:

—Eh! madame, assez! assez!

L'autre continuait à la sermonner, prédisant qu'ils finiraient à l'hôpital. D'ailleurs, c'était la faute de Bovary. Heureusement qu'il avait promis d'anéantir cette procuration...

—Comment?

—Ah! il me l'a juré, reprit la bonne femme.

Emma ouvrit la fenêtre, appela Charles, et le pauvre garçon fut contraint d'avouer la parole arrachée par sa mère.

Emma disparut, puis entra vite en lui tendant majestueusement une grosse feuille de papier.

—Je vous remercie, dit la vieille femme.

Et elle jeta dans le feu la procuration.

Emma se mit à rire d'un rire strident, éclatant, continu: elle avait une attaque de nerfs.

—Ah! mon Dieu! s'écria Charles. Eh! tu as tort aussi, toi! tu viens lui faire des scènes!...

Sa mère, en haussant les épaules, prétendait que *tout cela c'étaient des gestes.*[335]

Mais Charles, pour la première fois se révoltant, prit la défense de sa femme, si bien que madame Bovary mère voulut s'en aller. Elle partit dès le lendemain, et, sur le seuil, comme il essayait à la retenir, elle répliqua:

—Non, non! Tu l'aimes mieux que moi, et tu as raison, c'est dans l'ordre. Au reste, tant pis! tu verras!... Bonne santé!... car je ne suis pas près, comme tu dis, de venir lui faire des scènes.

Charles n'en resta pas moins fort penaud vis-à-vis d'Emma, celle-ci ne cachant point la rancune qu'elle lui gardait pour avoir manqué de confiance; il fallut bien des prières avant qu'elle consentît à reprendre sa procuration, et même il l'accompagna chez M. Guillaumin pour lui en faire une seconde, toute pareille.

— Je comprends cela, dit le notaire, un homme de science ne peut s'embarrasser aux détails pratiques de la vie.

Et Charles se sentit soulagé par cette réflexion pateline, qui donnait à sa faiblesse les apparences flatteuses d'une préoccupation supérieure.

Quel débordement, le jeudi d'après, à l'hôtel, dans leur chambre, avec Léon! Elle rit, pleura, chanta, dansa, fit monter des sorbets, voulut fumer des cigarettes, lui parut extravagante, mais adorable, superbe.

Il ne savait pas quelle réaction de tout son être la poussait davantage à se précipiter sur les jouissances de la vie. Elle devenait irritable, gourmande, et voluptueuse; et elle se promenait avec lui dans les rues, tête haute, sans peur, disait-elle, de se compromettre. Parfois, cependant, Emma tressaillait à l'idée soudaine de rencontrer Rodolphe; car il lui semblait, bien qu'ils fussent séparés pour toujours, qu'elle n'était pas complètement affranchie de sa dépendance.

Un soir, elle ne rentra point à Yonville. Charles en perdait la tête, et la petite Berthe, ne voulant pas se coucher sans sa maman, sanglotait à se rompre la poitrine. Justin était parti au hasard sur la route. M. Homais en avait quitté sa pharmacie.

Enfin, à onze heures, n'y tenant plus, Charles attela son boc, sauta dedans, fouetta sa bête et arriva vers deux heures du matin à la *Croix Rouge*. Personne. Il pensa que le clerc peut-être l'avait vue; mais où demeurait-il? Charles, heureusement, se rappela l'adresse de son patron. Il y courut.

Le jour commençait à paraître. Il distingua des panonceaux au-dessus d'une porte; il frappa. Quelqu'un, sans ouvrir, lui cria le renseignement demandé, tout en ajoutant force injures contre ceux qui dérangeaient le monde pendant la nuit.

La maison que le clerc habitait n'avait ni sonnette, ni marteau, ni portier. Charles donna de grands coups de poing contre les auvents. Un agent de police vint à passer; alors il eut peur et s'en alla.

— Je suis fou, se disait-il; sans doute on l'aura retenue à dîner chez M. Lormeaux.

La famille Lormeaux n'habitait plus Rouen.

— Elle sera restée à soigner madame Dubreuil. Eh! madame Dubreuil est morte depuis six mois!... Où est-elle donc?

Une idée lui vint. Il demanda, dans un café, l'*Annuaire*, et chercha vite le nom de mademoiselle Lempereur, qui demeurait rue de la Renelle-des-Maroquiniers, nº 74.

Comme il entrait dans cette rue, Emma parut elle-même à l'autre bout; il se jeta sur elle plutôt qu'il ne l'embrassa, en s'écriant:

— Qui t'a retenue, hier?

— J'ai été malade.

— Et de quoi?... Où?... Comment?...

Elle se passa la main sur le front, et répondit:

— Chez mademoiselle Lempereur.

— J'en étais sûr! J'y allais.

— Oh! ce n'est pas la peine, dit Emma. Elle vient de sortir tout à l'heure; mais, à l'avenir, tranquillise-toi. Je ne suis pas libre, tu comprends, si je sais que le moindre retard te bouleverse ainsi.

C'était une manière de permission qu'elle se donnait de ne point se gêner dans ses escapades. Aussi en profitait-elle tout à son aise, largement. Lorsque l'envie la prenait de voir Léon, elle partait sous n'importe quel prétexte, et, comme il ne l'attendait pas ce jour-là, elle allait le chercher à son étude.

Ce fut un grand bonheur les premières fois; mais bientôt

il ne cacha plus la vérité, à savoir: que son patron se plaignait fort de ces dérangements.

— Ah! bah! viens donc, disait-elle.

Et il s'esquivait.

Elle voulut qu'il se vêtît tout en noir et se laissât pousser une pointe au menton, pour ressembler aux portraits de Louis XIII. Elle désira connaître son logement, le trouva médiocre; il en rougit, elle n'y prit garde, puis lui conseilla d'acheter des rideaux pareils aux siens, et, comme il objectait la dépense:

— Ah! ah! tu tiens à tes petits écus! dit-elle en riant.

Il fallait que Léon, chaque fois, lui racontât toute sa conduite, depuis le dernier rendez-vous. Elle demanda des vers, des vers pour elle, *une pièce d'amour* en son honneur; jamais il ne put parvenir à trouver la rime du second vers, et il finit par copier un sonnet dans un keepsake.

Ce fut moins par vanité que dans le seul but de lui complaire. Il ne discutait pas ses idées; il acceptait tous ses goûts; il devenait sa maîtresse plutôt qu'elle n'était la sienne. Elle avait des paroles tendres avec des baisers qui lui emportaient l'âme. Où donc avait-elle appris cette corruption, presque immatérielle à force d'être profonde et dissimulée?

Chapitre 6.

Dans les voyages qu'il faisait pour la voir, Léon souvent avait dîné chez le pharmacien, et s'était cru contraint, par politesse, de l'inviter à son tour.

— Volontiers! avait répondu M. Homais; il faut d'ailleurs que je me retrempe un peu, car je m'encroûte [336] ici. Nous irons au spectacle, au restaurant, nous ferons des folies!

—Ah! bon ami! murmura tendrement madame Homais, effrayée des périls vagues qu'il se disposait à courir.

—Eh bien, quoi? tu trouves que je ne ruine pas assez ma santé à vivre parmi les émanations continuelles de la pharmacie! Voilà, du reste, le caractère des femmes: elles sont jalouses de la Science, puis s'opposent à ce que l'on prenne les plus légitimes distractions. N'importe, comptez sur moi; un de ces jours, je tombe à Rouen et nous ferons sauter ensemble les *monacos*.[337]

L'apothicaire, autrefois, se fût bien gardé d'une telle expression; mais il donnait maintenant dans un genre folâtre et parisien qu'il trouvait du meilleur goût, et, comme madame Bovary, sa voisine, il interrogeait le clerc curieusement sur les mœurs de la capitale, même il parlait argot afin d'éblouir... les bourgeois, disant *turne*,[338] *bazar*,[339] *chicard, chicandard*,[340] *Breda-Street*,[341] et *Je me la casse*, pour: Je m'en vais.

Donc, un jeudi, Emma fut surprise de rencontrer, dans la cuisine du *Lion d'or*, M. Homais en costume de voyageur, c'est-à-dire couvert d'un vieux manteau qu'on ne lui connaissait pas, tandis qu'il portait d'une main une valise et, de l'autre, la chancelière[342] de son établissement. Il n'avait confié son projet à personne, dans la crainte d'inquiéter le public de son absence.

L'idée de revoir les lieux où s'était passée sa jeunesse l'exaltait sans doute, car tout le long du chemin il n'arrêta pas de discourir; puis, à peine arrivé, il sauta vivement de la voiture pour se mettre en quête de Léon; et le clerc eut beau se débattre, M. Homais l'entraîna vers le grand café de *Normandie*, où il entra majestueusement, sans retirer son chapeau, estimant fort provincial de se découvrir dans un endroit public.

Emma attendit Léon trois quarts d'heure. Enfin elle courut à son étude, et, perdue dans toute sorte de conjectures, l'accusant d'indifférence et se reprochant à elle-même sa faiblesse, elle passa l'après-midi le front collé contre les carreaux.

Ils étaient encore à deux heures attablés l'un devant

l'autre. La grande salle se vidait; le tuyau du poêle, en forme de palmier, arrondissait au plafond blanc sa gerbe dorée; et près d'eux, derrière le vitrage, en plein soleil, un petit jet d'eau gargouillait dans un bassin de marbre où, parmi du cresson et des asperges, trois homards engourdis s'allongeaient jusqu'à des cailles, toutes coucheés en pile, sur le flanc.

Homais se délectait. Quoiqu'il se grisât de luxe encore plus que de bonne chère, le vin de Pomard, cependant, lui excitait un peu les facultés, et, lorsque apparut l'omelette au rhum, il exposa sur les femmes des théories immorales. Ce qui le séduisait par-dessus tout, c'était le *chic*. Il adorait une toilette élégante dans un appartement bien meublé, et, quant aux qualités corporelles, ne détestait pas le *morceau*.

Léon contemplait la pendule avec désespoir. L'apothicaire buvait, mangeait, parlait.

— Vous devez être, dit-il tout à coup, bien privé à Rouen. Du reste, vos amours ne logent pas loin.

Et, comme l'autre rougissait:

— Allons, soyez franc! Nierez-vous qu'à Yonville...?

Le jeune homme balbutia.

— Chez madame Bovary, vous ne courtisiez point?...

— Et qui donc?

— La bonne!

Il ne plaisantait pas; mais, la vanité l'emportant sur toute prudence, Léon, malgré lui, se récria. D'ailleurs il n'aimait que les femmes brunes.

— Je vous approuve, dit le pharmacien: elles ont plus de tempérament.

Et, se penchant à l'oreille de son ami, il indiqua les symptômes auxquels on reconnaissait qu'une femme avait du tempérament. Il se lança même dans une digression ethnographique: l'Allemande était vaporeuse, la Française libertine, l'Italienne passionnée.

— Et les négresses? demanda le clerc.

— C'est un goût d'artiste, dit Homais. — Garçon! deux demi-tasses!

—Partons-nous? reprit à la fin Léon s'impatientant.
— *Yes*.

Mais il voulut, avant de s'en aller, voir le maître de l'établissement et lui adressa quelques félicitations.

Alors le jeune homme, pour être seul, allégua qu'il avait affaire.

—Ah! je vous escorte! dit Homais.

Et, tout en descendant les rues avec lui, il parlait de sa femme, de ses enfants, de leur avenir et de sa pharmacie, racontait en quelle décadence elle était autrefois, et le point de perfection où il l'avait montée.

Arrivé devant l'*hôtel de Boulogne*, Léon le quitta brusquement, escalada l'escalier, et trouva sa maîtresse en grand émoi.

Au nom du pharmacien, elle s'emporta. Cependant, il accumulait de bonnes raisons; ce n'était pas sa faute, ne connaissait-elle pas M. Homais? pouvait-elle croire qu'il préférât sa compagnie? Mais elle se détournait; il la retint; et, s'affaissant sur les genoux, il lui entoura la taille de ses deux bras, dans une pose langoureuse toute pleine de concupiscence et de supplication.

Elle était debout; ses grands yeux enflammés le regardaient sérieusement et presque d'une façon terrible. Puis des larmes les obscurcirent, ses paupières roses s'abaissèrent, elle abandonna ses mains, et Léon les portait à sa bouche, lorsque parut un domestique, avertissant Monsieur qu'on le demandait.

—Tu vas revenir? dit-elle.

—Oui.

—Mais quand?

—Toute à l'heure.

—C'est un *truc*, dit le pharmacien en apercevant Léon. J'ai voulu interrompre cette visite qui me paraissait vous contrarier. Allons chez Bridoux prendre un verre de garus.[343]

Léon jura qu'il lui fallait retourner à son étude. Alors l'apothicaire fit des plaisanteries sur les paperasses, la procédure.

— Laissez donc un peu Cujas et Barthole,[344] que diable! Qui vous empêche? Soyez un brave! Allons chez Bridoux; vous verrez son chien. C'est très curieux!

Et comme le clerc s'obstinait toujours:

— J'y vais aussi. Je lirai un journal en vous attendant, ou je feuilletterai un Code.

Léon, étourdi par la colère d'Emma, le bavardage de M. Homais et peut-être les pesanteurs du déjeuner, restait indécis et comme sous la fascination du pharmacien qui répétait:

— Allons chez Bridoux! c'est à deux pas, rue Malpalu.

Alors, par lâcheté, par bêtise, par cet inqualifiable sentiment qui nous entraîne aux actions les plus antipathiques, il se laissa conduire chez Bridoux; et ils le trouvèrent dans sa petite cour, surveillant trois garçons qui haletaient à tourner la grande roue d'une machine pour faire de l'eau de Seltz. Homais leur donna des conseils; il embrassa Bridoux, on prit le garus. Vingt fois Léon voulut s'en aller; mais l'autre l'arrêtait par le bras en lui disant:

— Tout à l'heure! je sors. Nous irons au *Fanal de Rouen,* voir ces messieurs. Je vous présenterai à Thomassin.

Il s'en débarrassa pourtant et courut d'un bond jusqu'à l'hôtel. Emma n'y était plus.

Elle venait de partir, exaspérée. Elle le détestait maintenant. Ce manque de parole au rendez-vous lui semblait un outrage, et elle cherchait encore d'autres raisons pour s'en détacher: il était incapable d'héroïsme, faible, banal, plus mou qu'une femme, avare d'ailleurs, et pusillanime.

Puis, se calmant, elle finit par découvrir qu'elle l'avait sans doute calomnié. Mais le dénigrement de ceux que nous aimons toujours nous en détache quelque peu. Il ne faut pas toucher aux idoles: la dorure en reste aux mains.

Ils en vinrent à parler plus souvent de choses indifférentes à leur amour; et, dans les lettres qu'Emma lui envoyait, il était question de fleurs, de vers, de la lune et des étoiles, ressources naïves d'une passion affaiblie, qui essayait de s'aviver à tous les secours extérieurs. Elle se promettait continuellement, pour son prochain voyage, une félicité profonde; puis elle s'avouait ne rien sentir d'extraordinaire. Cette déception s'effaçait vite sous un espoir nouveau, et Emma revenait à lui plus enflammée, plus avide. Elle se déshabillait brutalement, arrachant le lacet mince de son corset, qui sifflait autour de ses hanches comme une couleuvre qui glisse. Elle allait sur la pointe de ses pieds nus regarder encore une fois si la porte était fermée, puis elle faisait d'un seul geste tomber ensemble tous ses vêtements; — et, pâle, sans parler, sérieuse, elle s'abattait contre sa poitrine, avec un long frisson.

Cependant, il y avait sur ce front couvert de gouttes froides, sur ces lèvres balbutiantes, dans ces prunelles égarées, dans l'étreinte de ces bras, quelque chose d'extrême, de vague et de lugubre, qui semblait à Léon se glisser entre eux, subtilement, comme pour les séparer.

Il n'osait lui faire des questions; mais, la discernant si expérimentée, elle avait dû passer, se disait-il, par toutes les épreuves de la souffrance et du plaisir. Ce qui le charmait autrefois l'effrayait un peu maintenant. D'ailleurs, il se révoltait contre l'absorption, chaque jour plus grande, de sa personnalité. Il en voulait à Emma de cette victoire permanente. Il s'efforçait même à ne pas la chérir; puis, au craquement de ses bottines, il se sentait lâche, comme les ivrognes à la vue des liqueurs fortes.

Elle ne manquait point, il est vrai, de lui prodiguer toutes sortes d'attentions, depuis les recherches de table jusqu'aux coquetteries du costume et aux langueurs du regard. Elle apportait d'Yonville des roses dans son sein, qu'elle lui jetait à la figure, montrait des inquiétudes pour sa santé, lui donnait des conseils sur sa conduite, et, afin de le retenir davantage, espérant que le ciel peut-être s'en mêlerait, elle lui passa autour du cou une médaille de la Vierge. Elle s'informait, comme une mère vertueuse, de ses camarades. Elle lui disait:

— Ne les vois pas, ne sors pas, ne pense qu'à nous; aime-moi!

Elle aurait voulu pouvoir surveiller sa vie, et l'idée lui vint de le faire suivre dans les rues. Il y avait toujours, près de l'hôtel, une sorte de vagabond qui accostait les voyageurs et qui ne refuserait pas... Mais sa fierté se révolta.

— Eh! tant pis! qu'il me trompe, que m'importe! Est-ce que j'y tiens?

Un jour qu'ils s'étaient quittés de bonne heure, et qu'elle s'en revenait seule par le boulevard, elle aperçut les murs de son couvent; alors elle s'assit sur un banc, à l'ombre des ormes. Quel calme dans ce temps-là! comme elle enviait les ineffables sentiments d'amour qu'elle tâchait, d'après des livres, de se figurer!

Les premiers mois de son mariage, ses promenades à cheval dans la forêt, le Vicomte qui valsait, et Lagardy chantant, tout repassa devant ses yeux... Et Léon lui parut soudain dans le même éloignement que les autres.

— Je l'aime pourtant! se disait-elle.

N'importe! elle n'était pas heureuse, ne l'avait jamais été. D'où venait donc cette insuffisance de la vie, cette pourriture instantanée des choses où elle s'appuyait?... Mais, s'il y avait quelque part un être fort et beau, une nature valeureuse, pleine à la fois d'exaltation et de raffinements, un cœur de poète sous une forme d'ange, lyre aux cordes d'airain, sonnant vers le ciel des épithalames élégiaques, pourquoi, par hasard, ne le trouverait-elle pas? Oh! quelle impossibilité! Rien, d'ailleurs, ne valait la peine d'une recherche; tout mentait! Chaque sourire cachait un bâillement d'ennui, chaque joie une malédiction, tout plaisir son dégoût, et les meilleurs baisers ne vous laissaient sur la lèvre qu'une irréalisable envie d'une volupté plus haute.

Un râle métallique se traîna dans les airs et quatre coups se firent entendre à la cloche du couvent. Quatre heures! et il lui semblait qu'elle était là, sur ce banc, depuis l'éternité. Mais un infini de passions peut tenir dans une minute, comme une foule dans un petit espace.

Emma vivait tout occupée des siennes, et ne s'inquiétait pas plus de l'argent qu'une archiduchesse.

Une fois, pourtant, un homme d'allure chétive, rubicond

et chauve, entra chez elle, se déclarant envoyé par M. Vinçart, de Rouen. Il retira les épingles qui fermaient la poche
latérale de sa longue redingote verte, les piqua sur sa
manche et tendit poliment un papier.

C'était un billet de sept cents francs, souscrit par elle,
et que Lheureux, malgré toutes ses protestations, avait
passé à l'ordre de Vinçart.

Elle expédia chez lui sa domestique. Il ne pouvait venir.

Alors, l'inconnu, qui était resté debout, lançant de droite
et de gauche des regards curieux que dissimulaient ses
gros sourcils blonds, demanda d'un air naïf:

—Quelle réponse apporter à M. Vinçart?

—Eh bien! répondit Emma, dites-lui... que je n'en ai
pas... Ce sera la semaine prochaine... Qu'il attende... Oui,
la semaine prochaine.

Et le bonhomme s'en alla sans souffler mot.

Mais, le lendemain, à midi, elle reçut un protêt; et la
vue du papier timbré,[345] où s'étalait à plusieurs reprises et
en gros caractères: « Maître Hareng, huissier à Buchy »,
l'effraya si fort, qu'elle courut en toute hâte chez le marchand d'étoffes.

Elle le trouva dans sa boutique, en train de ficeler un
paquet.

—Serviteur! dit-il, je suis à vous.

Lheureux n'en continua pas moins sa besogne, aidé
par une jeune fille de treize ans environ, un peu bossue,
et qui lui servait à la fois de commis et de cuisinière.

Puis, faisant claquer ses sabots sur les planches de la
boutique, il monta devant Madame au premier étage, et
l'introduisit dans un étroit cabinet, où un gros bureau en
bois de sape[346] supportait quelques registres, défendus
transversalement par une barre de fer cadenassée. Contre
le mur, sous des coupons d'indienne, on entrevoyait un
coffre-fort, mais d'une telle dimension, qu'il devait contenir
autre chose que des billets et de l'argent. M. Lheureux,
en effet, prêtait sur gages, et c'est là qu'il avait mis la
chaîne en or de madame Bovary, avec les boucles d'oreilles
du pauvre père Tellier, qui, enfin contraint de vendre,

avait acheté à Quincampoix un maigre fonds d'épicerie, où il se mourait de son catarrhe, au milieu de ses chandelles moins jaunes que sa figure.

Lheureux s'assit dans son large fauteuil de paille, en disant:

— Quoi de neuf?

— Tenez.

Et elle lui montra le papier.

— Eh bien! qu'y puis-je?

Alors, elle s'emporta, rappelant la parole qu'il avait donnée de ne pas faire circuler ses billets; il en convenait.

— Mais j'ai été forcé moi-même, j'avais le couteau sur la gorge.

— Et que va-t-il arriver, maintenant? dit-elle.

— Oh! c'est bien simple: un jugement de tribunal, et puis la saisie...; *bernique!*[347]

Emma se retenait pour ne pas le battre. Elle lui demanda doucement s'il n'y avait pas moyen de calmer M. Vinçart.

— Ah bien, oui! calmer Vinçart! vous ne le connaissez guère; il est plus féroce qu'un Arabe.

Pourtant il fallait que M. Lheureux s'en mêlât.

— Ecoutez donc! il me semble que, jusqu'à présent, j'ai été assez bon pour vous.

Et, déployant un de ses registres:

— Tenez!

Puis, remontant la page avec son doigt:

— Voyons... voyons... Le 3 août, deux cents francs... Au 17 juin, cent cinquante... 23 mars, quarante-six... En avril...

Il s'arrêta, comme craignant de faire quelque sottise.

— Et je ne dis rien des billets souscrits par Monsieur, un de sept cents francs, un autre de trois cents! Quant à vos petits acomptes, aux intérêts, ça n'en finit pas, on s'y embrouille. Je ne m'en mêle plus!

Elle pleurait, elle l'appela même « son bon monsieur Lheureux ». Mais il se rejetait toujours sur ce « mâtin de Vinçart ». D'ailleurs, il n'avait pas un centime, personne à présent ne le payait, on lui mangeait la laine sur le dos, un pauvre boutiquier comme lui ne pouvait faire d'avances.

Emma se taisait; et M. Lheureux, qui mordillait les barbes d'une plume, sans doute s'inquiéta de son silence, car il reprit:

—Au moins, si un de ces jours j'avais quelques rentrées... je pourrais...

—Du reste, dit-elle, dès que l'arriéré de Barneville...

—Comment?

Et, en apprenant que Langlois n'avait pas encore payé, il parut fort surpris. Puis, d'une voix mielleuse:

—Et nous convenons, dites-vous...?

—Oh! de ce que vous voudrez!

Alors, il ferma les yeux pour réfléchir, écrivit quelques chiffres, et, déclarant qu'il aurait grand mal, que la chose était scabreuse et qu'il se *saignait,* il dicta quatre billets de deux cent cinquante francs chacun, espacés les uns des autres à un mois d'échéance.

—Pourvu que Vinçart veuille m'entendre! Du reste c'est convenu, je ne lanterne pas, je suis rond comme une pomme.[348]

Ensuite il lui montra négligemment plusieurs marchandises nouvelles, mais dont pas une, dans son opinion, n'était digne de Madame.

—Quand je pense que voilà une robe à sept sous le mètre, et certifiée bon teint! Ils gobent cela pourtant![349] on ne leur conte pas ce qui en est, vous pensez bien,[350] voulant, par cet aveu de coquinerie envers les autres, la convaincre tout à fait de sa probité.

Puis il la rappela, pour lui montrer trois aunes de guipure qu'il avait trouvées dernièrement « dans une *vendue* ».[351]

—Est-ce beau! disait Lheureux: on s'en sert beaucoup maintenant, comme têtes de fauteuils, c'est le genre.

Et, plus prompt qu'un escamoteur, il enveloppa la guipure de papier bleu et la mit dans les mains d'Emma.

—Au moins, que je sache...?

—Ah! plus tard, reprit-il en lui tournant les talons.

Dès le soir, elle pressa Bovary d'écrire à sa mère pour

qu'elle leur envoyât vite tout l'arriéré de l'héritage. La belle-mère répondit n'avoir plus rien: la liquidation était close, et il leur restait, outre Barneville, six cents livres de rente, qu'elle leur servirait exactement.[352]

Alors Madame expédia des factures chez deux ou trois clients, et bientôt usa largement de ce moyen, qui lui réussissait. Elle avait toujours soin d'ajouter en post-scriptum: «N'en parlez pas à mon mari, vous savez comme il est fier... Excusez-moi... Votre servante...» Il y eut quelques réclamations; elle les intercepta.

Pour se faire de l'argent, elle se mit à vendre ses vieux gants, ses vieux chapeaux, la vieille ferraille; et elle marchandait avec rapacité, — son sang de paysanne la poussant au gain. Puis, dans ses voyages à la ville, elle brocanterait des babioles, que M. Lheureux, à défaut d'autres, lui prendrait certainement. Elle s'acheta des plumes d'autruche, de la porcelaine chinoise et des bahuts; elle empruntait à Félicité, à Madame Lefrançois, à l'hôtelière de la *Croix Rouge,* à tout le monde, n'importe où. Avec l'argent qu'elle reçut enfin de Barneville, elle paya deux billets, les quinze cents autres francs s'écoulèrent. Elle s'engagea de nouveau, et toujours ainsi!

Parfois, il est vrai, elle tâchait de faire des calculs, mais elle découvrait des choses si exorbitantes, qu'elle n'y pouvait croire. Alors elle recommençait, s'embrouillait vite, plantait tout là et n'y pensait plus.

La maison était bien triste, maintenant! On en voyait sortir les fournisseurs avec des figures furieuses. Il y avait des mouchoirs traînant sur les fourneaux; et la petite Berthe, au grand scandale de Madame Homais, portait des bas percés. Si Charles, timidement, hasardait une observation, elle répondait avec brutalité que ce n'était point sa faute!

Pourquoi ces emportements? Il expliquait tout par son ancienne maladie nerveuse; et, se reprochant d'avoir pris pour des défauts ses infirmités, il s'accusait d'égoïsme, avait envie de courir l'embrasser.

— Oh! non, se disait-il, je l'ennuierais!

Et il restait.

Après le dîner, il se promenait seul dans le jardin; il prenait la petite Berthe sur ses genoux, et, déployant son journal de médecine, essayait de lui apprendre à lire. L'enfant, qui n'étudiait jamais, ne tardait pas à ouvrir de grands yeux tristes et se mettait à pleurer. Alors il la consolait; il allait lui chercher de l'eau dans l'arrosoir pour faire des rivières sur le sable, ou cassait les branches des troènes pour planter des arbres dans les plates-bandes, ce qui gâtait peu le jardin, tout encombré de longues herbes; on devait tant de journées à Lestiboudois! Puis l'enfant avait froid et demandait sa mère.

—Appelle ta bonne, disait Charles. Tu sais bien, ma petite, que ta maman ne veut pas qu'on la dérange.

L'automne commençait et déjà les feuilles tombaient, —comme il y a deux ans, lorsqu'elle était malade!— Quand donc tout cela finirait-il!... Et il continuait à marcher, les deux mains derrière le dos.

Madame était dans sa chambre. On n'y montait pas. Elle restait là tout le long du jour, engourdie, à peine vêtue, et, de temps à autre, faisant fumer des pastilles du sérail qu'elle avait achetées à Rouen, dans la boutique d'un Algérien. Pour ne pas avoir, la nuit, auprès d'elle, cet homme étendu qui dormait, elle finit, à force de grimaces, par le reléguer au second étage; et elle lisait jusqu'au matin des livres extravagants où il y avait des tableaux orgiaques avec des situations sanglantes. Souvent une terreur la prenait, elle poussait un cri. Charles accourait.

—Ah! va-t'en! disait-elle.

Ou, d'autres fois, brûlée plus fort par cette flamme intime que l'adultère avivait, haletante, émue, tout en désir, elle ouvrait sa fenêtre, aspirait l'air froid, éparpillait au vent sa chevelure trop lourde, et, regardant les étoiles, souhaitait des amours de prince. Elle pensait à lui, à Léon. Elle eût alors tout donné pour un seul de ces rendez-vous, qui la rassasiaient.

C'étaient ses jours de gala. Elle les voulait splendides! et, lorsqu'il ne pouvait payer seul la dépense, elle complétait le surplus libéralement, ce qui arrivait à peu près toutes les fois. Il essaya de lui faire comprendre qu'ils seraient aussi bien ailleurs, dans quelque hôtel plus modeste; mais elle trouva des objections.

Un jour, elle tira de son sac six petites cuillers en vermeil (c'était le cadeau de noces du père Rouault), en le priant d'aller immédiatement porter cela, pour elle, au mont-de-piété; et Léon obéit, bien que cette démarche lui déplût. Il avait peur de se compromettre.

Puis, en y réfléchissant, il trouva que sa maîtresse prenait des allures étranges, et qu'on n'avait peut-être pas tort de vouloir l'en détacher.

En effet, quelqu'un avait envoyé à sa mère une longue lettre anonyme, pour la prévenir qu'il *se perdait avec une femme mariée;* et aussitôt la bonne dame, entrevoyant l'éternel épouvantail des familles, c'est-à-dire la vague créature pernicieuse, la sirène, le monstre, qui habite fantastiquement les profondeurs de l'amour, écrivit à maître Dubocage, son patron, lequel fut parfait dans cette affaire. Il le tint durant trois quarts d'heure, voulant lui dessiller les yeux, l'avertir du gouffre. Une telle intrigue nuirait plus tard à son établissement. Il le supplia de rompre, et, s'il ne faisait ce sacrifice dans son propre intérêt, qu'il le fît au moins pour lui, Dubocage!

Léon enfin avait juré de ne plus revoir Emma; et il se reprochait de n'avoir pas tenu sa parole, considérant tout ce que cette femme pourrait encore lui attirer d'embarras et de discours, sans compter les plaisanteries de ses camarades, qui se débitaient le matin, autour du poêle. D'ailleurs, il allait devenir premier clerc: c'était le moment d'être sérieux. Aussi renonçait-il à la flûte, aux sentiments exaltés, à l'imagination: — car tout bourgeois, dans l'échauffement de sa jeunesse, ne fût-ce qu'un jour, une minute, s'est cru capable d'immenses passions, de hautes entreprises. Le plus médiocre libertin a rêvé des sultanes;

chaque notaire porte en soi les débris d'un poète.

Il s'ennuyait maintenant lorsque Emma, tout à coup, sanglotait sur sa poitrine; et son cœur, comme les gens qui ne peuvent endurer qu'une certaine dose de musique, s'assoupissait d'indifférence au vacarme d'un amour dont il ne distinguait plus les délicatesses.

Ils se connaissaient trop pour avoir ces ébahissements de la possession qui en centuplent la joie. Elle était aussi dégoûtée de lui qu'il était fatigué d'elle. Emma retrouvait dans l'adultère toutes les platitudes du mariage.

Mais comment pouvoir s'en débarrasser? Puis, elle avait beau se sentir humiliée de la bassesse d'un tel bonheur, elle y tenait par habitude ou par corruption; et, chaque jour, elle s'y acharnait davantage, tarissant toute félicité à la vouloir trop grande. Elle accusait Léon de ses espoirs déçus, comme s'il l'avait trahie; et même elle souhaitait une catastrophe qui amenât leur séparation, puisqu'elle n'avait pas le courage de s'y décider.

Elle n'en continuait pas moins à lui écrire des lettres amoureuses, en vertu de cette idée, qu'une femme doit toujours écrire à son amant.

Mais, en écrivant, elle percevait un autre homme, un fantôme fait de ses plus ardents souvenirs, de ses lectures les plus belles, de ses convoitises les plus fortes; et il devenait à la fin si véritable, et accessible, qu'elle en palpitait émerveillée, sans pouvoir néanmoins le nettement imaginer, tant il se perdait, comme un dieu, sous l'abondance de ses attributs. Il habitait la contrée bleuâtre où les échelles de soie se balancent à des balcons, sous le souffle des fleurs, dans la clarté de la lune. Elle le sentait près d'elle, il allait venir et l'enlèverait tout entière dans un baiser. Ensuite elle retombait à plat, brisée; car ses élans d'amour vague la fatiguaient plus que de grandes débauches.

Elle éprouvait maintenant une courbature incessante et universelle. Souvent même, Emma recevait des assignations, du papier timbré qu'elle regardait à peine. Elle aurait voulu ne plus vivre, ou continuellement dormir.

Le jour de la mi-carême, elle ne rentra pas à Yonville; elle alla le soir au bal masqué. Elle mit un pantalon de velours et des bas rouges, avec une perruque à catogan [353] et un lampion [354] sur l'oreille. Elle sauta toute la nuit, au son furieux des trombones; on faisait cercle autour d'elle; et elle se trouva le matin sur le péristyle du théâtre parmi cinq ou six masques, débardeuses et matelots, des camarades de Léon, qui parlaient d'aller souper.

Les cafés d'alentour étaient pleins. Ils avisèrent sur le port un restaurant des plus médiocres, dont le maître leur ouvrit, au quatrième étage, une petite chambre.

Les hommes chuchotèrent dans un coin, sans doute se consultant sur la dépense. Il y avait un clerc, deux carabins et un commis: quelle société pour elle! Quant aux femmes, Emma s'aperçut vite, au timbre de leurs voix, qu'elles devaient être, presque toutes, du dernier rang. Elle eut peur alors, recula sa chaise et baissa les yeux.

Les autres se mirent à manger. Elle ne mangea pas; elle avait le front en feu, des picotements aux paupières et un froid de glace à la peau. Elle sentait dans sa tête le plancher du bal, rebondissant encore sous la pulsation rythmique des mille pieds qui dansaient. Puis, l'odeur de punch avec la fumée des cigares l'étourdit. Elle s'évanouissait; on la porta devant la fenêtre.

Le jour commençait à se lever, et une grande tache de couleur pourpre s'élargissait dans le ciel pâle, du côté de Sainte-Catherine. La rivière livide frissonnait au vent; il n'y avait personne sur les ponts; les réverbères s'éteignaient.

Elle se ranima cependant, et vint à penser à Berthe, qui dormait là-bas, dans la chambre de sa bonne. Mais une charrette pleine de longs rubans de fer passa, en jetant contre le mur des maisons une vibration métallique assourdissante.

Elle s'esquiva brusquement, se débarrassa de son costume, dit à Léon qu'il lui fallait s'en retourner, et enfin resta seule à l'*hôtel de Boulogne*. Tout et elle-même lui étaient insupportables. Elle aurait voulu, s'échappant comme un oiseau, aller se rajeunir quelque part, bien loin, dans les espaces immaculés.

Elle sortit, elle traversa le boulevard, la place Cauchoise et le faubourg, jusqu'à une rue découverte qui dominait les jardins. Elle marchait vite, le grand air la calmait: et peu à peu les figures de la foule, les masques, les quadrilles, les lustres, le souper, ces femmes, tout disparaissait comme des brumes emportées. Puis, revenue à la *Croix Rouge,* elle se jeta sur son lit, dans la petite chambre du second, où il y avait des images de la *Tour de Nesle.* A quatre heures du soir, Hivert la réveilla.

En rentrant chez elle, Félicité lui montra derrière la pendule un papier gris. Elle lut:

« En vertu de la grosse, en forme exécutoire d'un jugement... »[355]

Quel jugement? La veille, en effet, on avait apporté un autre papier qu'elle ne connaissait pas; aussi fut-elle stupéfaite de ces mots:

« Commandement, de par le roi, la loi et justice, à madame Bovary... »

Alors, sautant plusieurs lignes, elle aperçut:

« Dans vingt-quatre heures pour tout délai. » — Quoi donc? « Payer la somme totale de huit mille francs. » Et même, il y avait plus bas: « Elle y sera contrainte par toute voie de droit, et notamment par la saisie exécutoire de ses meubles et effets. »

Que faire?... C'était dans vingt-quatre heures; demain! Lheureux, pensa-t-elle, voulait sans doute l'effrayer encore; car elle devina du coup toutes ses manœuvres, le but de ses complaisances. Ce qui la rassurait, c'était l'exagération même de la somme.

Cependant, à force d'acheter, de ne pas payer, d'emprunter, de souscrire des billets, puis de renouveler ces billets, qui s'enflaient à chaque échéance nouvelle, elle avait fini par préparer au sieur Lheureux un capital, qu'il attendait impatiemment pour ses spéculations.

Elle se présenta chez lui d'un air dégagé.

— Vous savez ce qui m'arrive? C'est une plaisanterie, sans doute!

— Non.

— Comment cela?

Il se détourna lentement, et lui dit en se croisant les bras:

— Pensiez-vous, ma petite dame, que j'allais, jusqu'à la consommation des siècles, être votre fournisseur et banquier pour l'amour de Dieu? Il faut bien que je rentre dans mes déboursés, soyons justes!

Elle se récria sur la dette.

— Ah! tant pis! le tribunal l'a reconnue! Il y a jugement! On vous l'a signifié! D'ailleurs, ce n'est pas moi, c'est Vinçart.

— Est-ce que vous ne pourriez...?

— Oh! rien du tout.

— Mais..., cependant..., raisonnons.

Et elle battit la campagne; [356] elle n'avait rien su... c'était une surprise...

— A qui la faute? dit Lheureux en saluant ironiquement. Tandis que je suis, moi, à bûcher comme un nègre, vous vous repassez du bon temps.

— Ah! pas de morale!

— Ça ne nuit jamais, répliqua-t-il.

Elle fut lâche, elle le supplia; et même elle appuya sa jolie main blanche et longue sur les genoux du marchand.

— Laissez-moi donc! On dirait que vous voulez me séduire!

— Vous êtes un misérable! s'écria-t-elle.

— Oh! oh! comme vous y allez! reprit-il en riant.

— Je ferai savoir qui vous êtes. Je dirai à mon mari...

— Eh bien! moi, je lui montrerai quelque chose à votre mari!

Et Lheureux tira de son coffre-fort un reçu de dix-huit cents francs, qu'elle lui avait donné lors de l'escompte Vinçart.

— Croyez-vous, ajouta-t-il, qu'il ne comprenne pas votre petit vol, ce pauvre cher homme?

Elle s'affaissa, plus assommée qu'elle n'eût été par un coup de massue.[357] Il se promenait depuis la fenêtre jusqu'au bureau, tout en répétant:

— Ah! je lui montrerai bien... je lui montrerai bien...

Ensuite il se rapprocha d'elle, et, d'une voix douce:

— Ce n'est pas amusant, je le sais; personne, après tout, n'en est mort, et, puisque c'est le seul moyen qui vous reste de me rendre mon argent...

— Mais où en trouverai-je? dit Emma en se tordant les bras.

— Ah! bah! quand on a comme vous des amis!

Et il la regardait d'une façon si perspicace et si terrible, qu'elle en frissonna jusqu'aux entrailles.

— Je vous promets, dit-elle, je signerai...

— J'en ai assez, de vos signatures!

— Je vendrai encore...

— Allons donc! fit-il en haussant les épaules, vous n'avez plus rien.

Et il cria dans le judas qui s'ouvrait sur la boutique:

— Annette! n'oublie pas les trois coupons du n° 14.

La servante parut; Emma comprit et demanda « ce qu'il faudrait d'argent pour arrêter toutes les poursuites ».

— Il est trop tard!

— Mais si je vous apportais plusieurs mille francs, le quart de la somme, le tiers, presque tout?

— Eh! non, c'est inutile!

Il la poussait doucement vers l'escalier.

— Je vous en conjure, monsieur Lheureux, quelques jours encore!

Elle sanglotait.

— Allons, bon! des larmes!

— Vous me désespérez!

— Je m'en moque pas mal! dit-il en refermant la porte.

Chapitre 7.

Elle fut stoïque, le lendemain, lorsque maître Hareng, l'huissier, avec deux témoins, se présenta chez elle pour faire le procès-verbal [358] de la saisie.

Ils commencèrent par le cabinet de Bovary et n'inscrivirent point la tête phrénologique, qui fut considérée comme *instrument de sa profession;* mais ils comptèrent dans la cuisine les plats, les marmites, les chaises, les flambeaux, et, dans sa chambre à coucher, toutes les babioles de l'étagère. Ils examinèrent ses robes, le linge, le cabinet de toilette; et son existence, jusque dans ses recoins les plus intimes, fut, comme un cadavre que l'on autopsie, étalée tout du long aux regards de ces trois hommes.

Maître Hareng, boutonné dans un mince habit noir, en cravate blanche, et portant des sous-pieds fort tendus, répétait de temps à autre:

— Vous permettez, madame? vous permettez?

Souvent, il faisait des exclamations:

— Charmant!... fort joli!

Puis il se remettait à écrire, trempant sa plume dans l'encrier de corne qu'il tenait de la main gauche.

Quand ils en eurent fini avec les appartements, ils montèrent au grenier.

Elle y gardait un pupitre où étaient enfermées les lettres de Rodolphe. Il fallut l'ouvrir.

— Ah! une correspondance! dit maître Hareng avec un sourire discret. Mais, permettez! car je dois m'assurer si la boîte ne contient pas autre chose.

Et il inclina les papiers, légèrement, comme pour en

faire tomber les napoléons. Alors l'indignation la prit, à
voir cette grosse main, aux doigts rouges et mous comme
des limaces, qui se posait sur ces pages où son cœur
avait battu.

Ils partirent enfin! Félicité rentra. Elle l'avait envoyée
aux aguets pour détourner Bovary; et elles installèrent
vivement sous les toits le gardien de la saisie, qui jura
de s'y tenir.

Charles, pendant la soirée, lui parut soucieux. Emma
l'épiait d'un regard plein d'angoisse, croyant apercevoir
dans les rides de son visage des accusations. Puis, quand
ses yeux se reportaient sur la cheminée garnie d'écrans
chinois, sur les larges rideaux, sur les fauteuils, sur toutes
ces choses enfin qui avaient adouci l'amertume de sa vie,
un remords la prenait, ou plutôt un regret immense et
qui irritait la passion, loin de l'anéantir. Charles tisonnait
avec placidité, les deux pieds sur les chenets.

Il y eut un moment où le gardien, sans doute s'ennuyant
dans sa cachette, fit un peu de bruit.

— On marche là-haut? dit Charles.

— Non! reprit-elle, c'est une lucarne restée ouverte que
le vent remue.

Elle partit pour Rouen, le lendemain dimanche, afin
d'aller chez tous les banquiers dont elle connaissait le
nom. Ils étaient à la campagne ou en voyage. Elle ne se
rebuta pas, et ceux qu'elle put rencontrer, elle leur demandait de l'argent, protestant qu'il lui en fallait, qu'elle le
rendrait. Quelques-uns lui rirent au nez; tous refusèrent.

A deux heures, elle courut chez Léon, frappa contre
sa porte. On n'ouvrit pas. Enfin il parut.

— Qui t'amène?

— Cela te dérange?

— Non..., mais...

Et il avoua que le propriétaire n'aimait point que l'on
reçût « des femmes ».

— J'ai à te parler, reprit-elle.

Alors il atteignit sa clef. Elle l'arrêta.

— Oh! non, là-bas, chez nous.

Et ils allèrent dans leur chambre, à l'*hôtel de Boulogne*.

Elle but en arrivant un grand verre d'eau. Elle était très pâle. Elle lui dit:

—Léon, tu vas me rendre un service.

Et, le secouant par ses deux mains, qu'elle serrait étroitement, elle ajouta:

—Ecoute, j'ai besoin de huit mille francs!

—Mais tu es folle!

—Pas encore!

Et, aussitôt, racontant l'histoire de la saisie, elle lui exposa sa détresse; car Charles ignorait tout: sa belle-mère la détestait, le père Rouault ne pouvait rien; mais lui, Léon, il allait se mettre en course pour trouver cette indispensable somme...

—Comment veux-tu?...

—Quel lâche tu fais! s'écria-t-elle.

Alors il dit bêtement:

—Tu t'exagères le mal. Peut-être qu'avec un millier d'écus[359] ton bonhomme se calmerait.

Raison de plus pour tenter quelque démarche; il n'était pas possible que l'on ne découvrît point trois mille francs. D'ailleurs, Léon pouvait s'engager à sa place.

—Va! essaye! il le faut! cours!... Oh! tâche! tâche! je t'aimerai bien!

Il sortit, revint au bout d'une heure, et dit avec une figure solennelle:

—J'ai été chez trois personnes... inutilement!

Puis ils restèrent assis l'un en face de l'autre, aux deux coins de la cheminée, immobiles, sans parler. Emma haussait les épaules tout en trépignant. Il l'entendit qui murmurait:

—Si j'étais à ta place, moi, j'en trouverais bien!

—Où donc!

—A ton étude!

Et elle le regarda.

Une hardiesse infernale s'échappait de ses prunelles enflammées, et les paupières se rapprochaient d'une façon lascive et encourageante;—si bien que le jeune homme se sentit faiblir sous la muette volonté de cette femme qui lui conseillait un crime. Alors il eut peur, et, pour éviter tout éclaircissement, il se frappa le front en s'écriant:

—Morel doit revenir cette nuit! Il ne me refusera pas, j'espère (c'était un de ses amis, le fils d'un négociant fort riche), et je t'apporterai cela demain, ajouta-t-il.

Emma n'eut point l'air d'accueillir cet espoir avec autant de joie qu'il l'avait imaginé. Soupçonnait-elle le mensonge? Il reprit en rougissant.

—Pourtant, si tu ne me voyais pas à trois heures, ne m'attends plus, ma chérie. Il faut que je m'en aille, excuse-moi. Adieu!

Il serra sa main, mais il la sentit tout inerte. Emma n'avait plus la force d'aucun sentiment.

Quatre heures sonnèrent; et elle se leva pour s'en retourner à Yonville, obéissant comme un automate à l'impulsion des habitudes.

Il faisait beau; c'était un de ces jours du mois de mars clairs et âpres, où le soleil reluit dans un ciel tout blanc. Des Rouennais endimanchés se promenaient d'un air heureux. Elle arriva sur la place du Parvis. On sortait des vêpres; la foule s'écoulait par les trois portails, comme un fleuve par les trois arches d'un pont, et, au milieu, plus immobile qu'un roc, se tenait le suisse.

Alors elle se rappela ce jour où, tout anxieuse et pleine d'espérance, elle était entrée sous cette grande nef qui s'étendait devant elle, moins profonde que son amour; et elle continua de marcher, en pleurant sous son voile, étourdie, chancelante, près de défaillir.

—Gare! cria une voix sortant d'une porte cochère qui s'ouvrait.

Elle s'arrêta pour laisser passer un cheval noir, piaffant dans les brancards d'un tilbury que conduisait un gentleman en fourrure de zibeline. Qui était-ce donc? Elle le connaissait... La voiture s'élança et disparut.

Mais c'était lui, le Vicomte! Elle se détourna; la rue était déserte. Et elle fut si accablée, si triste, qu'elle s'appuya contre un mur pour ne pas tomber.

Puis elle pensa qu'elle s'était trompée. Au reste, elle n'en savait rien. Tout, en elle-même et au dehors, l'abandonnait. Elle se sentait perdue, roulant au hasard dans des abîmes indéfinissables; et ce fut presque avec joie qu'elle aperçut, en arrivant à la *Croix Rouge,* ce bon Homais qui regardait charger sur l'*Hirondelle* une grande boîte pleine de provisions pharmaceutiques; il tenait à sa main, dans un foulard, six *cheminots* [360] pour son épouse.

Madame Homais aimait beaucoup ces petits pains lourds, en forme de turban, que l'on mange dans le carême avec du beurre salé: dernier échantillon des nourritures gothiques, qui remonte peut-être au siècle des croisades, et dont les robustes Normands s'emplissaient autrefois, croyant voir sur la table, à la lueur des torches jaunes, entre les brocs d'hypocras [361] et les gigantesques charcuteries, des têtes de Sarrasins à dévorer. La femme de l'apothicaire les croquait comme eux, héroïquement, malgré sa détestable dentition; aussi, toutes les fois que M. Homais faisait un voyage à la ville, il ne manquait pas de lui en rapporter, qu'il prenait toujours chez le grand faiseur, rue Massacre.

—Charmé de vous voir! dit-il en offrant la main à Emma pour l'aider à monter dans l'*Hirondelle.*

Puis il suspendit les *cheminots* aux lanières du filet, et resta nu-tête et les bras croisés, dans une attitude pensive et napoléonienne.

Mais, quand l'Aveugle, comme d'habitude, apparut au bas de la côte, il s'écria:

—Je ne comprends pas que l'autorité tolère encore de si coupables industries! On devrait enfermer ces malheureux, que l'on forcerait à quelque travail! Le Progrès, ma parole d'honneur, marche à pas de tortue! Nous pataugeons en pleine barbarie!

L'Aveugle tendait son chapeau, qui ballottait au bord de la portière, comme une poche de la tapisserie déclouée.

—Voilà, dit le pharmacien, une affection scrofuleuse!

Et, bien qu'il connût ce pauvre diable, il feignit de le voir pour la première fois, murmura les mots de *cornée,*

cornée opaque, sclérotique,[362] *facies,* puis lui demanda
d'un ton paterne:

— Y a-t-il longtemps, mon ami, que tu as cette épouvantable infirmité? Au lieu de t'enivrer au cabaret, tu
ferais mieux de suivre un régime.

Il l'engageait à prendre de bon vin, de bonne bière,
de bons rôtis. L'Aveugle continuait sa chanson; il paraissait,
d'ailleurs, presque idiot. Enfin, M. Homais ouvrit sa bourse.

— Tiens, voilà un sou, rends-moi deux liards: et n'oublie
pas mes recommandations, tu t'en trouveras bien.

Hivert se permit tout haut quelque doute sur leur
efficacité. Mais l'apothicaire certifia qu'il le guérirait lui-
même, avec une pommade antiphlogistique de sa composition, et il donna son adresse:

— M. Homais, près des halles, suffisamment connu.

— Eh bien! pour la peine, dit Hivert, tu vas nous
montrer la comédie.

L'Aveugle s'affaissa sur ses jarrets, et, la tête renversée,
tout en roulant ses yeux verdâtres et tirant la langue, il
se frottait l'estomac à deux mains, tandis qu'il poussait
une sorte de hurlement sourd, comme un chien affamé.
Emma, prise de dégoût, lui envoya, par-dessus l'épaule,
une pièce de cinq francs. C'était toute sa fortune. Il lui
semblait beau de la jeter ainsi.

La voiture était repartie, quand soudain M. Homais
se pencha en dehors du vasistas et cria:

— Pas de farineux ni de laitage! Porter de la laine sur
la peau et exposer les parties malades à la fumée de baies
de genièvre!

Le spectacle des objets connus qui défilaient devant ses
yeux peu à peu détournait Emma de sa douleur présente.
Une intolérable fatigue l'accablait, et elle arriva chez elle
hébétée, découragée, presque endormie.

— Advienne que pourra! se disait-elle.

Et puis, qui sait? pourquoi, d'un moment à l'autre, ne
surgirait-il pas un événement extraordinaire? Lheureux
même pouvait mourir.

Elle fut, à neuf heures du matin, réveillée par un bruit de voix sur la place. Il y avait un attroupement autour des halles pour lire une grande affiche collée contre un des poteaux, et elle vit Justin qui montait sur une borne et qui déchirait l'affiche. Mais, à ce moment, le garde champêtre lui posa la main sur le collet. M. Homais sortit de la pharmacie, et la mère Lefrançois, au milieu de la foule, avait l'air de pérorer.

— Madame, madame! s'écria Félicité en entrant, c'est une abomination!

Et la pauvre fille, émue, lui tendit un papier jaune qu'elle venait d'arracher à la porte. Emma lut d'un clin d'œil que tout son mobilier était à vendre.

Alors elles se considérèrent silencieusement. Elles n'avaient, la servante et la maîtresse, aucun secret l'une pour l'autre. Enfin Félicité soupira:

— Si j'étais de vous, madame, j'irais chez M. Guillaumin.

— Tu crois?

Et cette interrogation voulait dire:

— Toi qui connais la maison par le domestique, est-ce que le maître quelquefois aurait parlé de moi?

— Oui, allez-y, vous ferez bien.

Elle s'habilla, mit sa robe noire avec sa capote à grains de jais; et, pour qu'on ne la vît pas (il y avait toujours beaucoup de monde sur la place), elle prit en dehors du village, par le sentier au bord de l'eau.

Elle arriva tout essoufflée devant la grille du notaire; le ciel était sombre et un peu de neige tombait.

Au bruit de la sonnette, Théodore, en gilet rouge, parut sur le perron; il vint lui ouvrir presque familièrement, comme à une connaissance, et l'introduisit dans la salle à manger.

Un large poêle de porcelaine bourdonnait sous un cactus qui emplissait la niche, et, dans les cadres de bois noir, contre la tenture de papier de chêne, il y avait la *Esméralda* de Steuben, avec la *Putiphar* de Schopin.[363] La table servie, deux réchauds d'argent, le bouton des portes en cristal, le

parquet et les meubles, tout reluisait d'une propreté méticuleuse, anglaise; les carreaux étaient décorés, à chaque
angle, par des verres de couleur.

— Voilà une salle à manger, pensait Emma, comme il
m'en faudrait une.

Le notaire entra, serrant du bras gauche contre son
corps sa robe de chambre à palmes, tandis qu'il ôtait et
remettait vite de l'autre main sa toque de velours marron,
prétentieusement posée sur le côté droit, où retombaient
les bouts de trois mèches blondes qui, prises à l'occiput,
contournaient son crâne chauve.

Après qu'il eut offert un siège, il s'assit pour déjeuner,
tout en s'excusant beaucoup de l'impolitesse.

— Monsieur, dit-elle, je vous prierais...

— De quoi, madame? J'écoute.

Elle se mit à lui exposer sa situation.

Maître Guillaumin la connaissait, étant lié secrètement
avec le marchand d'étoffes, chez lequel il trouvait toujours
des capitaux pour les prêts hypothécaires qu'on lui demandait à contracter.

Donc, il savait (et mieux qu'elle) la longue histoire de
ces billets, minimes d'abord, portant comme endosseurs
des noms divers, espacés à de longues échéances et renouvelés continuellement, jusqu'au jour où, ramassant tous
les protêts, le marchand avait chargé son ami Vinçart de
faire en son nom propre les poursuites qu'il fallait, ne
voulant point passer pour un tigre parmi ses concitoyens.

Elle entremêla son récit de récriminations contre Lheureux, récriminations auxquelles le notaire répondait de
temps à autre par une parole insignifiante. Mangeant sa
côtelette et buvant son thé, il baissait le menton dans sa
cravate bleu de ciel, piquée par deux épingles de diamants
que rattachait une chaînette d'or, et il souriait d'un singulier sourire, d'une façon douceâtre et ambiguë. Mais,
s'apercevant qu'elle avait les pieds humides:

— Approchez-vous donc du poêle... plus haut..., contre
la porcelaine.

Elle avait peur de la salir. Le notaire reprit d'un ton galant:

— Les belles choses ne gâtent rien.

Alors elle tâcha de l'émouvoir, et, s'émotionnant elle-même, elle vint à lui conter l'étroitesse de son ménage, ses tiraillements, ses besoins. Il comprenait cela: une femme élégante! et, sans s'interrompre de manger, il s'était tourné vers elle complètement, si bien qu'il frôlait du genou sa bottine, dont la semelle se recourbait tout en fumant contre le poêle.

Mais, lorsqu'elle lui demanda mille écus, il serra les lèvres, puis se déclara très peiné de n'avoir pas eu autrefois la direction de sa fortune, car il y avait cent moyens fort commodes, même pour une dame, de faire valoir son argent. On aurait pu, soit dans les tourbières de Grumesnil ou les terrains du Havre, hasarder presque à coup sûr d'excellentes spéculations; et il la laissa se dévorer de rage à l'idée des sommes fantastiques qu'elle aurait certainement gagnées.

— D'où vient, reprit-il, que vous n'êtes pas venue chez moi?

— Je ne sais trop, dit-elle.

— Pourquoi, hein?... Je vous faisais donc bien peur? C'est moi, au contraire, qui devrais me plaindre! A peine si nous nous connaissons! Je vous suis pourtant très dévoué; vous n'en doutez plus, j'espère?

Il tendit sa main, prit la sienne, la couvrit d'un baiser vorace, puis la garda sur son genou; et il jouait avec ses doigts délicatement, tout en lui contant mille douceurs.

Sa voix fade susurrait, comme un ruisseau qui coule; une étincelle jaillissait de sa pupille à travers le miroitement de ses lunettes, et ses mains s'avançaient dans la manche d'Emma, pour lui palper le bras. Elle sentait contre sa joue le souffle d'une respiration haletante. Cet homme la gênait horriblement.

Elle se leva d'un bond et lui dit:

— Monsieur, j'attends!

— Quoi donc? fit le notaire, qui devint tout à coup extrêmement pâle.

— Cet argent.

— Mais...

Puis, cédant à l'irruption d'un désir trop fort:

— Eh bien, oui!...

Il se traînait à genoux vers elle, sans égard pour sa robe de chambre.

— De grâce, restez! je vous aime.

Il la saisit par la taille.

Un flot de pourpre monta vite au visage de madame Bovary. Elle se recula d'un air terrible, en s'écriant:

— Vous profitez impudemment de ma détresse, monsieur! Je suis à plaindre, mais pas à vendre!

Et elle sortit.

Le notaire resta fort stupéfait, les yeux fixés sur ses belles pantoufles en tapisserie. C'était un présent de l'amour. Cette vue à la fin le consola. D'ailleurs, il songeait qu'une aventure pareille l'aurait entraîné trop loin.

— Quel misérable! quel goujat!... quelle infamie! se disait-elle, en fuyant d'un pied nerveux sous les trembles de la route. Le désappointement de l'insuccès renforçait l'indignation de sa pudeur outragée; il lui semblait que la Providence s'acharnait à la poursuivre, et, s'en rehaussant d'orgueil, jamais elle n'avait eu tant d'estime pour elle-même ni tant de mépris pour les autres. Quelque chose de belliqueux la transportait. Elle aurait voulu battre les hommes, leur cracher au visage, les broyer tous; et elle continuait à marcher rapidement devant elle, pâle, frémissante, enragée, furetant d'un œil en pleurs l'horizon vide, et comme se délectant à la haine qui l'étouffait.

Quand elle aperçut sa maison, un engourdissement la saisit. Elle ne pouvait plus avancer; il le fallait, cependant; d'ailleurs, où fuir?

Félicité l'attendait sur la porte.

— Eh bien?

— Non! dit Emma.

Et, pendant un quart d'heure, toutes les deux, elles

avisèrent les différentes personnes d'Yonville disposées peut-être à la secourir. Mais, chaque fois que Félicité nommait quelqu'un, Emma répliquait:

—Est-ce possible! Ils ne voudront pas!

—Et monsieur qui va rentrer!

—Je le sais bien... Laisse-moi seule.

Elle avait tout tenté. Il n'y avait plus rien à faire maintenant; et, quand Charles paraîtrait, elle allait donc lui dire:

—Retire-toi. Ce tapis où tu marches n'est plus à nous. De ta maison, tu n'as pas un meuble, une épingle, une paille, et c'est moi qui t'ai ruiné, pauvre homme!

Alors ce serait un grand sanglot, puis il pleurerait abondamment, et enfin, la surprise passée, il pardonnerait.

—Oui, murmurait-elle en grinçant des dents, il me pardonnera, lui qui n'aurait pas assez d'un million à m'offrir pour que je l'excuse de m'avoir connue... Jamais! jamais!

Cette idée de la supériorité de Bovary sur elle l'exaspérait. Puis, qu'elle avouât ou n'avouât pas, tout à l'heure, tantôt, demain, il n'en saurait pas moins la catastrophe; donc il fallait attendre cette horrible scène et subir le poids de sa magnanimité. L'envie lui vint de retourner chez Lheureux: à quoi bon? d'écrire à son père; il était trop tard; et peut-être qu'elle se repentait maintenant de n'avoir pas cédé à l'autre, lorsqu'elle entendit le trot d'un cheval dans l'allée. C'était lui, il ouvrait la barrière, il était plus blême que le mur de plâtre. Bondissant dans l'escalier, elle s'échappa vivement par la place; et la femme du maire, qui causait devant l'église avec Lestiboudois, la vit entrer chez le percepteur.

Elle courut le dire à Madame Caron. Ces deux dames montèrent dans le grenier et, cachées par du linge étendu sur des perches, se postèrent commodément pour apercevoir tout l'intérieur de Binet.

Il était seul, dans sa mansarde, en train d'imiter, avec du bois, une de ces ivoireries indescriptibles, composées de croissants, de sphères creusées les unes dans les autres, le tout droit comme un obélisque et ne servant à rien;

et il entamait la dernière pièce, il touchait au but! Dans
le clair-obscur de l'atelier, la poussière blonde s'envolait
de son outil, comme une aigrette d'étincelles sous les fers
d'un cheval au galop: les deux roues tournaient, ronflaient;
Binet souriait, le menton baissé, les narines ouvertes, et
semblait enfin perdu dans un de ces bonheurs complets,
n'appartenant sans doute qu'aux occupations médiocres,
qui amusent l'intelligence par des difficultés faciles, et
l'assouvissent en une réalisation au delà de laquelle il
n'y a pas à rêver.

— Ah! la voici! fit madame Tuvache.

Mais il n'était guère possible, à cause du tour, d'entendre ce qu'elle disait.

Enfin, ces dames crurent distinguer le mot *francs*, et
la mère Tuvache souffla tout bas:

— Elle le prie, pour obtenir un retard à ses contribu-
tions.

— D'apparence! reprit l'autre.

Elles la virent qui marchait de long en large, examinant
contre les murs les ronds de serviette, les chandeliers, les
pommes de rampe, tandis que Binet se caressait la barbe
avec satisfaction.

— Viendrait-elle lui commander quelque chose? dit
madame Tuvache.

— Mais il ne vend rien! objecta sa voisine.

Le percepteur avait l'air d'écouter, tout en écarquillant
les yeux, comme s'il ne comprenait pas. Elle continuait
d'une manière tendre, suppliante. Elle se rapprocha; son
sein haletait; ils ne parlaient plus.

— Est-ce qu'elle lui fait des avances? dit madame
Tuvache.

Binet était rouge jusqu'aux oreilles. Elle lui prit les
mains.

— Ah! c'est trop fort!

Et sans doute qu'elle lui proposait une abomination;
car le percepteur, — il était brave, pourtant, il avait com-
battu à Bautzen et à Lutzen,[364] fait la campagne de

France,[365] et même été *porté pour la croix*,[366] — tout à coup, comme à la vue d'un serpent, se recula bien loin en s'écriant:

— Madame! y pensez-vous!...

— On devrait fouetter ces femmes-là! dit madame Tuvache.

— Où est-elle donc? reprit madame Caron.

Car elle avait disparu durant ces mots; puis, l'apercevant qui enfilait la Grande-Rue, et tournait à droite comme pour gagner le cimetière, elles se perdirent en conjectures.

— Mère Rolet, dit-elle en arrivant chez la nourrice, j'étouffe! délacez-moi.

Elle tomba sur le lit; elle sanglotait. La mère Rolet la couvrit d'un jupon et resta debout près d'elle. Puis, comme elle ne répondait pas, la bonne femme s'éloigna, prit son rouet et se mit à filer du lin.

— Oh! finissez! murmura-t-elle, croyant entendre le tour de Binet.

— Qui la gêne? se demandait la nourrice. Pourquoi vient-elle ici?

Elle y était accourue, poussée par une sorte d'épouvante qui la chassait de sa maison.

Couchée sur le dos, immobile et les yeux fixes, elle discernait vaguement les objets, bien qu'elle y appliquât son attention avec une persistance idiote. Elle contemplait les écaillures de la muraille, deux tisons fumant bout à bout, et une longue araignée qui marchait au-dessus de sa tête dans la fente de la poutrelle. Enfin, elle rassembla ses idées. Elle se souvenait... Un jour, avec Léon... Oh! comme c'était loin... Le soleil brillait, sur la rivière et les clématites embaumaient... Alors, emportée dans ses souvenirs, comme dans un torrent qui bouillonne, elle arriva bientôt à se rappeler la journée de la veille.

— Quelle heure est-il? demanda-t-elle.

La mère Rolet sortit, leva les doigts de sa main droite du côté que le ciel était le plus clair et rentra lentement en disant:

— Trois heures, bientôt.

— Ah! merci! merci!

Car il allait venir. C'était sûr! Il aurait trouvé de l'argent. Mais il riait peut-être là-bas, sans se douter qu'elle fut là; et elle commanda à la nourrice de courir chez elle pour l'amener.

— Dépêchez-vous!

— Mais, ma chère dame, j'y vais! j'y vais!

Elle s'étonnait, à présent, de n'avoir pas songé à lui tout d'abord; hier, il avait donné sa parole, il n'y manquerait pas; et elle se voyait déjà chez Lheureux, étalant sur son bureau les trois billets de banque. Puis il faudrait inventer une histoire qui expliquât les choses à Bovary. Laquelle?

Cependant la nourrice était bien longue à revenir. Mais, comme il n'y avait point d'horloge dans la chaumière, Emma craignait de s'exagérer peut-être la longueur du temps. Elle se mit à faire des tours de promenade dans le jardin, pas à pas; elle alla dans le sentier le long de la haie, et s'en retourna vivement, espérant que la bonne femme serait rentrée par une autre route. Enfin, lasse d'attendre, assaillie de soupçons qu'elle repoussait, ne sachant plus si elle était là depuis un siècle ou une minute, elle s'assit dans un coin et ferma les yeux, se boucha les oreilles. La barrière grinça: elle fit un bond; avant qu'elle eût parlé, la mère Rolet lui avait dit:

— Il n'y a personne chez vous!

— Comment?

— Oh! personne! Et monsieur pleure. Il vous appelle. On vous cherche.

Emma ne répondit rien. Elle haletait, tout en roulant les yeux autour d'elle, tandis que la paysanne, effrayée de son visage, se reculait   stinctivement, la croyant folle. Tout à coup elle se frappa le front, poussa un cri, car le souvenir de Rodolphe, comme un grand éclair dans une nuit sombre, lui avait passé dans l'âme. Il était si bon, si délicat, si généreux. Et, d'ailleurs, s'il hésitait à lui rendre ce service, elle saurait bien l'y contraindre en rappelant

d'un seul clin d'œil leur amour perdu. Elle partit donc
vers la Huchette, sans s'apercevoir qu'elle courait s'offrir
à ce qui l'avait tantôt si fort exaspérée, ni se douter le
moins du monde de cette prostitution.

Chapitre 8.

Elle se demandait tout en marchant: « Que vais-je dire?
Par où commencerai-je? » Et, à mesure qu'elle avançait,
elle reconnaissait les buissons, les arbres, les joncs marins
sur la colline, le château là-bas. Elle se retrouvait dans
les sensations de sa première tendresse, et son pauvre
cœur comprimé s'y dilatait amoureusement. Un vent tiède
lui soufflait au visage; la neige, se fondant, tombait goutte
à goutte des bourgeons sur l'herbe.

Elle entra, comme autrefois, par la petite porte du parc,
puis arriva à la cour d'honneur que bordait un double
rang de tilleuls touffus. Ils balançaient, en sifflant, leurs
longues branches. Les chiens au chenil aboyèrent tous, et
l'éclat de leurs voix retentissait sans qu'il parût personne.

Elle monta le large escalier droit, à balustrades de bois,
qui conduisait au corridor pavé de dalles poudreuses où
s'ouvraient plusieurs chambres à la file, comme dans les
monastères ou les auberges. La sienne était au bout, tout
au fond, à gauche. Quand elle vint à poser les doigts sur
la serrure, ses forces subitement l'abandonnèrent. Elle avait
peur qu'il ne fût pas là, le souhaitait presque, et c'était
pourtant son seul espoir, la dernière chance du salut.
Elle se recueillit une minute, et, retrempant son courage
au sentiment de la nécessité présente, elle entra.

Il était devant le feu, les deux pieds sur le chambranle,
en train de fumer une pipe.

—Tiens! c'est vous! dit-il en se levant brusquement.

—Oui, c'est moi!... Je voudrais, Rodolphe, vous demander un conseil.

Et, malgré tous ses efforts, il lui était impossible de desserrer la bouche.

—Vous n'avez pas changé, vous êtes toujours charmante!

—Oh! reprit-elle amèrement, ce sont de tristes charmes, mon ami, puisque vous les avez dédaignés.

Alors il entama une explication de sa conduite, s'excusant en termes vagues, faute de pouvoir inventer mieux.

Elle se laissa prendre à ses paroles, plus encore à sa voix et par le spectacle de sa personne; si bien qu'elle fit semblant de croire, ou crut-elle peut-être, au prétexte de leur rupture; c'était un secret d'où dépendaient l'honneur et même la vie d'une troisième personne.

—N'importe! fit-elle en le regardant tristement, j'ai bien souffert.

Il répondit d'un ton philosophique:

—L'existence est ainsi!

—A-t-elle du moins, reprit Emma, été bonne pour vous depuis notre séparation?

—Oh! ni bonne... ni mauvaise.

—Il aurait peut-être mieux valu ne jamais nous quitter.

—Oui..., peut-être!

—Tu crois? dit-elle en se rapprochant.

Et elle soupira:

—O Rodolphe! si tu savais!... je t'ai bien aimé!

Ce fut alors qu'elle prit sa main, et ils restèrent quelque temps les doigts entrelacés, — comme le premier jour, aux Comices! Par un geste d'orgueil, il se débattait sous l'attendrissement. Mais, s'affaissant contre sa poitrine, elle lui dit:

—Comment voulais-tu que je vécusse sans toi? On ne peut pas se déshabituer du bonheur! J'étais désespérée! J'ai cru mourir! Je te conterai tout cela, tu verras. Et toi, tu m'as fuie!...

Car, depuis trois ans, il l'avait soigneusement évitée, par suite de cette lâcheté naturelle qui caractérise le sexe fort; et Emma continuait avec des gestes mignons de tête, plus câline qu'une chatte amoureuse:

—Tu en aimes d'autres, avoue-le. Oh! je les comprends, va! je les excuse; tu les auras séduites, comme tu m'avais séduite. Tu es un homme, toi, tu as tout ce qu'il faut pour te faire chérir. Mais nous recommencerons, n'est-ce pas? Nous nous aimerons! Tiens, je ris, je suis heureuse!... parle donc!

Et elle était ravissante à voir, avec son regard où tremblait une larme, comme l'eau d'un orage dans un calice bleu.

Il l'attira sur ses genoux, et il caressait du revers de la main ses bandeaux lisses, où, dans la clarté du crépuscule, miroitait comme une flèche d'or un dernier rayon du soleil. Elle penchait le front; il finit par la baiser sur les paupières, tout doucement, du bout de ses lèvres.

—Mais tu as pleuré! dit-il. Pourquoi?

Elle éclata en sanglots. Rodolphe crut que c'était l'explosion de son amour; comme elle se taisait, il prit ce silence pour une dernière pudeur, et alors, il s'écria:

—Ah! pardonne-moi! tu es la seule qui me plaise. J'ai été imbécile et méchant! Je t'aime, je t'aimerai toujours! Qu'as-tu? dis-le donc!

Il s'agenouillait.

—Eh bien!... je suis ruinée, Rodolphe! Tu vas me prêter trois mille francs!

—Mais... mais..., dit-il en se relevant peu à peu, tandis que sa physionomie prenait une expression grave.

—Tu sais, continuait-elle vite, que mon mari avait placé toute sa fortune chez un notaire; il s'est enfui. Nous avons emprunté; les clients ne payaient pas. Du reste, la liquidation n'est pas finie; nous en aurons plus tard. Mais, aujourd'hui, faute de trois mille francs, on va nous saisir; c'est à présent, à l'instant même; et, comptant sur ton amitié, je suis venue.

—Ah! pensa Rodolphe, qui devint très pâle tout à coup, c'est pour cela qu'elle est venue!

Enfin il dit d'un air très calme:

—Je ne les ai pas, chère madame.

Il ne mentait point. Il les eût eus qu'il les aurait donnés, sans doute, bien qu'il soit généralement désagréable de faire de si belles actions: une demande pécuniaire, de toutes les bourrasques qui tombent sur l'amour, étant la plus froide et la plus déracinante.

Elle resta d'abord quelques minutes à le regarder.

—Tu ne les as pas!

Elle répéta plusieurs fois:

—Tu ne les as pas!... J'aurais dû m'épargner cette dernière honte. Tu ne m'as jamais aimée! tu ne vaux pas mieux que les autres!

Elle se trahissait, elle se perdait.

Rodolphe l'interrompit, affirmant qu'il se trouvait « gêné » lui-même.

—Ah! je te plains! dit Emma. Oui, considérablement!...

Et, arrêtant ses yeux sur une carabine damasquinée qui brillait dans la panoplie:

—Mais, lorsqu'on est si pauvre, on ne met pas d'argent à la crosse de son fusil! On n'achète pas une pendule avec des incrustations d'écaille! continuait-elle en montrant l'horloge de Boulle; [367] ni des sifflets de vermeil pour ses fouets —elle les touchait! — ni des breloques pour sa montre! Oh! rien ne lui manque! jusqu'à un porte-liqueurs dans sa chambre; car tu t'aimes, tu vis bien, tu as un château, des fermes, des bois; tu chasses à courre, [368] tu voyages à Paris... Eh! quand ce ne serait que cela, s'écriait-elle en prenant sur la cheminée ses boutons de manchettes, que la moindre de ces niaiseries! on en peut faire de l'argent!... Oh! je n'en veux pas! garde-les!

Et elle lança bien loin les deux boutons, dont la chaîne d'or se rompit en cognant contre la muraille.

—Mais, moi, je t'aurais tout donné, j'aurais tout vendu, j'aurais travaillé de mes mains, j'aurais mendié sur les routes, pour un sourire, pour un regard, pour t'entendre dire: « Merci! » Et tu restes là tranquillement dans ton fauteuil, comme si déjà tu ne m'avais pas fait assez souffrir? Sans toi, sais-tu bien, j'aurais pu vivre heureuse! Qui

t'y forçait? Etait-ce une gageure? Tu m'aimais cependant,
tu le disais... Et tout à l'heure encore... Ah! il eût mieux
valu me chasser! J'ai les mains chaudes de tes baisers, et
voilà la place, sur le tapis, où tu jurais à mes genoux une
éternité d'amour. Tu m'y as fait croire: tu m'as, pendant
deux ans, traînée dans le rêve le plus magnifique et le
plus suave!... Hein? nos projets de voyage, tu te rappelles?
Oh! ta lettre, ta lettre! elle m'a déchiré le cœur! Et puis,
quand je reviens vers lui, vers lui, qui est riche, heureux,
libre! pour implorer un secours que le premier venu
rendrait, suppliante et lui rapportant toute ma tendresse,
il me repousse, parce que ça lui coûterait trois mille francs!

—Je ne les ai pas! répondit Rodolphe avec ce calme
parfait dont se recouvrent, comme d'un bouclier, les colères
résignées.

Elle sortit. Les murs tremblaient, le plafond l'écrasait;
et elle repassa par la longue allée, en trébuchant contre
les tas de feuilles mortes que le vent dispersait. Enfin elle
arriva au saut-de-loup devant la grille; elle se cassa les
ongles contre la serrure, tant elle se dépêchait pour l'ouvrir.
Puis, cent pas plus loin, essoufflée, près de tomber, elle
s'arrêta. Et alors, se détournant, elle aperçut encore une
fois l'impassible château, avec le parc, les jardins, les trois
cours, et toutes les fenêtres de la façade.

Elle resta perdue de stupeur, et n'ayant plus conscience
d'elle-même que par le battement de ses artères, qu'elle
croyait entendre s'échapper comme une assourdissante
musique qui emplissait la campagne. Le sol, sous ses
pieds, était plus mou qu'une onde et les sillons lui parurent
d'immenses vagues brunes, qui déferlaient. Tout ce qu'il
y avait dans sa tête de réminiscences, d'idées, s'échappait
à la fois, d'un seul bond, comme les mille pièces d'un feu
d'artifice. Elle vit son père, le cabinet de Lheureux, leur
chambre là-bas, un autre paysage. La folie la prenait, elle
eut peur, et parvint à se ressaisir, d'une manière confuse,
il est vrai; car elle ne se rappelait point la cause de son
horrible état, c'est-à-dire la question d'argent. Elle ne
souffrait que de son amour, et sentait son âme l'abandonner

par ce souvenir, comme les blessés, en agonisant, sentent l'existence qui s'en va par leur plaie qui saigne.

La nuit tombait, des corneilles volaient.

Il lui sembla tout à coup que des globules couleur de feu éclataient dans l'air comme des balles fulminantes en s'aplatissant, et tournaient, tournaient, pour aller se fondre dans la neige, entre les branches des arbres. Au milieu de chacun d'eux, la figure de Rodolphe apparaissait. Ils se multiplièrent, et ils se rapprochaient, la pénétraient; tout disparut. Elle reconnut les lumières des maisons, qui rayonnaient de loin dans le brouillard.

Alors sa situation, telle qu'un abîme, se représenta. Elle haletait à se rompre la poitrine. Puis, dans un transport d'héroïsme qui la rendait presque joyeuse, elle descendit la côté en courant, traversa la planche aux vaches, le sentier, l'allée, les halles, et arriva devant la boutique du pharmacien.

Il n'y avait personne. Elle allait entrer; mais, au bruit de la sonnette, on pouvait venir; et, se glissant par la barrière, retenant son haleine, tâtant les murs, elle s'avança jusqu'au seuil de la cuisine, où brûlait une chandelle posée sur le fourneau. Justin, en manches de chemise, emportait un plat.

—Ah! ils dînent. Attendons.

Il revint. Elle frappa contre la vitre. Il sortit.

—La clef! celle d'en haut, où sont les...

—Comment!

Et il la regardait, tout étonné par la pâleur de son visage, qui tranchait en blanc sur le fond noir de la nuit. Elle lui apparut extraordinairement belle, et majestueuse comme un fantôme; sans comprendre ce qu'elle voulait, il pressentait quelque chose de terrible.

Mais elle reprit vivement, à voix basse, d'une voix douce, dissolvante:

—Je la veux! Donne-la-moi.

Comme la cloison était mince, on entendait le cliquetis des fourchettes sur les assiettes dans la salle à manger.

Elle prétendit avoir besoin de tuer les rats qui l'empêchaient de dormir.

— Il faudrait que j'avertisse monsieur.

— Non! reste!

Puis, d'un air indifférent:

— Eh! ce n'est pas la peine, je lui dirai tantôt. Allons, éclaire-moi!

Elle entra dans le corridor où s'ouvrait la porte du laboratoire. Il y avait contre la muraille une clef étiquetée *Capharnaüm.*

— Justin! cria l'apothicaire, qui s'impatientait.

— Montons!

Et il la suivit.

La clef tourna dans la serrure, et elle alla droit vers la troisième tablette, tant son souvenir la guidait bien, saisit le bocal bleu, en arracha le bouchon, y fourra sa main et, la retirant pleine d'une poudre blanche, elle se mit à manger à même.[369]

— Arrêtez! s'écria-t-il en se jetant sur elle.

— Tais-toi! on viendrait...

Il se désespérait, voulait appeler.

— N'en dis rien, tout retomberait sur ton maître!

Puis elle s'en retourna subitement apaisée, et presque dans la sérénité d'un devoir accompli.

Quand Charles, bouleversé par la nouvelle de la saisie, était rentré à la maison, Emma venait d'en sortir. Il cria, pleura, s'évanouit, mais elle ne revint pas. Où pouvait-elle être? Il envoya Félicité chez Homais, chez Tuvache, chez Lheureux, au *Lion d'or,* partout; et, dans les intermittences de son angoisse, il voyait sa considération anéantie, leur fortune perdue, l'avenir de Berthe brisé! Par quelle cause!... pas un mot! Il attendit jusqu'à six heures du soir. Enfin, n'y pouvant plus tenir, et imaginant qu'elle était partie pour Rouen, il alla sur la grande route, fit une demi-lieue, ne rencontra personne, attendit encore et s'en revint.

Elle était rentrée.

— Qu'y avait-il?... Pourquoi?... Explique-moi?...

Elle s'assit à son secrétaire et écrivit une lettre qu'elle cacheta lentement, ajoutant la date du jour et l'heure. Puis elle dit d'un ton solennel:

—Tu la liras demain; d'ici là, je t'en prie ne m'adresse pas une seule question!... Non, pas une!

— Mais...

—Oh! laisse-moi!

Et elle se coucha tout du long sur son lit.

Une saveur âcre qu'elle sentait dans sa bouche la réveilla. Elle entrevit Charles et referma les yeux.

Elle s'épiait curieusement pour discerner si elle ne souffrait pas. Mais non! rien encore. Elle entendait le battement de la pendule, le bruit du feu, et Charles, debout près de sa couche, qui respirait.

—Ah! c'est bien peu de chose, la mort! pensait-elle: je vais dormir, et tout sera fini!

Elle but une gorgée d'eau et se tourna vers la muraille. Cet affreux goût d'encre continuait.

—J'ai soif!... oh! j'ai bien soif! soupira-t-elle.

—Qu'as-tu donc? dit Charles, qui lui tendait un verre.

—Ce n'est rien!... Ouvre la fenêtre... j'étouffe!

Et elle fut prise d'une nausée si soudaine, qu'elle eut à peine le temps de saisir son mouchoir sous l'oreiller.

—Enlève-le! dit-elle vivement; jette-le!

Il la questionna; elle ne répondit pas. Elle se tenait immobile, de peur que la moindre émotion ne la fît vomir. Cependant, elle sentait un froid de glace qui lui montait des pieds jusqu'au cœur.

—Ah! voilà que ça commence! murmura-t-elle.

—Que dis-tu?

Elle roulait sa tête avec un geste doux, plein d'angoisse, et tout en ouvrant continuellement les mâchoires, comme si elle eût porté sur sa langue quelque chose de très lourd. A huit heures, les vomissements reparurent.

Charles observa qu'il y avait au fond de la cuvette une sorte de gravier blanc, attaché aux parois de la porcelaine.

—C'est extraordinaire! c'est singulier! répéta-t-il.

Mais elle dit d'une voix forte:

—Non, tu te trompes!

Alors, délicatement et presque en la caressant, il lui passa la main sur l'estomac. Elle jeta un cri aigu. Il se recula tout effrayé.

Puis elle se mit à geindre, faiblement d'abord. Un grand frisson lui secouait les épaules, et elle devenait plus pâle que le drap où s'enfonçaient ses doigts crispés. Son pouls, inégal, était presque insensible maintenant.

Des gouttes suintaient sur sa figure bleuâtre, qui semblait comme figée dans l'exhalaison d'une vapeur métallique. Ses dents claquaient, ses yeux agrandis regardaient vaguement autour d'elle, et à toutes les questions elle ne répondait qu'en hochant la tête; même elle sourit deux ou trois fois. Peu à peu ses gémissements furent plus forts. Un hurlement sourd lui échappa; elle prétendit qu'elle allait mieux et qu'elle se lèverait tout à l'heure. Mais les convulsions la saisirent; elle s'écria:

—Ah! c'est atroce, mon Dieu!

Il se jeta à genoux contre son lit.

—Parle! qu'as-tu mangé? Réponds, au nom du ciel!

Et il la regardait avec des yeux d'une tendresse comme elle n'en avait jamais vu.

—Eh bien, là..., là!... dit-elle d'une voix défaillante.

Il bondit au secrétaire, brisa le cachet et lut tout haut: *Qu'on n'accuse personne...* Il s'arrêta, se passa la main sur ses yeux, et relut encore.

—Comment! Au secours! A moi!

Et il ne pouvait que répéter ce mot: « Empoisonnée! empoisonnée! » Félicité courut chez Homais, qui l'exclama sur la place; madame Lefrançois l'entendit au *Lion d'or;* quelques-uns se levèrent pour l'apprendre à leurs voisins, et toute la nuit le village fut en éveil.

Eperdu, balbutiant, près de tomber, Charles tournait dans la chambre. Il se heurtait aux meubles, s'arrachait les cheveux, et jamais le pharmacien n'avait cru qu'il pût y avoir de si épouvantable spectacle.

Il revint chez lui pour écrire à M. Canivet et au docteur Larivière. Il perdait la tête; il fit plus de quinze brouillons.

Hippolyte partit à Neufchâtel, et Justin talonna si fort le cheval de Bovary, qu'il le laissa dans la côte du Bois-Guillaume, fourbu et aux trois quarts crevé.

Charles voulut feuilleter son dictionnaire de médecine; il n'y voyait pas, les lignes dansaient.

— Du calme! dit l'apothicaire. Il s'agit seulement d'administrer quelque puissant antidote. Quel est le poison?

Charles montra la lettre. C'était de l'arsenic.

— Eh bien! reprit Homais, il faudrait en faire l'analyse.

Car il savait qu'il faut, dans tous les empoisonnements, faire une analyse; et l'autre, qui ne comprenait pas, répondit:

— Ah! faites! faites! sauvez-la...

Puis, revenu près d'elle, il s'affaissa par terre sur le tapis, et il restait la tête appuyée contre le bord de sa couche à sangloter.

— Ne pleure pas! lui dit-elle. Bientôt je ne te tourmenterai plus!

— Pourquoi? Qui t'a forcée?

Elle répliqua:

— Il le fallait, mon ami.

— N'étais-tu pas heureuse? Est-ce ma faute? J'ai fait tout ce que j'ai pu, pourtant!

— Oui..., c'est vrai..., tu es bon, toi!

Et elle lui passait la main dans les cheveux, lentement. La douceur de cette sensation surchargeait sa tristesse; il sentait tout son être s'écrouler de désespoir à l'idée qu'il fallait la perdre, quand, au contraire, elle avouait pour lui plus d'amour que jamais; et il ne trouvait rien; il ne savait pas, il n'osait, l'urgence d'une résolution immédiate achevant de le bouleverser.

Elle en avait fini, songeait-elle, avec toutes les trahisons, les bassesses et les innombrables convoitises qui la torturaient. Elle ne haïssait personne, maintenant; une confusion de crépuscule s'abattait en sa pensée, et de tous les bruits de la terre Emma n'entendait plus que l'intermittente lamentation de ce pauvre cœur, douce et indistincte, comme le dernier écho d'une symphonie qui s'éloigne.

—Amenez-moi la petite, dit-elle en se soulevant du coude.

—Tu n'es pas plus mal, n'est-ce pas? demanda Charles.

—Non! non!

L'enfant arriva sur le bras de sa bonne, dans sa longue chemise de nuit, d'où sortaient ses pieds nus, sérieuse et presque rêvant encore. Elle considérait avec étonnement la chambre tout en désordre, et clignait des yeux, éblouie par les flambeaux qui brûlaient sur les meubles. Ils lui rappelaient sans doute les matins du jour de l'an ou de la mi-carême, quand, ainsi réveillée de bonne heure à la clarté des bougies, elle venait dans le lit de sa mère pour y recevoir ses étrennes, car elle se mit à dire:

—Où est-ce donc, maman?

Et, comme tout le monde se taisait:

—Mais je ne vois pas mon petit soulier! [370]

Félicité la penchait vers le lit, tandis qu'elle regardait toujours du côté de la cheminée.

—Est-ce nourrice qui l'aurait pris? demanda-t-elle.

Et, à ce nom, qui la reportait dans le souvenir de ses adultères et de ses calamités, madame Bovary détourna sa tête, comme au dégoût d'un autre poison plus fort qui lui remontait à la bouche. Berthe, cependant, restait posée sur le lit.

—Oh! comme tu as de grands yeux, maman! comme tu es pâle! comme tu sues!...

Sa mère la regardait.

—J'ai peur! dit la petite en se reculant.

Emma prit sa main pour la baiser; elle se débattait.

—Assez! qu'on l'emmène! s'écria Charles, qui sanglotait dans l'alcôve.

Puis les symptômes s'arrêtèrent un moment; elle paraissait moins agitée; et, à chaque parole insignifiante, à chaque souffle de sa poitrine un peu plus calme, il reprenait espoir. Enfin, lorsque Canivet entra, il se jeta dans ses bras en pleurant.

—Ah! c'est vous! merci! vous êtes bon! Mais tout va mieux. Tenez, regardez-la...

Le confrère ne fut nullement de cette opinion, et, n'y allant pas, comme il le disait lui-même, *par quatre chemins*, il prescrivit de l'émétique, afin de dégager complètement l'estomac.

Elle ne tarda pas à vomir du sang. Ses lèvres se serrèrent davantage. Elle avait les membres crispés, le corps couvert de taches brunes, et son pouls glissait sous les doigts comme un fil tendu, comme une corde de harpe près de se rompre.

Puis elle se mettait à crier, horriblement. Elle maudissait le poison, l'invectivait, le suppliait de se hâter, et repoussait de ses bras raidis tout ce que Charles, plus agonisant qu'elle, s'efforçait de lui faire boire. Il était debout, son mouchoir sur les lèvres, râlant, pleurant, suffoqué par des sanglots qui le secouaient jusqu'aux talons; Félicité courait çà et là dans la chambre; Homais, immobile, poussait de gros soupirs, et M. Canivet, gardant toujours son aplomb, commençait néanmoins à se sentir troublé.

— Diable!... cependant... elle est purgée, et, du moment que la cause cesse...

— L'effet doit cesser, dit Homais; c'est évident.

— Mais sauvez-la! exclamait Bovary.

Aussi, sans écouter le pharmacien qui hasardait encore cette hypothèse: « C'est peut-être un paroxysme salutaire », Canivet allait administrer de la thériaque, lorsqu'on entendit le claquement d'un fouet; toutes les vitres frémirent, et une berline de poste, qu'enlevaient à plein poitrail trois chevaux crottés jusqu'aux oreilles, débusqua d'un bond au coin des halles. C'était le docteur Larivière.

L'apparition d'un dieu n'eût pas causé plus d'émoi. Bovary leva les mains, Canivet s'arrêta court et Homais retira son bonnet grec bien avant que le docteur fût entré.

Il appartenait à la grande école chirurgicale sortie du tablier de Bichat,[371] à cette génération, maintenant disparue, de praticiens philosophes qui, chérissant leur art d'un amour fanatique, l'exerçaient avec exaltation et sagacité! Tout tremblait dans son hôpital quand il se mettait en colère et ses élèves le vénéraient si bien, qu'ils s'efforçaient, à peine établis, de l'imiter le plus possible; de sorte que l'on retrouvait sur eux, par les villes d'alentour, sa longue douillette de mérinos et son large habit noir, dont les parements déboutonnés couvraient un peu ses mains charnues, de fort belles mains, et qui n'avaient jamais de gants, comme pour être plus promptes à plonger dans les misères. Dédaigneux des croix, des titres et des académies, hospitalier, libéral, paternel avec les pauvres et pratiquant la vertu sans y croire, il eût presque passé pour un saint si la finesse de son esprit ne l'eût fait craindre comme un démon. Son regard, plus tranchant que ses bistouris, vous descendait droit dans l'âme et désarticulait tout mensonge à travers les allégations et les pudeurs. Et il allait ainsi, plein de cette majesté débonnaire que donnent la conscience d'un grand talent, de la fortune, et quarante ans d'une existence laborieuse et irréprochable.

Il fronça les sourcils dès la porte, en apercevant la face cadavéreuse d'Emma étendue sur le dos, la bouche ouverte. Puis, tout en ayant l'air d'écouter Canivet, il se passait l'index sous les narines et répétait:

— C'est bien, c'est bien.

Mais il fit un geste lent des épaules. Bovary l'observa: ils se regardèrent; et cet homme, si habitué pourtant à l'aspect des douleurs, ne put retenir une larme qui tomba sur son jabot.

Il voulut emmener Canivet dans la pièce voisine. Charles le suivit.

— Elle est bien mal, n'est-ce pas? Si l'on posait des sinapismes? je ne sais quoi! Trouvez donc quelque chose, vous qui en avez tant sauvé!

Charles lui entourait le corps de ses deux bras, et il le contemplait d'une manière effarée, suppliante, à demi pâmé contre sa poitrine.

— Allons, mon pauvre garçon, du courage! Il n'y a plus rien à faire.

Et le docteur Larivière se détourna.

— Vous partez?

—Je vais revenir.

Il sortit, comme pour donner un ordre au postillon, avec le sieur Canivet, qui ne se souciait pas non plus de voir Emma mourir entre ses mains.

Le pharmacien les rejoignit sur la place. Il ne pouvait, par tempérament, se séparer des gens célèbres. Aussi conjura-t-il M. Larivière de lui faire cet insigne honneur d'accepter à déjeuner.

On envoya bien vite prendre des pigeons au *Lion d'or,* tout ce qu'il y avait de côtelettes à la boucherie, de la crème chez Tuvache, des œufs chez Lestiboudois, et l'apothicaire aidait lui-même aux préparatifs, tandis que madame Homais disait, en tirant les cordons de sa camisole:

—Vous ferez excuse, monsieur; car, dans notre malheureux pays, du moment qu'on n'est pas prévenu la veille...

—Les verres à pattes![372] souffla Homais.

—Au moins, si nous étions à la ville, nous aurions la ressource des pieds farcis.

—Tais-toi!... A table, docteur!

Il jugea bon, après les premiers morceaux, de fournir quelques détails sur la catastrophe:

—Nous avons eu d'abord un sentiment de siccité au pharynx, puis des douleurs intolérables à l'épigastre, superpurgation, coma.

—Comment s'est-elle donc empoisonnée?

—Je l'ignore, docteur, et même je ne sais pas trop où elle a pu se procurer cet acide arsénieux.

Justin, qui apportait alors une pile d'assiettes, fut saisi d'un tremblement.

—Qu'as-tu? dit le pharmacien.

Le jeune homme, à cette question, laissa tout tomber par terre, avec un grand fracas.

—Imbécile! s'écria Homais, maladroit! lourdaud! fichu âne.

Mais, soudain, se maîtrisant:

—J'ai voulu, docteur, tenter une analyse, et *primo,* j'ai délicatement introduit dans un tube...

— Il aurait mieux valu, dit le chirurgien, lui introduire vos doigts dans la gorge.

Son confrère se taisait, ayant tout à l'heure reçu confidentiellement une forte semonce à propos de son émétique, de sorte que ce bon Canivet, si arrogant et verbeux lors du pied bot, était très modeste aujourd'hui; il souriait sans discontinuer, d'une manière approbative.

Homais s'épanouissait dans son orgueil d'amphitryon,[373] et l'affligeante idée de Bovary contribuait vaguement à son plaisir, par un retour [374] égoïste qu'il faisait sur lui-même. Puis la présence du docteur le transportait. Il étalait son érudition, il citait pêle-mêle les cantharides, l'upas,[375] le mancenillier, la vipère...

— Et même j'ai lu que différentes personnes s'étaient trouvées intoxiquées, docteur, et comme foudroyées par des boudins qui avaient subi une trop véhémente fumigation! Du moins, c'était dans un fort beau rapport, composé par une de nos sommités pharmaceutiques, un de nos maîtres, l'illustre Cadet de Gassicourt! [376]

Madame Homais réapparut, portant une de ces vacillantes machines que l'on chauffe avec de l'esprit-de-vin; car Homais tenait à faire son café sur la table, l'ayant, d'ailleurs, torréfié lui-même, porphyrisé lui-même, mixtionné lui-même.

— *Saccharum,*[377] docteur, dit-il en offrant du sucre.

Puis il fit descendre tous ses enfants, curieux d'avoir l'avis du chirurgien sur leur constitution.

Enfin M. Larivière allait partir, quand madame Homais lui demanda une consultation pour son mari. Il s'épaississait le sang à s'endormir chaque soir après le dîner.

— Oh! ce n'est pas le *sens* qui le gêne.

Et, souriant un peu de ce calembour inaperçu, le docteur ouvrit la porte. Mais la pharmacie regorgeait de monde, et il eut grand'peine à pouvoir se débarrasser du sieur Tuvache, qui redoutait pour son épouse une fluxion de poitrine, parce qu'elle avait coutume de cracher dans les cendres; puis de M. Binet, qui éprouvait parfois des fringales, et de madame Caron, qui avait des picotements;

de Lheureux, qui avait des vertiges; de Lestiboudois, qui
avait des rhumatismes; de madame Lefrançois, qui avait
des aigreurs. Enfin les trois chevaux détalèrent, et l'on
trouva généralement qu'il n'avait point montré de complaisance.

L'attention publique fut distraite par l'apparition de
M. Bournisien, qui passait sous les halles avec les saintes
huiles.

Homais, comme il le devait à ses principes, compara
les prêtres à des corbeaux qu'attire l'odeur des morts; la
vue d'un ecclésiastique lui était personnellement désagréable, car la soutane le faisait rêver au linceul, et il
exécrait l'une un peu par épouvante de l'autre.

Néanmoins, ne reculant pas devant ce qu'il appelait
sa mission, il retourna chez Bovary en compagnie de
Canivet, que M. Larivière, avant de partir, avait engagé
fortement à cette démarche; et même, sans les représentations de sa femme, il eût emmené avec lui ses deux fils,
afin de les accoutumer aux fortes circonstances, pour que
ce fût une leçon, un exemple, un tableau solennel qui
leur restât plus tard dans la tête.

La chambre, quand ils entrèrent, était toute pleine d'une
solennité lugubre. Il y avait sur la table à ouvrage, recouverte d'une serviette blanche, cinq ou six petites boules de
coton dans un plat d'argent, près d'un gros crucifix, entre
deux chandeliers qui brûlaient. Emma, le menton contre
sa poitrine, ouvrait démesurément les paupières, et ses
pauvres mains se traînaient sur les draps, avec ce geste
hideux et doux des agonisants qui semblent vouloir déjà
se recouvrir du suaire. Pâle comme une statue et les yeux
rouges comme des charbons, Charles, sans pleurer, se
tenait en face d'elle au pied du lit, tandis que le prêtre,
appuyé sur un genou, marmottait des paroles basses.

Elle tourna sa figure lentement et parut saisie de joie
à voir tout à coup l'étole violette, sans doute retrouvant
au milieu d'un apaisement extraordinaire la volupté perdue
de ses premiers élancements mystiques, avec des visions
de béatitude éternelle qui commençaient.

Le prêtre se releva pour prendre le crucifix; alors elle allongea le cou comme quelqu'un qui a soif, et, collant ses lèvres sur le corps de l'Homme-Dieu, elle y déposa de tout sa force expirante le plus grand baiser d'amour qu'elle eût jamais donné. Ensuite, il récita le *Misereatur* et l'*Indulgentiam* trempa son pouce droit dans l'huile et commença les onctions: d'abord sur les yeux, qui avaient tant convoité toutes les somptuosités terrestres; puis sur les narines, friandes de brises tièdes et de senteurs amoureuses; puis sur la bouche, qui s'était ouverte pour le mensonge, qui avait gémi d'orgueil et crié dans la luxure; puis sur les mains, qui se délectaient aux contacts suaves, et enfin sur la plante des pieds, si rapides autrefois quand elle courait à l'assouvissance de ses désirs, et qui maintenant ne marcheraient plus.

Le curé s'essuya les doigts, jeta dans le feu les brins de coton trempés d'huile, et revint s'asseoir près de la moribonde pour lui dire qu'elle devait à présent joindre ses souffrances à celles de Jésus-Christ et s'abandonner à la miséricorde divine.

Et finissant ses exhortations, il essaya de lui mettre dans la main un cierge bénit, symbole des gloires célestes dont elle allait tout à l'heure être environnée. Emma, trop faible, ne put fermer les doigts, et le cierge, sans M. Bournisien, serait tombé à terre.

Cependant, elle n'était pas aussi pâle, et son visage avait une expression de sérénité comme si le sacrement l'eût guérie.

Le prêtre ne manqua point d'en faire l'observation, il expliqua même à Bovary que le Seigneur, quelquefois, prolongeait l'existence des personnes lorsqu'il le jugeait convenable pour le salut; et Charles se rappela un jour où, ainsi près de mourir, elle avait reçu la communion.

— Il ne fallait peut-être pas se désespérer, pensa-t-il.

En effet, elle regarda tout autour d'elle, lentement, comme quelqu'un qui se réveille d'un songe, puis, d'une voix distincte, elle demanda son miroir, et elle resta penchée dessus quelque temps, jusqu'au moment où de grosses larmes lui découlèrent des yeux. Alors elle se renversa la tête en poussant un soupir et retomba sur l'oreiller.

Sa poitrine aussitôt se mit à haleter rapidement. La langue tout entière lui sortit hors de la bouche; ses yeux, en roulant, pâlissaient comme deux globes de lampe qui s'éteignent, à la croire déjà morte, sans l'effrayante accélération de ses côtes, secouées par un souffle furieux, comme si l'âme eût fait des bonds pour se détacher. Félicité s'agenouilla devant le crucifix, et le pharmacien lui-même fléchit un peu les jarrets, tandis que M. Canivet regardait vaguement sur la place. Bournisien s'était remis en prière, la figure inclinée contre le bord de la couche, avec sa longue soutane noire qui traînait derrière lui dans l'appartement. Charles était de l'autre côté, à genoux, les bras étendus vers Emma. Il avait pris ses mains et il les serrait, tressaillant à chaque battement de son cœur, comme au contre-coup d'une ruine qui tombe. A mesure que le râle devenait plus fort, l'ecclésiastique précipitait ses oraisons: elles se mêlaient aux sanglots étouffés de Bovary, et quelquefois tout semblait disparaître dans le sourd murmure des syllabes latines, qui tintaient comme un glas de cloche.

Tout à coup, on entendit sur le trottoir un bruit de gros sabots, avec le frôlement d'un bâton; et une voix s'éleva, une voix rauque, qui chantait:

> Souvent la chaleur d'un beau jour
> Fait rêver fillette à l'amour.

Emma se releva comme un cadavre que l'on galvanise, les cheveux dénoués, la prunelle fixe, béante.

> Pour amasser diligemment
> Les épis que la faux moissonne,
> Ma Nanette va s'inclinant
> Vers le sillon qui nous les donne.

—L'Aveugle! s'écria-t-elle.

Et Emma se mit à rire, d'un rire atroce, frénétique,

désespéré, croyant voir la face hideuse du misérable, qui se dressait dans les ténèbres éternelles comme un épouvantement.

> Il souffla bien fort ce jour-là,
> Et le jupon court s'envola!

Une convulsion la rabattit sur le matelas. Tous s'approchèrent. Elle n'existait plus.

Chapitre 9.

Il y a toujours, après la mort de quelqu'un, comme une stupéfaction qui se dégage, tant il est difficile de comprendre cette survenue du néant et de se résigner à y croire. Mais, quand il s'aperçut pourtant de son immobilité, Charles se jeta sur elle en criant:

—Adieu! adieu!

Homais et Canivet l'entraînèrent hors de la chambre.

—Modérez-vous!

—Oui, disait-il en se débattant, je serai raisonnable, je ne ferai pas de mal. Mais laissez-moi! je veux la voir! c'est ma femme!

Et il pleurait.

—Pleurez, reprit le pharmacien, donnez cours à la nature, cela vous soulagera!

Devenu plus faible qu'un enfant, Charles se laissa conduire en bas, dans la salle, et M. Homais, bientôt, s'en retourna chez lui.

Il fut, sur la place, accosté par l'aveugle, qui, s'étant traîné jusqu'à Yonville, dans l'espoir de la pommade antiphlogistique, demandait à chaque passant où demeurait l'apothicaire.

—Allons, bon! comme si je n'avais pas d'autres chiens à fouetter! Ah! tant pis, reviens plus tard!

Et il entra précipitamment dans la pharmacie.

Il avait à écrire deux lettres, à faire une potion calmante pour Bovary, à trouver un mensonge qui pût cacher l'empoisonnement et à le rédiger en article pour le *Fanal*, sans compter les personnes qui l'attendaient, afin d'avoir des informations; et, quand les Yonvillais eurent tous entendu son histoire d'arsenic qu'elle avait pris pour du sucre en faisant une crème à la vanille, Homais, encore une fois, retourna chez Bovary.

Il le trouva seul (M. Canivet venait de partir), assis dans le fauteuil, près de la fenêtre, et contemplant d'un regard idiot les pavés de la salle.

—Il faudrait à présent, dit le pharmacien, fixer vous-même l'heure de la cérémonie.

—Pourquoi? Quelle cérémonie?

Puis, d'une voix balbutiante et effrayée:

—Oh! non, n'est-ce pas? non, je veux la garder.

Homais, par contenance, prit une carafe sur l'étagère pour arroser les géraniums.

—Ah! merci, dit Charles, vous êtes bon!

Et il n'acheva pas, suffoquant sous une abondance de souvenirs que ce geste du pharmacien lui rappelait.

Alors, pour le distraire, Homais jugea convenable de causer un peu horticulture; les plantes avaient besoin d'humidité. Charles baissa la tête en signe d'approbation.

—Du reste, les beaux jours maintenant vont revenir.

—Ah! fit Bovary.

L'apothicaire, à bout d'idées, se mit à écarter doucement les petits rideaux du vitrage.

—Tiens, voilà M. Tuvache qui passe.

Charles répéta comme une machine:

—M. Tuvache qui passe.

Homais n'osa lui reparler des dispositions funèbres; ce fut l'ecclésiastique qui parvint à l'y résoudre.

Il s'enferma dans son cabinet, prit une plume, et, après avoir sangloté quelque temps, il écrivit:

Je veux qu'on l'enterre dans sa robe de noces, avec des souliers blancs, une couronne. On lui étalera ses cheveux sur les épaules; trois cercueils, un de chêne, un d'acajou, un de plomb. Qu'on ne me dise rien, j'aurai de la force. On lui mettra par-dessus toute une grande pièce de velours vert. Je le veux. Faites-le.

Ces messieurs s'étonnèrent beaucoup des idées romanesques de Bovary, et aussitôt le pharmacien alla lui dire:

— Ce velours me paraît une superfétation. La dépense, d'ailleurs...

— Est-ce que cela vous regarde? s'écria Charles. Laissez-moi! vous ne l'aimiez pas! Allez-vous-en!

L'ecclésiastique le prit par-dessous le bras pour lui faire faire un tour de promenade dans le jardin. Il discourait sur la vanité des choses terrestres. Dieu était bien grand, bien bon; on devait sans murmure se soumettre à ses décrets, même le remercier.

Charles éclata en blasphèmes.

— Je l'exècre, votre Dieu!

— L'esprit de la révolte est encore en vous, soupira l'ecclésiastique.

Bovary était loin. Il marchait à grands pas, le long du mur, près de l'espalier, et il grinçait des dents, il levait au ciel des regards de malédiction; mais pas une feuille seulement n'en bougea.

Une petite pluie tombait. Charles, qui avait la poitrine nue, finit par grelotter; il rentra s'asseoir dans la cuisine.

A six heures, on entendit un bruit de ferraille sur la place: c'était l'*Hirondelle* qui arrivait; et il resta le front contre les carreaux, à voir descendre les uns après les autres tous les voyageurs. Félicité lui étendit un matelas dans le salon; il se jeta dessus et s'endormit.

Bien que philosophe, M. Homais respectait les morts. Aussi, sans garder rancune au pauvre Charles, il revint le soir pour faire la veillée du cadavre, apportant avec lui trois volumes, et un portefeuille, afin de prendre des notes.

M. Bournisien s'y trouvait, et deux grands cierges brûlaient au chevet du lit, que l'on avait tiré hors de l'alcôve.

L'apothicaire, à qui le silence pesait, ne tarda pas à
formuler quelques plaintes sur cette « infortunée jeune
femme »; et le prêtre répondit qu'il ne restait plus maintenant qu'à prier pour elle.

—Cependant, reprit Homais, de deux choses l'une:
ou elle est morte en état de grâce (comme s'exprime
l'Eglise), et alors elle n'a nul besoin de nos prières; ou
bien elle est décédée impénitente (c'est, je crois, l'expression ecclésiastique), et alors...

Bournisien l'interrompit, répliquant d'un ton bourru
qu'il n'en fallait pas moins prier.

—Mais, objecta le pharmacien, puisque Dieu connaît
tous nos besoins, à quoi peut servir la prière?

—Comment! fit l'ecclésiastique, la prière! Vous n'êtes
donc pas chrétien?

—Pardonnez! dit Homais. J'admire le christianisme.
Il a d'abord affranchi les esclaves, introduit dans le monde
une morale...

—Il ne s'agit pas de cela! Tous les textes...

—Oh! oh! quant aux textes, ouvrez l'histoire; on sait
qu'ils ont été falsifiés par les Jésuites.

Charles entra, et, s'avançant vers le lit, il tira lentement
les rideaux.

Emma avait la tête penchée sur l'épaule droite. Le coin
de sa bouche, qui se tenait ouverte, faisait comme un trou
noir au bas de son visage, les deux pouces restaient infléchis
dans la paume des mains; une sorte de poussière blanche
lui parsemait les cils, et ses yeux commençaient à disparaître dans une pâleur visqueuse qui ressemblait à une toile
mince, comme si des araignées avaient filé dessus. Le drap
se creusait depuis ses seins jusqu'à ses genoux, se relevant
ensuite à la pointe des orteils; et il semblait à Charles que
des masses infinies, qu'un poids énorme pesait sur elle.

L'horloge de l'église sonna deux heures. On entendait
le gros murmure de la rivière qui coulait dans les ténèbres,

au pied de la terrasse. M. Bournisien, de temps à autre, se mouchait bruyamment, et Homais faisait grincer sa plume sur le papier.

— Allons, mon bon ami! dit-il, retirez-vous, ce spectacle vous déchire!

Charles une fois parti, le pharmacien et le curé recommencèrent leurs discussions.

— Lisez Voltaire! disait l'un; lisez d'Holbach,[378] lisez l'*Encyclopédie!*[379]

— Lisez les *Lettres de quelques juifs portugais!* disait l'autre; lisez la *Raison du Christianisme,* par Nicolas, ancien magistrat!

Ils s'échauffaient, ils étaient rouges, ils parlaient à la fois, sans s'écouter; Bournisien se scandalisait d'une telle audace; Homais s'émerveillait d'une telle bêtise; et ils n'étaient pas loin de s'adresser des injures quand Charles, tout à coup, reparut. Une fascination l'attirait. Il remontait continuellement l'escalier.

Il se posait en face d'elle pour la mieux voir, et il se perdait en cette contemplation, qui n'était plus douloureuse à force d'être profonde.

Il se rappelait des histoires de catalepsie,[380] les miracles du magnétisme; et il se disait qu'en le voulant extrêmement, il parviendrait peut-être à la ressusciter. Une fois même, il se pencha vers elle, et il cria tout bas: « Emma! Emma! » Son haleine, fortement poussée, fit trembler la flamme des cierges contre le mur.

Au petit jour, madame Bovary mère arriva; Charles, en l'embrassant, eut un nouveau débordement de pleurs. Elle essaya, comme avait tenté le pharmacien, de lui faire quelques observations sur les dépenses de l'enterrement. Il s'emporta si fort qu'elle se tut, et même il la chargea de se rendre immédiatement à la ville pour acheter ce qu'il fallait.

Charles resta seul toute l'après-midi; on avait conduit Berthe chez Madame Homais; Félicité se tenait en haut, dans la chambre, avec la mère Lefrançois.

Le soir, il reçut des visites. Il se levait, vous serrait les mains sans pouvoir parler, puis on s'asseyait auprès des

autres, qui faisaient devant la cheminée un grand demi-
cercle. La figure basse et le jarret sur le genou, ils dandi-
naient leur jambe, tout en poussant par intervalles un gros
soupir; et chacun s'ennuyait d'une façon démesurée; c'était
pourtant à qui ne partirait pas.[381]

Homais, quand il revint à neuf heures (on ne voyait
que lui sur la place, depuis deux jours), était chargé d'une
provision de camphre, de benjoin et d'herbes aromatiques.
Il portait aussi un vase plein de chlore, pour bannir les
miasmes. A ce moment, la domestique, madame Lefrançois
et la mère Bovary tournaient autour d'Emma, en achevant
de l'habiller; et elles abaissèrent le long voile raide, qui
la recouvrit jusqu'à ses souliers de satin.

Félicité sanglotait:

—Ah! ma pauvre maîtresse! ma pauvre maîtresse!

—Regardez-la, disait en soupirant l'aubergiste, comme
elle est mignonne encore! Si l'on ne jurerait pas qu'elle
va se lever tout à l'heure.

Puis elles se penchèrent pour lui mettre sa couronne.

Il fallut soulever un peu la tête, et alors un flot de
liquides noirs sortit, comme un vomissement, de sa bouche.

—Ah! mon Dieu! la robe! prenez garde! s'écria madame
Lefrançois. Aidez-nous donc! disait-elle au pharmacien.
Est-ce que vous avez peur, par hasard?

—Moi, peur? répliqua-t-il en haussant les épaules. Ah!
bien oui! J'en ai vu d'autres à l'Hôtel-Dieu,[382] quand
j'étudiais la pharmacie! Nous faisions du punch dans
l'amphithéâtre aux dissections! Le néant n'épouvante pas
un philosophe; et même, je le dis souvent, j'ai l'intention
de léguer mon corps aux hôpitaux, afin de servir plus tard
à la Science.

En arrivant, le curé demanda comment se portait Monsieur; et, sur la réponse de l'apothicaire, il reprit:

—Le coup, vous comprenez, est encore trop récent!

Alors Homais le félicita de n'être pas exposé, comme
tout le monde, à perdre une compagne chérie; d'où s'en-
suivit une discussion sur le célibat des prêtres.

— Car, disait le pharmacien, il n'est pas naturel qu'un homme se passe de femmes! On a vu des crimes...

— Mais, sabre de bois! s'écria l'ecclésiastique, comment voulez-vous qu'un individu pris dans le mariage puisse garder, par exemple, le secret de la confession?

Homais attaqua la confession. Bournisien la défendit; il s'étendit sur les restitutions qu'elle faisait opérer. Il cita différentes anecdotes de voleurs devenus honnêtes tout à coup. Des militaires, s'étant approchés du tribunal de la pénitence, avaient senti les écailles leur tomber des yeux. Il y avait à Fribourg un ministre...

Son compagnon dormait. Puis, comme il étouffait un peu dans l'atmosphère trop lourde de la chambre, il ouvrit la fenêtre, ce qui réveilla le pharmacien.

— Allons, une prise! [383] lui dit-il. Acceptez, cela dissipe.[384]

Des aboiements continus se traînaient au loin, quelque part.

— Entendez-vous un chien qui hurle? dit le pharmacien.

— On prétend qu'ils sentent les morts, répondit l'ecclésiastique. C'est comme les abeilles; elles s'envolent de la ruche au décès des personnes. — Homais ne releva pas [385] ces préjugés, car il s'était rendormi.

M. Bournisien, plus robuste, continua quelque temps à remuer tout bas les lèvres; puis, insensiblement, il baissa le menton, lâcha son gros livre noir et se mit à ronfler.

Ils restaient en face l'un de l'autre, le ventre en avant, la figure bouffie, l'air renfrogné, après tant de désaccord se rencontrant enfin dans la même faiblesse humaine; et ils ne bougeaient pas plus que le cadavre à côté d'eux, qui avait l'air de dormir.

Charles, en entrant, ne les réveilla point. C'était la dernière fois. Il venait lui faire ses adieux.

Les herbes aromatiques fumaient encore, et des tourbillons de vapeur bleuâtre se confondaient au bord de la croisée avec le brouillard qui entrait. Il y avait quelques étoiles, et la nuit était douce.

La cire des cierges tombait par grosses larmes sur les draps du lit. Charles les regardait brûler, fatiguant ses yeux contre le rayonnement de leur flamme jaune.

Des moires frissonnaient sur la robe de satin, blanche comme un clair de lune. Emma disparaissait dessous; et il lui semblait que, s'épandant au dehors d'elle-même, elle se perdait confusément dans l'entourage des choses, dans le silence, dans la nuit, dans le vent qui passait, dans les senteurs humides qui montaient.

Puis, tout à coup, il la voyait dans le jardin de Tostes, sur le banc, contre la haie d'épines, ou bien à Rouen, dans les rues, sur le seuil de leur maison, dans la cour des Bertaux. Il entendait encore le rire des garçons en gaîté qui dansaient sous les pommiers; la chambre était pleine du parfum de sa chevelure, et sa robe lui frissonnait dans les bras avec un bruit d'étincelles. C'était la même, celle-là!

Il fut longtemps à se rappeler ainsi toutes les félicités disparues, ses attitudes, ses gestes, le timbre de sa voix. Après un désespoir, il en venait un autre et toujours, intarissablement, comme les flots d'une marée qui déborde.

Il eut une curiosité terrible: lentement, du bout des doigts, en palpitant, il releva son voile. Mais il poussa un cri d'horreur qui réveilla les deux autres. Ils l'entraînèrent en bas, dans la salle.

Puis Félicité vint dire qu'il demandait des cheveux.

—Coupez-en! répliqua l'apothicaire.

Et, comme elle n'osait, il s'avança lui-même, les ciseaux à la main. Il tremblait si fort, qu'il piqua la peau des tempes en plusieurs places. Enfin, se raidissant contre l'émotion, Homais donna deux ou trois grands coups au hasard, ce qui fit des marques blanches dans cette belle chevelure noire.

Le pharmacien et le curé se replongèrent dans leurs occupations, non sans dormir de temps à autre, ce dont ils s'accusaient réciproquement à chaque réveil nouveau. Alors M. Bournisien aspergeait la chambre d'eau bénite et Homais jetait un peu de chlore par terre.

Félicité avait eu soin de mettre pour eux, sur la commode, une bouteille d'eau-de-vie, un fromage et une grosse brioche. Aussi l'apothicaire, qui n'en pouvait plus, soupira, vers quatre heures du matin:

— Ma foi, je me sustenterais [386] avec plaisir!

L'ecclésiastique ne se fit point prier; il sortit pour aller dire sa messe, revint; puis, ils mangèrent et trinquèrent, tout en ricanant un peu sans savoir pourquoi, excités par cette gaîté vague qui nous prend après des séances de tristesse; et, au dernier petit verre, le prêtre dit au pharmacien, tout en lui frappant sur l'épaule:

— Nous finirons par nous entendre!

Ils recontrèrent en bas, dans le vestibule, les ouvriers qui arrivaient. Alors, Charles, pendant deux heures, eut à subir le supplice du marteau qui résonnait sur les planches. Puis on la descendit dans son cercueil de chêne que l'on emboîta dans les deux autres; mais, comme la bière était trop large, il fallut boucher les interstices avec la laine d'un matelas. Enfin, quand les trois couvercles furent rabotés, cloués, soudés, on l'exposa devant la porte; on ouvrit toute grande la maison, et les gens d'Yonville commencèrent à affluer.

Le père Rouault arriva. Il s'évanouit sur la place en apercevant le drap noir.

Chapitre 10.

Il n'avait reçu la lettre du pharmacien que trente-six heures après l'événement; et, par égard pour sa sensibilité, M. Homais l'avait rédigée de telle façon qu'il était impossible de savoir à quoi s'en tenir.

Le bonhomme tomba d'abord comme frappé d'apoplexie. Ensuite il comprit qu'elle n'était pas morte. Mais

elle pouvait l'être... Enfin il avait passé sa blouse, pris
son chapeau, accroché un éperon à son soulier et était
parti ventre à terre; et, tout le long de la route, le père
Rouault, haletant, se dévora d'angoisses. Une fois même,
il fut obligé de descendre. Il n'y voyait plus, il entendait
des voix autour de lui, il se sentait devenir fou.

Le jour se leva. Il aperçut trois poules noires qui
dormaient dans un arbre; il tressaillit, épouvanté de ce
présage. Alors il promit à la sainte Vierge trois chasubles
pour l'église, et qu'il irait pieds nus depuis le cimetière
des Bertaux jusqu'à la chapelle de Vassonville.

Il entra dans Maromme en hélant les gens de l'auberge,
enfonça la porte d'un coup d'épaule, bondit au sac d'avoine,
versa dans la mangeoire une bouteille de cidre doux, et
renfourcha son bidet, qui faisait feu des quatre fers.[387]

Il se disait qu'on la sauverait sans doute; les médecins
découvriraient un remède, c'était sûr. Il se rappela toutes
les guérisons miraculeuses qu'on lui avait contées.

Puis elle lui apparaissait morte. Elle était là, devant lui,
étendue sur le dos, au milieu de la route. Il tirait la bride
et l'hallucination disparaissait.

A Quincampoix, pour se donner du cœur, il but trois
cafés l'un sur l'autre.

Il songea qu'on s'était trompé de nom en écrivant. Il
chercha la lettre dans sa poche, l'y sentit, mais n'osa pas
l'ouvrir.

Il en vint à supposer que c'était peut-être une *farce*,
une vengeance de quelqu'un, une fantaisie d'homme en
goguette;[388] et, d'ailleurs, si elle était morte, on le saurait?
Mais non! la campagne n'avait rien d'extraordinaire: le
ciel était bleu, les arbres se balançaient; un troupeau de
moutons passa. Il aperçut le village; on le vit accourant
tout penché sur son cheval, qu'il bâtonnait à grands coups,
et dont les sangles dégouttelaient[389] de sang.

Quand il eut repris connaissance, il tomba tout en pleurs
dans les bras de Bovary:

— Ma fille! Emma! mon enfant! expliquez-moi?...

Et l'autre répondit avec des sanglots:

— Je ne sais pas, je ne sais pas! c'est une malédiction! L'apothicaire les sépara.

— Ces horribles détails sont inutiles. J'en instruirai monsieur. Voici le monde qui vient. De la dignité, fichtre! de la philosophie!

Le pauvre garçon voulut paraître fort, et il répéta plusieurs fois:

— Oui..., du courage!

— Eh bien! s'écria le bonhomme, j'en aurai, nom d'un tonnerre de Dieu! Je m'en vas la conduire jusqu'au bout.

La cloche tintait. Tout était prêt. Il fallut se mettre en marche.

Et, assis dans une stalle du chœur, l'un près de l'autre, ils virent passer devant eux et repasser continuellement les trois chantres qui psalmodiaient. Le serpent [390] soufflait à pleine poitrine. M. Bournisien, en grand appareil, chantait d'une voix aiguë; il saluait le tabernacle, élevait les mains, étendait les bras. Lestiboudois circulait dans l'église avec sa latte de baleine; [391] près du lutrin, la bière reposait entre quatre rangs de cierges. Charles avait envie de se lever pour les éteindre.

Il tâchait cependant de s'exciter à la dévotion, de s'élancer dans l'espoir d'une vie future, où il la reverrait. Il imaginait qu'elle était partie en voyage, bien loin, depuis longtemps. Mais, quand il pensait qu'elle se trouvait là-dessous, et que tout était fini, qu'on l'emportait dans la terre, il se prenait d'une rage farouche, noire, désespérée. Parfois, il croyait ne plus rien sentir et il savourait cet adoucissement de sa douleur, tout en se reprochant d'être un misérable.

On entendit sur les dalles comme le bruit sec d'un bâton ferré qui les frappait à temps égaux. Cela venait du fond, et s'arrêta court dans les bas-côtés de l'église. Un homme en grosse veste brune s'agenouilla péniblement. C'était Hippolyte, le garçon du *Lion d'or*. Il avait mis sa jambe neuve.

L'un des chantres vint faire le tour de la nef pour

quêter, et les gros sous,[392] les uns après les autres, sonnaient dans le plat d'argent.

—Dépêchez-vous donc! je souffre, moi! s'écria Bovary,
tout en lui jetant avec colère une pièce de cinq francs.

L'homme d'église le remercia par une longue révérence.

On chantait, on s'agenouillait, on se relevait, cela n'en
finissait pas! Il se rappela qu'une fois, dans les premiers
temps, ils avaient ensemble assisté à la messe, et ils s'étaient
mis de l'autre côté, à droite, contre le mur. La cloche
recommença. Il y eut un grand mouvement de chaises.
Les porteurs glissèrent leurs trois bâtons sous la bière, et
l'on sortit de l'église.

Justin alors parut sur le seuil de la pharmacie. Il y
rentra tout à coup, pâle, chancelant.

On se tenait aux fenêtres pour voir passer le cortège.
Charles, en avant, se cambrait la taille. Il affectait un air
brave et saluait d'un signe ceux qui, débouchant des ruelles
ou des portes, se rangeaient dans la foule. Les six hommes,
trois de chaque côté, marchaient au petit pas et en haletant
un peu. Les prêtres, les chantres et les deux enfants de
chœur récitaient le *De Profundis;* et leurs voix s'en allaient
sur la campagne, montant et s'abaissant avec des ondulations. Parfois ils disparaissaient aux détours du sentier;
mais la grande croix d'argent se dressait toujours entre
les arbres.

Les femmes suivaient, couvertes de mantes noires à
capuchon rabattu; elles portaient à la main un gros cierge
qui brûlait, et Charles se sentait défaillir à cette continuelle
répétion de prières et de flambeaux, sous ces odeurs affadis-
santes de cire et de soutane. Une brise fraîche soufflait,
les seigles et les colzas verdoyaient, des gouttelettes de
rosée tremblaient au bord du chemin, sur les haies d'épines.
Toutes sortes de bruits joyeux emplissaient l'horizon: le
claquement d'une charrette roulant au loin dans les ornières, le cri d'un coq qui se répétait ou la galopade d'un
poulain que l'on voyait s'enfuir sous les pommiers. Le ciel
pur était tacheté de nuages roses; des lumignons [393] bleuâtres se rabattaient sur les chaumières couvertes d'iris;

Charles, en passant, reconnaissait les cours. Il se souvenait de matins comme celui-ci, où, après avoir visité quelque malade, il en sortait et retournait vers elle.

Le drap noir, semé de larmes blanches, se levait de temps à autre en découvrant la bière. Les porteurs fatigués se ralentissaient; et elle avançait par saccades continues, comme une chaloupe qui tangue à chaque flot.

On arriva.

Les hommes continuèrent jusqu'en bas, à une place dans le gazon où la fosse était creusée.

On se rangea tout autour; et tandis que le prêtre parlait, la terre rouge, rejetée sur les bords, coulait par les coins sans bruit, continuellement.

Puis, quand les quatre cordes furent disposées, on poussa la bière dessus. Il la regarda descendre. Elle descendait toujours.

Enfin on entendit un choc; les cordes en grinçant remontèrent. Alors Bournisien prit la bêche que lui tendait Lestiboudois; de sa main gauche, tout en aspergeant de la droite, il poussa vigoureusement une large pelletée; et le bois du cercueil, heurté par les cailloux, fit ce bruit formidable qui nous semble être le retentissement de l'éternité.

L'ecclésiastique passa le goupillon à son voisin. C'était M. Homais. Il le secoua gravement, puis le tendit à Charles, qui s'affaissa jusqu'aux genoux dans la terre, et il en jetait à pleines mains tout en criant : « Adieu! » Il lui envoyait des baisers; il se traînait vers la fosse pour s'y engloutir avec elle.

On l'emmena; et il ne tarda pas à s'apaiser, éprouvant peut-être, comme tous les autres, la vague satisfaction d'en avoir fini.

Le père Rouault, en revenant, se mit tranquillement à fumer une pipe; ce que Homais, dans son for intérieur, jugea peu convenable. Il remarqua de même que M. Binet s'était abstenu de paraître, que Tuvache « avait filé » après la messe, et que Théodore, le domestique du notaire, portait un habit bleu, « comme si l'on ne pouvait pas trouver un habit noir, puisque c'est l'usage, que diable! »

Et, pour communiquer ses observations, il allait d'un groupe à l'autre. On y déplorait la mort d'Emma, et surtout Lheureux, qui n'avait pas manqué de venir à l'enterrement.

—Cette pauvre petite dame! quelle douleur pour son mari!

L'apothicaire reprenait:

—Sans moi, savez-vous bien, il se serait porté sur lui-même à quelque attentat funeste!

— Une si bonne personne! Dire pourtant que je l'ai encore vue samedi dernier dans ma boutique!

—Je n'ai pas eu le loisir, dit Homais, de préparer quelques paroles, que j'aurais jetées sur sa tombe.

En rentrant, Charles se déshabilla, et le père Rouault repassa sa blouse neuve. Elle était neuve, et, comme il s'était, pendant la route, souvent essuyé les yeux avec les manches, elle avait déteint sur sa figure; et la trace des pleurs y faisait des lignes dans la couche de poussière qui la salissait.

Madame Bovary mère était avec eux. Ils se taisaient tous les trois. Enfin le bonhomme soupira:

—Vous rappelez-vous, mon ami, que je suis venu à Tostes une fois, quand vous veniez de perdre votre première défunte? Je vous consolais dans ce temps-là! Je trouvais quoi dire; mais à présent...

Puis, avec un long gémissement qui souleva toute sa poitrine:

—Ah! c'est la fin pour moi, voyez-vous! J'ai vu partir ma femme..., mon fils après, et voilà ma fille, aujourd'hui!

Il voulut s'en retourner tout de suite aux Bertaux, disant qu'il ne pourrait pas dormir dans cette maison-là. Il refusa même de voir sa petite-fille.

—Non! non! ça me ferait trop de deuil. Seulement vous l'embrasserez bien! Adieu!... vous êtes un bon garçon! Et puis, jamais je n'oublierai ça, dit-il en se frappant la cuisse, n'ayez peur! vous recevrez toujours votre dinde.

Mais, quand il fut au h † de la côte, il se détourna, comme autrefois il s'était détourné sur le chemin de Saint-Victor, en se séparant d'elle. Les fenêtres du village

étaient tout en feu sous les rayons obliques du soleil qui
se couchait dans la prairie. Il mit sa main devant ses yeux,
et il aperçut à l'horizon un enclos de murs où des arbres,
çà et là, faisaient des bouquets noirs entre des pierres
blanches, puis il continua sa route, au petit trot, car son
bidet boitait.

Charles et sa mère restèrent le soir, malgré leur fatigue,
fort longtemps à causer ensemble. Ils parlèrent des jours
d'autrefois et de l'avenir. Elle viendrait habiter Yonville,
elle tiendrait son ménage, ils ne se quitteraient plus. Elle
fut ingénieuse et caressante, se réjouissant intérieurement
à ressaisir une affection qui depuis tant d'années lui échappait. Minuit sonna. Le village, comme d'habitude, était
silencieux, et Charles, éveillé, pensait toujours à elle.

Rodolphe, qui, pour se distraire, avait battu le bois [394]
toute la journée, dormait tranquillement dans son château;
et Léon, là-bas, dormait aussi.

Il y en avait un autre qui, à cette heure-là, ne dormait pas.

Sur la fosse, entre les sapins, un enfant pleurait age-
nouillé, et sa poitrine, brisée par les sanglots, haletait dans
l'ombre, sous la pression d'un regret immense, plus doux
que la lune et plus insondable que la nuit. La grille tout
à coup craqua. C'était Lestiboudois; il venait chercher sa
bêche qu'il avait oubliée tantôt. Il reconnut Justin escala-
dant le mur, et sut alors à quoi s'en tenir sur [395] le mal-
faiteur qui lui dérobait ses pommes de terre.

Chapitre 11.

Charles, le lendemain, fit revenir la petite. Elle demanda
sa maman. On lui répondit qu'elle était absente, qu'elle

lui rapporterait des joujoux. Berthe en reparla plusieurs
fois; puis, à la longue, elle n'y pensa plus. La gaîté de
cette enfant navrait Bovary, et il avait à subir les intolérables consolations du pharmacien.

Les affaires d'argent bientôt recommencèrent, M. Lheureux excitant de nouveau son ami Vinçart, et Charles
s'engagea pour des sommes exorbitantes; car jamais il ne
voulut consentir à laisser vendre le moindre des meubles
qui *lui* avaient appartenu. Sa mère en fut exaspérée. Il
s'indigna plus fort qu'elle. Il avait changé tout à fait.
Elle abandonna la maison.

Alors chacun se mit à *profiter*. Mademoiselle Lempereur
réclama six mois de leçons, bien qu'Emma n'en eût jamais
pris une seule (malgré cette facture acquittée qu'elle avait
fait voir à Bovary): c'était une convention entre elles
deux; le loueur de livres réclama trois ans d'abonnement;
la mère Rolet réclama le port d'une vingtaine de lettres;
et, comme Charles demandait des explications, elle eut la
délicatesse de répondre:

— Ah! je ne sais rien! c'était pour ses affaires.

A chaque dette qu'il payait, Charles croyait en avoir
fini. Il en survenait d'autres, continuellement.

Il exigea l'arriéré d'anciennes visites. On lui montra les
lettres que sa femme avait envoyées. Alors il fallut faire
des excuses.

Félicité portait maintenant les robes de Madame; non
pas toutes, car il en avait gardé quelques-unes, et il les
allait voir dans son cabinet de toilette, où il s'enfermait;
elle était à peu près de sa taille; souvent Charles, en l'apercevant par derrière, était saisi d'une illusion et répétait:

— Oh! reste! reste!

Mais, à la Pentecôte, elle décampa d'Yonville, enlevée
par Théodore, et en volant tout ce qui restait de la
garde-robe.

Ce fut vers cette époque que madame veuve Dupuis
eut l'honneur de lui faire part du «mariage de M. Léon
Dupuis, son fils, notaire à Yvetot, avec mademoiselle

Léocadie Lebœuf, de Bondeville ». Charles, parmi les félicitations qu'il lui adressa, écrivit cette phrase:

« Comme ma pauvre femme aurait été heureuse! »

Un jour qu'errant sans but dans la maison, il était monté jusqu'au grenier, il sentit sous sa pantoufle une boulette de papier fin. Il l'ouvrit et il lut: « Du courage, Emma! du courage! Je ne veux pas faire le malheur de votre existence. » C'était la lettre de Rodolphe, tombée à terre entre des caisses, qui était restée là, et que le vent de la lucarne venait de pousser vers la porte. Et Charles demeura tout immobile et béant à cette même place où jadis, encore plus pâle que lui, Emma, désespérée, avait voulu mourir. Enfin, il découvrit un petit R au bas de la seconde page. Qu'était-ce? Il se rappela les assiduités de Rodolphe, sa disparition soudaine et l'air contraint qu'il avait eu en le rencontrant depuis, deux ou trois fois. Mais le ton respectueux de la lettre l'illusionna.

— Ils se sont peut-être aimés platoniquement, se dit-il.

D'ailleurs, Charles n'était pas de ceux qui descendent au fond des choses; il recula devant les preuves, et sa jalousie incertaine se perdit dans l'immensité de son chagrin.

On avait dû, pensait-il, l'adorer. Tous les hommes, à coup sûr, l'avaient convoitée. Elle lui en parut plus belle; et il en conçut un désir permanent, furieux, qui enflammait son désespoir et qui n'avait pas de limites, parce qu'il était maintenant irréalisable.

Pour lui plaire, comme si elle vivait encore, il adopta ses prédilections, ses idées, il s'acheta des bottes vernies, il prit l'usage des cravates blanches. Il mettait du cosmétique à ses moustaches, il souscrivit comme elle des billets à ordre. Elle le corrompait par delà le tombeau.

Il fut obligé de vendre l'argenterie pièce à pièce, ensuite il vendit les meubles du salon. Tous les appartements se dégarnirent; mais la chambre, sa chambre à elle, était restée comme autrefois. Après son dîner, Charles montait là. Il poussait devant le feu la table ronde, et il approchait *son* fauteuil. Il s'asseyait en face. Une chandelle brûlait

dans un des flambeaux dorés. Berthe, près de lui, enlu-
minait des estampes.

Il souffrait, le pauvre homme, à la voir si mal vêtue,
avec ses brodequins sans lacets et l'emmanchure de ses
blouses déchirée jusqu'aux hanches, car la femme de
ménage n'en prenait guère de souci. Mais elle était si
douce, si gentille, et sa petite tête se penchait si gracieuse-
ment en laissant retomber sur ses joues roses sa bonne
chevelure blonde, qu'une délectation infinie l'envahissait,
plaisir tout mêlé d'amertume comme ces vins mal faits qui
sentent la résine. Il raccommodait ses joujoux, lui fabriquait
des pantins avec du carton, ou recousait le ventre déchiré
de ses poupées. Puis, s'il rencontrait des yeux la boîte à
ouvrage, un ruban qui traînait ou même une épingle restée
dans une fente de la table, il se prenait à rêver, et il avait
l'air si triste, qu'elle devenait triste comme lui.

Personne à présent ne venait le voir; car Justin s'était
enfui à Rouen, où il est devenu garçon épicier, et les
enfants de l'apothicaire fréquentaient de moins en moins
la petite, M. Homais ne se souciant pas, vu la différence
de leurs conditions sociales, que l'intimité se prolongeât.

L'Aveugle, qu'il n'avait pu guérir avec sa pommade,
était retourné dans la côte du Bois-Guillaumin, où il
narrait aux voyageurs la vaine tentative du pharmacien,
à tel point que Homais, lorsqu'il allait à la ville, se dissimulait derrière les rideaux de l'*Hirondelle,* afin d'éviter
sa rencontre. Il l'exécrait; et, dans l'intérêt de sa propre
réputation, voulant s'en débarrasser à toute force, il dressa
contre lui une batterie cachée, qui décelait la profondeur
de son intelligence et la scélératesse de sa vanité. Durant
six mois consécutifs, on put donc lire dans le *Fanal de
Rouen* des entrefilets ainsi conçus:

« Toutes les personnes qui se dirigent vers les fertiles
contrées de la Picardie auront remarqué, sans doute, dans
la côte du Bois-Guillaume, un misérable atteint d'une
horrible plaie faciale. Il vous importune, vous persécute
et prélève un véritable impôt sur les voyageurs. Sommes-
nous encore à ces temps monstrueux du moyen âge, où il

était permis aux vagabonds d'étaler par nos places publiques la lèpre et les scrofules qu'ils avaient rapportées de la croisade? »

Ou bien:

« Malgré les lois contre le vagabondage, les abords de nos grandes villes continuent à être infestés par des bandes de pauvres. On en voit qui circulent isolément, et qui, peut-être, ne sont pas les moins dangereux. A quoi songent nos édiles? »[396]

Puis Homais inventait des anecdotes:

« Hier, dans la côte du Bois-Guillaume, un cheval ombrageux... » Et suivait le récit d'un accident occasionné par la présence de l'aveugle.

Il fit si bien qu'on l'incarcéra. Mais on le relâcha. Il recommença et Homais aussi recommença. C'était une lutte. Il eut la victoire; car son ennemi fut condamné à une réclusion perpétuelle dans un hospice.

Ce succès l'enhardit; et dès lors, il n'y eut plus dans l'arrondissement un chien écrasé, une grange incendiée, une femme battue, dont aussitôt il ne fît part au public, toujours guidé par l'amour du progrès et la haine des prêtres. Il établissait des comparaisons entre les écoles primaires et les frères ignorantins,[397] au détriment de ces derniers, rappelait la Saint-Barthélémy à propos d'une allocation de cent francs faite à l'église, et dénonçait des abus, lançait des boutades. C'était son mot. Homais sapait; il devenait dangereux.

Cependant, il étouffait dans les limites étroites du journalisme, et bientôt il lui fallut le livre, l'ouvrage! Alors il composa une *Statistique générale du canton d'Yonville, suivie d'observations climatologiques*, et la statistique le poussa vers la philosophie. Il se préoccupa des grandes questions: problème social, moralisation des classes pauvres, pisciculture, caoutchouc, chemins de fer, etc. Il en vint à rougir d'être un bourgeois. Il affectait le *genre artiste*, il fumait! Il s'acheta deux statuettes *chic* Pompadour,[398] pour décorer son salon.

Il n'abandonnait point la pharmacie; au contraire! il

se tenait au courant des découvertes. Il suivait le grand
mouvement des chocolats.[399] C'est le premier qui ait fait
venir dans la Seine-Inférieure du *cho-ca* et de la *revalentia*.[400] Il s'éprit d'enthousiasme pour les chaînes hydro-
électriques Pulvermacher; il en portait une lui-même; et,
le soir, quand il retirait son gilet de flanelle, madame
Homais restait tout éblouie devant la spirale d'or sous
laquelle il disparaissait, et sentait redoubler ses ardeurs
pour cet homme plus garrotté qu'un Scythe et splendide
comme un mage.

Il eut de belles idées à propos du tombeau d'Emma.
Il proposa d'abord un tronçon de colonne, avec une
draperie, ensuite une pyramide, puis un temple de Vesta,
une manière de rotonde... ou bien « un amas de ruines ».
Et, dans tous les plans, Homais ne démordait point du
saule pleureur qu'il considérait comme le symbole obligé
de la tristesse.

Charles et lui firent ensemble un voyage à Rouen, pour
voir des tombeaux, chez un entrepreneur de sépultures, —
accompagnés d'un artiste peintre, un nommé Vaufrylard,
ami de Bridoux, et qui, tout le temps, débita des calembours. Enfin, après avoir examiné une centaine de dessins,
s'être commandé un devis et avoir fait un second voyage
à Rouen, Charles se décida pour un mausolée qui devait
porter sur ses deux faces principales « un génie tenant
une torche éteinte ».

Quant à l'inscription, Homais ne trouvait rien de beau
comme: *Sta viator*,[401] et il en restait là; il se creusait
l'imagination; il répétait continuellement: *Sta viator*...
Enfin il découvrit: *amabilem conjugem calcas!* [402] qui fut
adopté.

Une chose étrange, c'est que Bovary, tout en pensant
à Emma continuellement, l'oubliait; et il se désespérait à
sentir cette image lui échapper de la mémoire au milieu
des efforts qu'il faisait pour la retenir. Chaque nuit, pourtant, il la rêvait; c'était toujours le même rêve; il s'approchait d'elle; mais, quand il venait à l'étreindre, elle
tombait en pourriture dans ses bras.

On le vit pendant une semaine entrer le soir à l'église. M. Bournisien lui fit même deux ou trois visites, puis l'abandonna. D'ailleurs, le bonhomme tournait à l'intolérance, au fanatisme, disait Homais; il fulminait contre l'esprit du siècle et ne manquait pas, tous les quinze jours, au sermon, de raconter l'agonie de Voltaire, lequel mourut en dévorant ses excréments, comme chacun sait.

Malgré l'épargne où vivait Bovary, il était loin de pouvoir amortir ses anciennes dettes. Lheureux refusa de renouveler aucun billet. La saisie devint imminente. Alors il eut recours à sa mère, qui consentit à lui laisser prendre une hypothèque sur ses biens, mais en lui envoyant force récriminations contre Emma; et elle demandait, en retour de son sacrifice, un châle échappé aux ravages de Félicité. Charles le lui refusa. Ils se brouillèrent.

Elle fit les premières ouvertures de raccommodement, en lui proposant de prendre chez elle la petite, qui la soulagerait dans sa maison. Charles y consentit. Mais, au moment du départ, tout courage l'abandonna. Alors ce fut une rupture définitive, complète.

A mesure que ses affections disparaissaient, il se resserrait plus étroitement à l'amour de son enfant. Elle l'inquiétait cependant; car elle toussait quelquefois et avait des plaques rouges aux pommettes.

En face de lui s'étalait, florissante et hilare, la famille du pharmacien, que tout au monde contribuait à satisfaire. Napoléon l'aidait au laboratoire. Athalie lui brodait un bonnet grec, Irma découpait des rondelles de papier pour couvrir les confitures, et Franklin récitait tout d'une haleine la table de Pythagore.[403] Il était le plus heureux des pères, le plus fortuné des hommes.

Erreur! une ambition sourde le rongeait: Homais désirait la croix. Les titres ne lui manquaient point:

1° S'être, lors du choléra, signalé par un dévouement sans bornes; 2° avoir publié, et à ses frais, différents ouvrages d'utilité publique, tels que... (et il rappelait son mémoire intitulé: *Du cidre, de sa fabrication et de ses effets;* plus, des observations sur le puceron laniger, envoyées à l'Académie; son volume de statistique, et jusqu'à sa thèse de pharmacien); sans compter que je suis membre de plusieurs sociétés savantes (il l'était d'une seule).

—Enfin, s'écriait-il, en faisant une pirouette, quand ce ne serait que de me signaler aux incendies!

Alors Homais inclinait vers le Pouvoir. Il rendit secrètement à M. le Préfet de grands services dans les élections. Il se vendit enfin, il se prostitua. Il adressa même au souverain une pétition où il le suppliait *de lui faire justice*, il l'appelait *notre bon roi* et le comparait à Henri IV.

Et, chaque matin, l'apothicaire se précipitait sur le journal pour y découvrir sa nomination: elle ne venait pas. Enfin, n'y tenant plus, il fit dessiner dans son jardin un gazon figurant l'étoile de l'honneur, avec deux petits tortillons d'herbe qui partaient du sommet pour imiter le ruban. Il se promenait autour, les bras croisés, en méditant sur l'ineptie du gouvernement et l'ingratitude des hommes.

Par respect, ou par une sorte de sensualité qui lui faisait mettre de la lenteur dans ses investigations, Charles n'avait pas encore ouvert le compartiment secret d'un bureau de palissandre dont Emma se servait habituellement. Un jour, enfin, il s'assit devant, tourna la clef et poussa le ressort. Toutes les lettres de Léon s'y trouvaient. Plus de doute, cette fois! Il dévora jusqu'à la dernière, fouilla dans tous les coins, tous les meubles, tous les tiroirs, derrière les murs, sanglotant, hurlant, éperdu, fou. Il découvrit une boîte, la défonça d'un coup de pied. Le portrait de Rodolphe lui sauta en plein visage, au milieu des billets doux bouleversés.

On s'étonna de son découragement. Il ne sortait plus, ne recevait personne, refusait même d'aller voir ses malades. Alors on prétendit qu'il *s'enfermait pour boire*.

Quelquefois, pourtant, un curieux se haussait par-dessus la haie du jardin et apercevait avec ébahissement cet homme à barbe longue, couvert d'habits sordides, farouche, et qui pleurait tout haut en marchant.

Le soir, dans l'été, il prenait avec lui sa petite fille et la conduisait au cimetière. Ils s'en revenaient à la nuit close, quand il n'y avait plus d'éclairé sur la place que la lucarne de Binet.

Cependant la volupté de sa douleur était incomplète, car il n'avait autour de lui personne qui la partageât; et il faisait des visites à la mère Lefrançois afin de pouvoir parler d'*elle*. Mais l'aubergiste ne l'écoutait que d'une oreille, ayant comme lui des chagrins, car M. Lheureux venait enfin d'établir *les Favorites du Commerce,* et Hivert, qui jouissait d'une grande réputation pour les commissions, exigeait un surcroît d'appointements et menaçait de s'engager « à la Concurrence ».

Un jour qu'il était allé au marché d'Argueil pour y vendre son cheval, — dernière ressource, — il rencontra Rodolphe.

Ils pâlirent en s'apercevant. Rodolphe, qui avait seulement envoyé sa carte, balbutia d'abord quelques excuses, puis s'enhardit et même poussa l'aplomb (il faisait très chaud, on était au mois d'août) jusqu'à l'inviter à prendre une bouteille de bière au cabaret.

Accoudé en face de lui, il mâchait son cigare tout en causant, et Charles se perdait en rêveries devant cette figure qu'elle avait aimée. Il lui semblait revoir quelque chose d'elle. C'était un émerveillement. Il aurait voulu être cet homme.

L'autre continuait à parler culture, bestiaux, engrais, bouchant avec des phrases banales tous les interstices où pouvait se glisser une allusion. Charles ne l'écoutait pas; Rodolphe s'en apercevait, et il suivait sur la mobilité de sa figure le passage des souvenirs. Elle s'empourprait peu à peu, les narines battaient vite, les lèvres frémissaient; il y eut même un instant où Charles, plein d'une fureur sombre, fixa ses yeux contre Rodolphe, qui, dans une sorte d'effroi, s'interrompit. Mais bientôt la même lassitude funèbre réapparut sur son visage.

— Je ne vous en veux pas, dit-il.

Rodolphe était resté muet. Et Charles, la tête dans ses deux mains, reprit d'une voix éteinte et avec l'accent résigné des douleurs infinies:

— Non, je ne vous en veux plus!

Il ajouta même un grand mot, le seul qu'il ait jamais dit:

— C'est la faute de la fatalité!

Rodolphe, qui avait conduit cette fatalité, le trouva bien débonnaire pour un homme dans sa situation, comique même, et un peu vil.

Le lendemain, Charles alla s'asseoir sur le banc, dans la tonnelle. Des jours passaient par le treillis; les feuilles de vigne dessinaient leurs ombres sur le sable, le jasmin embaumait, le ciel était bleu, des cantharides bourdonnaient autour des lis en fleur, et Charles suffoquait comme un adolescent sous les vagues effluves amoureux qui gonflaient son cœur chagrin.

A sept heures, la petite Berthe, qui ne l'avait pas vu de toute l'après-midi, vint le chercher pour dîner.

Il avait la tête renversée contre le mur, les yeux clos, la bouche ouverte, et tenait dans ses mains une longue mèche de cheveux noirs.

— Papa, viens donc! dit-elle.

Et, croyant qu'il voulait jouer, elle le poussa doucement. Il tomba par terre. Il était mort.

Trente-six heures après, sur la demande de l'apothicaire, M. Canivet accourut. Il l'ouvrit et ne trouva rien.

Quand tout fut vendu, il resta douze francs soixante et quinze centimes qui servirent à payer le voyage de mademoiselle Bovary chez sa grand-mère. La bonne femme mourut dans l'année même; le père Rouault étant paralysé, ce fut une tante qui s'en chargea. Elle est pauvre et l'envoie, pour gagner sa vie, dans une filature de coton.

Depuis la mort de Bovary, trois médecins se sont succédé à Yonville sans pouvoir y réussir, tant M. Homais les a tout de suite battus en brèche. Il fait une clientèle d'enfer; l'autorité le ménage et l'opinion publique le protège.

Il vient de recevoir la croix d'honneur.

Notes

1. *un nouveau:* a new boy.

2. *un garçon de classe:* a school janitor.

3. *il entre en cinquième ... son âge:* "he is starting in the second-year class. If his work and his conduct warrant it, he will go up with the seniors, where he belongs at his age." Charles is described a few lines further on as about fifteen; on starting secondary school (high school) he is so far behind that he has to be put in a class of thirteen-year-olds. The secondary school course begins in *la (classe de) sixième.*

4. *... et laissait ... poignets rouges:* and through the slits in the cuffs could be seen red wrists.

5. *le genre:* "the done thing."

6. *du bonnet à poil ... de coton:* a busby, a lancer's cap, a derby, a sealskin cap and a nightcap.

7. *renflée de baleines, ... boudins circulaires:* boned so that it swelled (lit.: swelling with whalebone), it began with three circular rolls.

8. *une broderie en soutache:* braiding.

9. *Quos ego:* quoted from Virgil's *Aeneid* I, l. 135, where Neptune interrupts his threatening outburst against the winds as he quells a storm.

10. *qu'il venait ... toque:* which he had just taken out of his cap. *Dans* is regularly used to denote motion from a point within something.

11. *il tira ses bouts de manches de son pupitre:* he took his cuff-protectors from his desk (detachable cuffs slipped on over the coat sleeves to keep them clean).

12. *ancien aide-chirurgien-major:* a former army surgeon's assistant.

13. *compromis ... conscription:* "mixed up in some disturbances over conscription about 1812"—rigging of conscription procedures for Napoleon's army for the invasion of Russia.

14. *la fabrique:* manufacture, evidently of cotton goods, since

indienne, in the next sentence, is printed cotton. Rouen is a center for cotton textiles.

15. *il voulut faire valoir:* he set out to make good.

16. *vin éventé:* wine spoiled by exposure to the air.

17. *les gotons de village*: the village wenches. *Goton* may be based on the name *Margot*.

18. *soldait leurs mémoires* (m.): paid their bills.

19. *les processions:* religious processions.

20. *chatteries babillardes:* wheedling babble.

21. *les ponts et chaussées:* lit. bridges and roads, i.e., the Department of civil engineering.

22. *lui acheter ... commerce:* to buy him an appointment to public office or a business. Payment was a not infrequent means of securing government appointment.

23. *fanait:* tossed hay.

24. *jouait à la marelle:* played hopscotch.

25. *la foire Saint-Romain:* the fair of Saint Romain, a seventh-century bishop of Rouen whose festival day is October 23. The lack of *de* linking *Saint-Romain* to *foire* is a survival from old French.

26. *correspondant:* guardian.

27. *trois pains à cacheter:* three sticks of sealing wax.

28. *Anacharsis: Le voyage du jeune Anacharsis:* a late eighteenth-century work by the Abbé Barthélemy, depicting the life of the Greeks in the fourth century B.C.

29. *traînait:* intransitive use of *traîner:* "to lie about."

30. *accessit:* honorable mention.

31. *sa troisième:* fourth year in secondary school.

32. *le baccalauréat:* certificate gained at a rigorous examination, at the end of *la première* and a further year of secondary school. The *baccalauréat* is required for admission to universities and certain civil service careers.

33. *merisier:* cherry wood.

34. *cheval de manège:* mill horse.

35. *tout en battant la semelle:* beating his feet (to warm them).

36. *jouent au volant:* "play battledore and shuttlecock." Later, p. 45, the word *volant* has quite a different sense, referring to Emma's *robe ... garnie de trois volants,* "adorned with three flounces."

37. *la hêtrée,* form of *la hêtraie:* the beech grove.

38. *aux bienvenues:* at social gatherings.

39. *Béranger* (1780–1857), writer of popular Bonapartist songs under the Restoration of the Bourbons after the fall of Napoleon.

40. *officier de santé:* formerly a medical practitioner authorized to practice, within certain limits, without a degree. Conferring of this title ceased in 1892. It had been beyond Charles to aspire to the degree of *docteur.*

41. *n'avait point encore plié bagage: plier bagage,* "to pack up one's belongings," then, colloquially, "to decamp," and, as here, "to die."

42. *douze cents livres de rente:* an income of 1200 francs a year.

43. *sèche comme un cotret:* thin as a lath. *Cotret* is lit. "a bundle of wood," "a stick."

44. *faire maigre:* to fast, to eat no meat.

45. *son bonnet ... à houppes grises:* his woollen cap with gray tassels.

46. *la ruelle:* space between bedside and wall. *Tournée vers la ruelle:* facing the wall.

47. *en revenant de faire les Rois:* on his way home from celebrating Twelfth Night, the visit of *Les trois Rois Mages,* the three wise Men of the East, to the Infant Christ.

48. *sa demoiselle:* the boy uses this respectful term, "his young lady," for M. Rouault's daughter. A usage of the vernacular.

49. *cauchoises:* "of the pays de Caux," a region of Normandy to the north of the Seine and extending to the Channel.

50. *sacrer:* cursing. The original sense is "to anoint" (a king), "to consecrate." Then, since curses often originate from a profane use of a sacred word, *sacrer* comes to mean "to curse." So, too, the adjective *sacré* after a noun means "sacred," but placed before the noun can mean "confounded," "damned."

51. *attelles:* splints.

52. *son étui:* a box or case. Here: a needlecase, a workbox.

53. *les ivoires de Dieppe:* Dieppe, on the Channel coast to the north of Rouen, a center for ivory work.

54. *mordillonner:* based on *mordiller,* "to nibble" (from *mordre*).

55. *nerf de bœuf:* whip, made from sinew from a bull's neck.

56. *masure:* in Normandy, the yard round the house; not the standard French meaning of hovel, or shanty.

57. *soie gorge-de-pigeon:* shot silk.

58. *des apostrophes à brûle-pourpoint:* point-blank reproaches. The metaphor is from firing a gun at close range, burning the doublet.

59. *qui a failli ... assises:* who narrowly escaped the courts.

60. *payer ses arrérages:* to pay his arrears (of wages), or simply: to pay his debts.

61. *se trouva ... pilotis:* turned out to be eaten up by mortgages to its very foundations.

62. *une haridelle:* an old nag. This term for a scraggy horse is used colloquially for a gaunt woman. Here the metaphor of the horse is sustained.

63. *le coup était porté:* the blow had struck home.

64. *soixante et quinze francs en pièces de quarante sous:* seventy-five francs in two-franc pieces, which, of course, is not possible. An uncharacteristic lapse on Flaubert's part.

65. *les taupes ... dans le ventre:* dead moles, crawling with worms. In his preface to his translation of *Madame Bovary* (1957), Francis Steegmuller explains that these were hung in the branches by peasants who believed they would frighten away live moles.

66. *pour vous dissiper un peu:* for a little distraction (Norman usage).

67. *Elle lui parla encore de sa mère ... :* Note this characteristic device of Flaubert's style: at this point the author is reporting Emma's conversation. In the next sentence, beginning *Mais le jardinier ...* , we see a transition into indirect speech: the words Emma used become a more vivid part of the narrative, by taking us into her thinking. The "point of view" shifts from that of the all-seeing author to that of the character he is portraying.

68. *les glorias:* coffee mixed with spirits.

69. *que l'arbre ... remettre:* as the shaft of the press had to be replaced (probably here a cider press, since Normandy is a region of apple orchards).

70. *la Saint-Michel:* Michaelmas (September 29); feminine in French, as it stands for *la fête de Saint Michel.*

71. *lui fit la conduite:* went with him as he was leaving.

72. *à cause du monde:* because of the servants.

73. *pour que vous ne vous mangiez pas le sang:* Norman expression, *se manger le sang,* equivalent to *se désespérer.*

74. *cabriolets ... cuir:* gigs without hoods, wagons with leather curtains.

75. *les ridelles:* the rails.

76. *blouses de cérémonie:* Sunday best smocks.

77. *avec son violon ... coquille:* with his violin bedecked with ribbons on its scroll.

78. *il débitait des galanteries d'estaminet:* he was paying bar-room compliments.

79. *se faisait des niches dans le dos:* played practical jokes behind each other's backs.

80. *cirait longuement de colophane son archet:* would rosin his bow at length.

81. *en arabesques de nonpareille:* in scrolls of nonpareil (colored candy dots, sometimes called "hundreds-and-thousands").

82. *une pièce montée:* a set piece, a decorated cake.

83. *une partie de bouchon:* a game of cork-penny; a game in which a cork with coins on it had to be knocked over with a quoit or a billiard ball.

84. *on passait sous son pouce:* obscure; probably a game of the district, perhaps equivalent to "they performed tricks of sleight of hand." Translators offer various solutions, e.g., "performed feats with their fingers" (Eleanor Marx Aveling); "played the game of passing their heads under their arms while holding one thumb on the table" (Steegmuller).

85. *les saignées:* the ditches.

86. *un mareyeur:* a fishmonger.

87. *la première grossesse de sa femme:* his wife's first pregnancy.

88. *l'odeur des roux:* the smell of brown sauces.

89. *murs de bauge:* walls of clay and straw mortar.

90. *un boc:* a sort of gig.

91. *les pattes escalopées de son bonnet:* the scalloped flaps of her nightcap.

92. *bleu foncé:* yet earlier, p. 46, Emma's eyes were described as brown.

93. *pour payer la contredanse à ... :* to pay to take to a dance.

94. These are the first signs of Emma's discontent. The next chapter details the influences which, during her adolescence, fostered her romantic dreaming.

95. *Paul et Virginie:* novel, 1787, by Bernardin de Saint-Pierre, a disciple of Rousseau. Its romantic idyll takes place on the island of Mauritius in the Indian Ocean.

96. *Mademoiselle de La Vallière:* favorite of Louis XIV; she finally withdrew into a convent.

97. *l'abbé Frayssinous:* 1765–1841. The lectures mentioned were given early in the nineteenth century, and published under the title of *La Défense du Christianisme.*

98. *Le Génie du Christianisme:* published in 1802, by Chateaubriand (1768–1848), one of the initiators of the Romantic movement, and the epitome of the Romantic characteristics, especially that of melancholy (*mal du siècle*), which are under criticism from Flaubert here.

99. *Héloïse:* twelfth-century nun, famous for her tragic love affair with Abélard.

100. *Agnès Sorel:* fifteenth-century favorite of Charles VII ("le Victorieux," thanks to Jeanne d'Arc).

101. *la belle Ferronnière:* a Parisian bourgeoise, mistress of François Ier.

102. *Clémence Isaure:* fourteenth-century lady of Toulouse. Literary legend long credited her with founding the *Académie des Jeux Floraux*, which gave poetry prizes in the form of flowers made of gold and silver.

103. *Saint Louis:* Louis IX, thirteenth century, represented as dispensing justice to his subjects under an oak tree.

104. *Bayard:* famous French captain in the early sixteenth century, whose bravery won him the title of "Chevalier sans peur et sans reproche."

105. *Louis XI:* king of France, 1461–1483, unscrupulous and domineering in his unification of France.

106. *Saint-Barthélemy:* 1572, ferocious massacre of French Protestants authorized by Charles IX.

107. *du Béarnais:* Le Béarnais (inhabitant of *Béarn,* in the extreme southwest of France) refers to Henri IV, the king and former Protestant leader to whom is attributed the saying "Paris is worth a Mass."

108. *les keepsakes:* the autograph albums.

109. *Et vous y étiez aussi ... :* This passage typifies the appeal of the exotic to the Romantics, an appeal to which Flaubert was not indifferent.

110. *djiaours:* "giaours," term scornfully applied by Moslems to non-Moslems, particularly to Christians.

111. *l'abat-jour du quinquet:* the shaded lamp, lit. "the shade of the lamp." *Un quinquet* was a lamp with an oil container beside it, and a cylindrical wick through which air passed.

112. *les cordes frisaient:* a difficult expression which, some editors suggest, should read: *les cordes frémissaient.*

113. *reines-claude:* greengages.

114. *des rince-bouche:* some fingerbowls.

115. *le miroton:* the stew.

116. *les cordons:* the strings sewn to each side of the open end of the pillowcase and tied together to close it.

117. *Quand elle eut ... battu le briquet ... étincelle: battre le briquet* (tinderbox) is literally "to strike a light." So this expression means: when she had thus tried to kindle a spark of love in her heart without any success ...

118. *une levrette:* a greyhound (bitch).

119. *le saut-de-loup:* ditch fulfilling the function of a fence without blocking the view.

120. *ravenelles:* Norman word for *giroflées,* wallflowers.

121. *Djali:* one of a number of reminiscences of Hugo's *Note-Dame de Paris:* Emma's dog has the name of Esmeralda's goat.

122. *le Conseil général:* the Council of the department (subdivision of France administered by a *préfet*).

123. *une causeuse:* a small sofa for two people.

124. *que plusieurs dames n'avaient pas mis leurs gants dans leur verre:* i.e., that they drank wine. It was customary at that time for a lady to put her gloves in her glass if she did not wish to take wine.

125. *portait une petite queue:* had a little pigtail (doubtless a wig, since he had been at the court of Louis XVI).

126. *le comte d'Artois:* brother of Louis XVI and Louis XVIII, whom he succeeded in 1824 as Charles X.

127. *la reine Marie-Antoinette:* Austrian-born wife of Louis XVI, extravagant and opposed to reforms. Like Louis XVI, she was guillotined during the Revolution, in 1793.

128. *sa robe de barège:* her dress of barège, a fine, gauzelike material named from the village of Barèges in southwestern France.

129. *Castellamare:* Italian port, south of Naples.

130. *les Cassines:* the reference is obscure; perhaps the southern Italian town of Cassino or the nearby Monte Cassino with its famous Benedictine monastery.

131. *s'ériflait: érifler,* Norman form for *érafler,* "to graze."

132. *les genoux lui rentraient dans le corps:* colloquial, he was too tired to stand, was dog-tired.

133. *une bannette:* a basket.

134. *jusqu'aux communs:* to the outbuildings.

135. *le reculement:* breeching, or breech band (of harness).

136. *le bidet:* pony.

137. *sa première pratique:* his first patient.

138. *les jours de Bois:* the days of social occasions in the Bois de Boulogne, on the outskirts of Paris.

139. *Eugène Sue:* novelist, whose *Mystères de Paris* appeared in 1842 as one of the first *romans feuilletons* or serials. It had a great success.

140. *Honoré de Balzac,* one of the greatest of the French Realist novelists, whose vast series of novels appeared 1829–1850 under the general title of *La Comédie humaine.*

141. *George Sand:* nom de plume of Lucile-Aurore Dupin, celebrated sentimental novelist of the first half of the nineteenth century, noted for her advocacy of the emancipation of women and their freedom in love.

142. *Bade:* Baden-Baden, famous resort in southwestern Germany.

143. *une brochette en croix:* a row of decorations. In his own edition, Dumesnil amends this to *de croix,* describing *en* as a misprint perpetuated in many editions.

144. *un piano d'Erard:* the "Steinway" of the period.

145. This detailed description of the dreary village in which the Bovarys are about to settle augurs no more satisfying surroundings for Emma.

146. *chemin de grande vicinalité:* important local road.

147. *la Charte:* the charter granted by Louis XVIII in 1814 and revised after the fall of Charles X in 1830.

148. *Eaux ... Barèges:* mineral waters from Vichy (central France), Seltz (Prussia) and Barèges (southwestern France).

149. *robs dépuratifs:* blood-cleansing syrups.

150. *racahout des Arabes:* a sort of flour made from various roots and fruits.

151. *Raspail, Darcet, Regnault:* chemists of the period.

152. *monter une poule:* run a game of pool.

153. *pour la Pologne:* The 1830 insurrection in the Russian-dominated part of Poland had been cruelly suppressed. Help for the victims was frequently collected in other countries for some years.

154. *les inondés de Lyon:* victims of a flood in Lyon in 1840.

155. *Nous avons du foin dans nos bottes, nous autres!:* We are well stocked!

156. *et dégoûté qu'il est!:* and he is so fastidious!

157. *un tour:* a lathe.

158. *la dîme:* the tithe. The payment of a tenth part of the harvest to the Church was abolished by the Revolution.

159. *Mon Dieu, ... Béranger:* a strangely mixed list with which to impress Mme Lefrançois.

160. *la Profession de foi du vicaire savoyard:* forms a part of Jean-Jacques Rousseau's work on education, *Emile*. In the *Profession de foi* Rousseau advocates natural religion.

161. *les immortels principes de 89:* the principles of 1789, i.e., of the French Revolution.

162. *Réaumur:* thermometer, named after its eighteenth-century inventor, with 80 degrees between freezing and boiling points.

163. *l'Ange gardien:* a sentimental song of the period.

164. *qui n'y regardait pas:* to whom expense was no object.

165. *Delille:* poet, translator of Virgil and Milton, very much in fashion during the Empire. With friends, Flaubert had parodied him years before *Madame Bovary*.

166. *une fraise:* referring to costume: a ruff, a ruffle.

167. The final sentence of this chapter sums up ironically Emma's unrealistic optimism.

168. *ventôse an XI:* sixth month (February-March) of the French Republican calendar instituted in 1793; years were reckoned from the establishment of the Republic, so *an XI* was 1804.

169. *en s'attachant ... c'était gagner sa gratitude:* a grammatical non sequitur. Strict grammatical sequence would require either *en s'attachant ... il gagnerait,* or *s'attacher ... c'était gagner.*

170. *un berceau en nacelle:* a boat-shaped cradle.

171. *Athalie:* the last tragedy of Jean Racine, 1691.

172. *les calotins:* slang expression for priests, "sky-pilots."

173. *trois coffins de pâte à la guimauve:* three bags of marshmallow paste. In Norman dialect, *le coffin* is used in the sense of *le cornet.*

174. *le Dieu des bonnes gens:* a gay song by Béranger.

175. *la Guerre des dieux:* biblical parody, 1799, by the poet Evariste Parny.

176. *les six semaines de la Vierge:* this period of seclusion

is based on the six weeks between the Nativity and the Purification of Mary.

177. *embricolées:* a Norman expression, meaning wearing a *bricole*, a sort of wooden collar to keep the cows from reaching the branches of the apple trees.

178. *un Mathieu Laensberg:* an almanac giving a great variety of prophecies, remedies, etc. It enjoyed a great vogue from its appearance in 1636 to the mid-nineteenth century.

179. *un polypier:* polypary, branch of coral.

180. *osmazôme:* the nutritive element in bouillon.

181. *caléfacteurs:* stoves.

182. *une belle tête phrénologique:* a fine skull for phrenology, or the reading of the "bumps," by a system devised by the German Doctor Gall, and in vogue early in the nineteenth century.

183. *un paletot de sapin:* an overcoat of pine, i.e., a coffin.

184. *Il a fait tant de bamboches:* colloquial, he went on a spree so often.

185. *la Sachette:* this is Paquette la Chantefleurie, a character in Victor Hugo's novel *Notre Dame de Paris*. Her child Agnès was stolen by gypsies, and she spent her time adoring her lost child's shoe. Agnès reappears as la Esméralda.

186. *pour ne pas rogner la journée:* not to cut down the day's pay.

187. *je ne vous remettais pas:* I did not recognize you.

188. *Diauville:* Norman pronunciation of *Deauville*.

189. *l'enfle:* Norman form of *enflure:* swelling.

190. *sac à papier!:* a mild oath: "hang it all!"

191. *recta:* colloquialism, regularly.

192. *diachylum:* plaster.

193. *bourrelets matelassés:* padded caps.

194. *savoir à quoi s'en tenir:* to know how he stood.

195. *à n'y pouvoir tenir:* so that he could not stand it.

196. *tout bonhomme qu'il était:* good-natured though he was.

197. *deux fleurets en sautoir:* a pair of crossed fencing foils.

198. *Prenant donc un parti moyen:* So, taking a middle course ...

199. *à l'anglaise, donc:* here, apparently, "in the English way," meaning, with a handshake.

200. *en serpillière:* in a workman's apron.

201. *les parties fines chez le traiteur:* gay parties at the restaurant.

202. *tout cela va rouler:* everything will go swimmingly.

203. *Je ne crois pas qu'il se dérange:* I don't think he will run wild.

204. *et l'on y est obligé ... gousset:* and there you are continually forced to keep your hand over your waistcoast pocket (with money in it).

205. *flibuster:* slang, to pinch.

206. *Quel collier de misère!:* What drudgery!

207. *se passer des fantaisies:* to gratify some whims.

208. *Guête!:* Look! *Guêter* (for *guetter*) is used in Normandy for *regarder*.

209. *locher:* Norman word, to shake (a branch of a tree to make the fruit fall).

210. *ça bâille ... cela vous adorerait:* Note the disparaging use of *ça* and *cela* referring to Emma.

211. *fastidieuse:* wearisome (*not* "fastidious").

212. *bombarde:* mortar (old form of artillery).

213. *sanglé:* buttoned up tight.

214. *un gargotier:* a wretched cook.

215. *Serviteur!:* shortened version of the polite formula *Je suis votre serviteur*. Here simply a greeting: "Good morning."

216. *le rat du bonhomme dans son fromage:* the allusion is to La Fontaine's fable *Le Rat qui s'est retiré du monde*.

217. *Balancez!:* Mark time!

218. *un port d'armes:* a shouldering of arms.

219. *Utrecht:* here means *velours d'Utrecht*, Utrecht velvet.

220. *drap non décati:* shiny cloth.

221. *Cincinnatus:* called from the plough to the dictatorship in the fifth century B.C., he became traditionally typical of old-fashioned Roman simplicity.

222. *Dioclétien:* Diocletian, Roman emperor who abdicated in disgust in A.D. 305 and devoted himself to gardening.

223. Comic alternation of the President's prize announcements with Rodolphe's declaration to Emma.

224. *nos guérets:* fields. A poetical term chosen by Homais for this piece of florid journalism.

225. *couronnée:* broken-kneed.

226. *diables à boudin* (or *diables à ressort*): Jack-in-the-boxes.

227. *crassineux:* misty.

228. *eau de cuivre:* liquid metal polish.

229. *arcanson:* another name for *colophane,* rosin.

230. *son dinde:* for *sa dinde; dinde* is masculine in Norman dialect. This is the first of several touches of the dialect in M. Rouault's letter.

231. *picots:* Norman for *dindons,* gobblers.

232. *Il me fait deuil:* Norman equivalent of *cela me fait de la peine.* Cf. p. 386: *ça me ferait trop de deuil.*

233. *les fautes ... autres:* spelling mistakes came tumbling over one another.

234. *stréphopodie:* turning of the foot, more general in sense than the related technical terms which follow and which are explained in the text.

235. *s'écorait:* Norman term, *s'appuyait.*

236. *quitte à s'en prendre plus tard à:* though he would later have to tackle.

237. *Ambroise Paré:* French surgeon of the sixteenth century, famous for ligature of arteries after amputation.

238. *Celse:* celebrated Roman doctor and writer of medical history in the age of Augustus.

239. *Dupuytren* and *Gensoul:* French surgeons of the early nineteenth century.

240. *n'accusa point de douleur:* showed no sign of pain.

241. *joyeux drilles:* merry fellows. *Drille* originally meant old soldier.

242. *ecchymoses:* black and blue patches.

243. *l'œdème:* edema, or swelling.

244. *des phlyctènes:* blisters.

245. *tu t'écoutes trop:* you are coddling yourself too much.

246. Note the opposition of the provincial to Paris. His attack is addressed not to Bovary, but rather to the Parisian doctors with whom he contrasts the country practitioners.

247. *le strabisme:* squinting. The use of the term for the deformity, rather than for the treatment, is surprising in this context.

248. *la lithotritie:* lithotrity, the surgical crushing of stone in the bladder.

249. *mirliflores:* dandies.

250. *des jolis cœurs:* fops.

251. *le coffre:* colloquial, my chest.

252. *au hasard de la fourchette:* taking potluck.

253. *qu'elle gaspillait à mesure:* that she spoiled one after the other.

254. *vers la Saint-Pierre:* about St. Peter's Day (June 29).

255. *napoléons:* gold coins worth 20 francs each. The name is still used in Switzerland for a 20-franc gold piece.

256. *envahissante:* intrusive.

257. *on en devait rabattre:* they ought to be less fulsome.

258. Despite his intention of keeping the author's personality and views out of the novel, this reflection is Flaubert's own, rather than Rodolphe's.

259. *le duc de Clarence:* brother of Edward IV of England. Tradition has it that, condemned to death, he chose drowning in a butt of malmsey (wine).

260. *comme pour narguer le monde:* as if to show she did not care what people thought.

261. *De quel monde êtes-vous?:* What circles do you move in?

262. *rapatrier:* reconcile.

263. *Quelle paysanne!:* Emma seems to have put her own peasant origins completely behind her.

264. *la malle: la malle-poste,* the mail coach. *La malle entière* appears to mean hiring the whole coach.

265. *regard en coulisse:* sidelong gaze.

266. *mancenillier:* manchineal tree, native of West Indies and equatorial America, secretes a poison which is listed later by Homais, p. 369.

267. *de peur qu'elle vienne à me relancer:* for fear that she may come after me.

268. *C'était Binet qui tournait:* It was Binet at his lathe.

269. *mordit à même:* bit into it.

270. *That is the question:* This inept quotation from *Hamlet* is just a phrase Homais has acquired from a newspaper!

271. *Il était adjudicataire d'une fourniture:* he had secured a contract for a supply.

272. *Joseph de Maistre,* 1753–1821, a philosopher whose writings supported authoritarianism in religion and politics.

273. Compare this with p. 99, when Emma was bored with life in Tostes: *"Emma devenait difficile, capricieuse ..."*. Then, too, she indulged in sudden outbursts of generosity, but now she goes much further.

274. *Berthe avait beau pleurer:* however much Berthe cried.

275. *Vous donniez un peu dans la calotte!* You were leaning a little to the clergy. *La calotte,* the clerical skull cap, is used as a contemptuous, slang expression for the clergy.

276. *Castigat ridendo mores:* It corrects manners by laughing.

277. *le Gamin de Paris:* a play by Bayard and Vanderbruch, 1836.

278. *gothique:* old-fashioned, barbarous.

279. *les comédiens:* the actors, not writers of comedies.

280. *pousser une dernière botte:* to make a last thrust. The metaphor from fencing, in which *une botte* is a pass, a lunge, has passed into everyday speech.

281. *Voilà ... manière!:* That was *some* squabble! I gave him quite a licking, didn't I?

282. *à force d'obsessions:* because of his persistence.

283. *ils s'emballèrent:* they set off.

284. *faire florès:* be a sensation. *Florès* is used only in this familiar expression.

285. *vin bleu:* cheap wine.

286. *le parquet:* part of theater now called *l'orchestre,* orchestra stalls.

287. *Lucie de Lammermoor:* Donizetti's opera *Lucia di Lammermoor,* based on Sir Walter Scott's *The Bride of Lammermoor,* first performed in Naples, 1835.

288. *trois-six:* proof spirit.

289. *pistons:* lit. valves; used colloquially for *cornets à pistons,* "cornets."

290. *on entendit trois coups sur la scène:* the traditional signal for the rising of the curtain in French theaters.

291. *un bel organe:* a fine voice.

292. *la Chaumière:* a cabaret in Paris that was very popular with students at this time.

293. *débardeuses:* girls dressed as longshoremen, a popular fancy-dress costume in the nineteenth century.

294. *la Tour de Nesle:* title of a play by Alexandre Dumas and Gaillardet, 1832. Its chief character is Marguerite of Bourgogne who was put to death for adultery in the fourteenth century.

295. *fenêtre à guillotine:* sash window.

296. *Marianne dansant:* popular name for Salome dancing before Herod represented in the sculpture over the doorway.

297. The spire had been struck by lightning in 1822, and was being rebuilt at this time. Hence the future in the description, *"Elle aura."*

298. From here to the end of Chapter I: suppressed in the publication in the *Revue de Paris.*

299. *le capharnaüm:* the lumber room.

300. *bouillon:* boiling.

301. *bols:* pellets.

302. *se concentrant:* withdrawing.

303. *marine des cornichons:* pickle gherkins.

304. *dans les manutentions:* in handling things.

305. *Fabricando fit faber, age quod agis:* Practice makes perfect; what you are doing, do.

306. *un coq en pâte:* a fighting cock. *Pâte* means "cramming," and is used in this sense especially in this expression: *être, vivre, comme un coq en pâte.*

307. *reforçait:* an unusual form, but readily comprehensible: as he urged her repeatedly.

308. *couci-couci, entre le zist et le zest:* so-so, not up to much.

309. *une procuration:* power of attorney.

310. *j'ai l'œil américain:* I keep my eyes peeled.

311. *une licitation:* a sale by auction of property held jointly.

312. *Il la remercia:* he declined.

313. *Ce fut un assaut de prévenances:* they tried to outdo each other in kindness.

314. *assouvissance:* satisfaction. The usual form is *assouvissement.*

315. *tolets:* oarlocks.

316. *bauce:* for *bosse,* painter, mooring rope.

317. *Un soir . . . :* The line, aptly chosen, is from Lamartine's famous romantic lyric *"Le Lac"* (1820).

318. *tout le tremblement:* slang, "the whole caboodle."

319. *elle se trompait de portée:* she mistook the staves.

320. *par cachet:* a lesson.

321. A telling, ironic, chapter ending.

322. *vignot:* a hillock with a winding path and a vine arbor on top, once fashionable in gardens in Normandy.

323. The following description of the view of Rouen is quite famous.

324. *les bâtons:* the curtain rods or possibly rails forming part of the bed.

325. *même elle disait mes pantoufles:* some editors amend the text to read *nos pantoufles,* which suits the context better.

326. *l'odalisque au bain* and, below, *la femme pâle de Barcelone:* typical subjects of paintings of the period.

327. *Souvent la chaleur:* song of Restif de la Bretonne. This song recurs dramatically, sung at length by l'Aveugle, symbol of Death, as Emma dies (Part III, Ch. 8).

328. *J'aurais besoin d'argent:* this use of the conditional is an attenuated form of expression, less direct than the straightforward present indicative; about equivalent to "I am in some need of money."

329. *sise:* (past participle of the now little-used verb *seoir*) used in legal language: situate(d).

330. *je me libérerais:* I'd settle my debts.

331. *conséquente:* considerable (Norman).

332. *billets à ordre:* promissory notes, bills of exchange payable to order.

333. *Aucune fortune ne tient contre le coulage!:* No fortune can hold out against waste!

334. *des ajustements, des flaflas!:* adornments, ostentation!

335. *tout cela, c'étaient des gestes:* it was all playacting (Norman usage).

336. *je m'encroûte:* I am getting into a rut.

337. *monacos:* in slang, this name of an eighteenth-century French coin bearing the arms of the prince of Monaco has acquired the meaning of "cash" in general.

338. *turne:* room, digs.

339. *bazar:* has numerous meanings according to context: "school," "clothes." *Tout le bazar:* "every blessed thing," "the whole works."

340. *chicard, chicandard:* Chicard, based on *chic,* was the nickname of a dancer of the mid-nineteenth century and of his costume. Several slang words for *chic* were based on this nickname.

341. *Breda-Street: la rue Bréda,* in a district of Paris known as the *quartier Bréda* which, according to Larousse, *"fut longtemps une sorte de quartier général de la galanterie parisienne."*

342. *chancelière:* foot muff.

343. *garus:* a spiced drink, named after its inventor.

344. *Cujas et Barthole:* Cujas, a French jurist of the sixteenth century; Barthole or Bartole, an Italian jurist of the fourteenth century.

345. *papier timbré:* stamped paper, i.e., official paper, on which a tax has been paid, used for legal documents.

346. *sape:* Norman form of *sapin.*

347. *bernique!:* Nothing doing!

348. *je suis rond comme une pomme:* I am as straight as a die, as honest as they come. (If this were true, would he need to assert it?)

349 ... *bon teint. Ils gobent cela pourtant!:* ... fast color. Yet they swallow that!

350. The sense would be more immediately clear if some verb of saying, e.g., *dit-il,* followed *vous pensez bien,* so that it would be seen that the direct speech ends here and that *voulant* refers to the speaker.

351. *vendue:* Norman term for public auction.

352. *servirait exactement:* would pay punctually.

353. *à catogan:* with a ribbon (tying the hair back).

354. *lampion:* cocked hat.

355. *En vertu ... jugement:* By virtue of the written instrument in the form of a judgment to be enforced.

356. *battit la campagne:* raved.

357. *Elle ... massue:* She gave way, harder hit than if she had been struck with a club.

358. *procès-verbal:* report, record.

359. *un millier d'écus:* 3000 francs, since the old coin, the crown, was worth three francs.

360. *cheminots:* Flaubert was determined to introduce this specialty of Rouen into the novel, *"puisque j'ai la prétention de peindre Rouen,"* as he wrote in a letter to Bouilhet.

361. *hypocras:* hippocras, wine flavored with spices.

362. *cornée opaque, sclérotique:* while trying again to impress with his medical knowledge, Homais repeats himself, the terms *opaque* and *sclérotique* being synonymous when applied to the cornea; but, if he is aware of this, he knows it does not matter to his hearers.

363. *la Esméralda de Steuben, avec la Putiphar de Schopin:* Steuben, of German birth, and Schopin, brother of the pianist Chopin, both popular painters in nineteenth-century France. *La Esméralda:* the gypsy girl in Hugo's *Notre-Dame de Paris.*

364. *à Bautzen et à Lutzen:* victories of Napoleon over the Prussians and the Russians, 1813.

365. *la campagne de France:* 1814, the final phase in the defeat of Napoleon, fought on French soil.

366. *porté pour la croix:* recommended for the *croix de guerre.*

367. *Boulle:* (1642-1732), Parisian cabinet-maker, who excelled in inlaid work.

368. *tu chasses à courre* (old form of *courir*): you go hunting.

369. *se mit à manger à même:* began to eat it as it was.

370. *soulier:* used as the equivalent of a Christmas stocking as a receptacle for gifts.

371. *sortie du tablier de Bichat:* founded by Bichat, a French anatomist and physiologist, 1771–1802.

372. *Les verres à pattes!:* The stemmed glasses!

373. *amphitryon:* host (from Molière's play, *Amphitryon*).

374. *retour:* reflection.

375. *l'upas:* tree with poisonous sap.

376. *Cadet de Gassicourt:* another allusion to an authentic person; father and son of this name were chemists in the late eighteenth and early nineteenth centuries.

377. *saccharum:* sugar. Homais again pointlessly turns to Latin.

378. *d'Holbach:* eighteenth-century French atheist philosopher of German origin.

379. *l'Encyclopédie:* 1751-66, vast publication directed by Diderot and d'Alembert, and serving as a very important vehicle for the views of the eighteenth-century *philosophes*.

380. *catalepsie:* catalepsy, a disease in which trances occur.

381. *c'était pourtant à qui ne partirait pas:* but no one was willing to leave before the others. *C'est* or *c'était, à qui …* expresses rivalry: they vied with each other in not leaving.

382. *J'en ai vu d'autres à l'Hôtel-Dieu:* I have been through worse than that at the hospital.

383. *une prise,* i.e., *une prise de tabac:* a pinch of snuff.

384. *cela dissipe:* it is relaxing. Cf. Note 66: *pour vous dissiper un peu.* Norman expression.

385. *ne releva pas:* did not take up.

386. *je me sustenterais:* I would take some nourishment.

387. *il renfourcha … fers:* he once more mounted his nag, which made the sparks fly.

388. *en goguette:* on the spree.

389. *dégouttelaient:* were slowly dripping, formed from *dégoutter,* to drip. *Une gouttelette* is "a droplet."

390. *le serpent:* the serpent player. The "serpent" is an old musical instrument, a woodwind with a number of bends.

391. *Lestiboudois … avec sa latte de baleine:* Lestiboudois moved about the church with his whalebone staff.

392. *les gros sous:* ten-centime pieces. The old five-centime piece was often called *le petit sou.*

393. *lumignons:* dim lights. Some editions amend this to *fumignons,* a Norman word meaning "light wreaths of smoke."

394. *avait battu le bois:* had been beating the wood (for game).

395. *à quoi s'en tenir sur* . . . *:* what to believe about.

396. *édiles:* municipal officials. Historically, the aediles were officials of ancient Rome who superintended public buildings, shows, police, etc.

397. *frères ignorantins:* ignorantine friars. The friars of Saint-Jean-de-Dieu took this name out of humility, but the name was given to all the Brothers of the church schools by anti-clerical people like Homais.

398. *statuettes chic Pompadour:* The name of Madame de Pompadour, favorite of Louis XV, is given to the style of furniture and decoration of the mid-eighteenth century.

399. *le grand mouvement des chocolats:* the great development of chocolates.

400. *cho-ca, revalentia:* doubtless pharmaceutical products new at the time.

401. *Sta viator:* Stay, wayfarer.

402. *amabilem conjugem calcas!:* You pass above a lovable wife.

403. *la table de Pythagore:* multiplication table, attributed to the Greek philosopher and mathematician Pythagoras of the sixth century B.C.

Bibliography

ON LIFE AND WORKS OF FLAUBERT

Descharmes, René. *Flaubert, sa vie, son caractère et ses idées avant 1857* (Paris, Ferroud, 1909).

Descharmes, René et Dumesnil, René. *Autour de Flaubert* (Paris, Mercure de France, 1912).

Dumesnil, René. *Gustave Flaubert, l'homme et l'œuvre* (Paris, Desclée de Brouwer, 1932).

James, Henry. "Gustave Flaubert," in *Notes on Novelists* (New York, Charles Scribner, 1914). Republished in *The Art of Fiction and Other Essays* (New York, Oxford University Press, 1948).

La Varende, Jean de (ed.). *Flaubert par lui-même* (Paris, Edition du Seuil, 1955).

Richard, Jean-Pierre. "La création de la forme chez Flaubert," in *Littérature et Sensation* (Paris, Editions du Seuil, 1954).

Thibaudet, Albert. *Gustave Flaubert* (Paris, Plon, 1922 and Gallimard, 1935).

ON MADAME BOVARY

Dumesnil, René. *La publication de 'Madame Bovary'* (Amiens, Malfère, 1928).

Lubbock, Percy. *The Craft of Fiction* (London, Jonathan Cape, 1921, and New York, The Viking Press, 1957). Chapters V and VI give a close study of the form of *Madame Bovary*.

INTRODUCTIONS TO EDITIONS OF MADAME BOVARY

Dusmenil, René. *Madame Bovary* (Paris, Société des Belles Lettres, 1945).

Thibaudet, Albert et Dumesnil, René. *Flaubert, Œuvres,* Tome I (Paris, Bibliothèque de la Pléiade, N.R.F., 1951).

Peyre, Henri. *Madame Bovary,* translated by Eleanor Marx Aveling (New York, Modern Library, 1950).

COMMENTARY ON THE TEXT OF MADAME BOVARY

Bopp, Léon. *Commentaire sur 'Madame Bovary'* (Neuchâtel, A la Baconnière, 1951).

ON CRITICISM OF MADAME BOVARY IN ENGLISH

Wellborn, Dorothy Jane. *English and American Criticism of Flaubert's 'Madame Bovary' from 1857 to 1957* (Unpublished M.A. Thesis in Comparative Literature, University of North Carolina, 1957). Demonstrates the increase in volume and sophistication of criticism, particularly in the final decade of the period studied.

ON BIBLIOGRAPHY

Dumesnil, René et Demorest, D.L. *Bibliographie de Gustave Flaubert* (Paris, Giraud-Badin, 1939).